66° NORD

Là où s'étendent les ombres, 2010

Michael Ridpath

66° NORD

Traduit de l'anglais
par Anath Riveline

FIRST
Editions

Titre original : *66° North*
© Michael Ridpath, 2011

Édition française publiée par :
© Éditions First-Gründ, Paris, 2011
60, rue Mazarine
75006 Paris – France
Tél. : 01 45 49 60 00
Fax : 01 45 49 60 01
Courriel : firstinfo@efirst.com
Internet : www.editionsfirst.fr

ISBN : 978-2-7540-1677-3 I
Dépôt légal : octobre 2011
Imprimé en France

Édition : Véronique Cardi
Correction : Josiane Attucci-Jan et Jacqueline Rouzet
Couverture : Hokus Pokus créations
Mise en page : Nord Compo
Traduction : Anath Riveline

À Julia, Laura et Nicholas

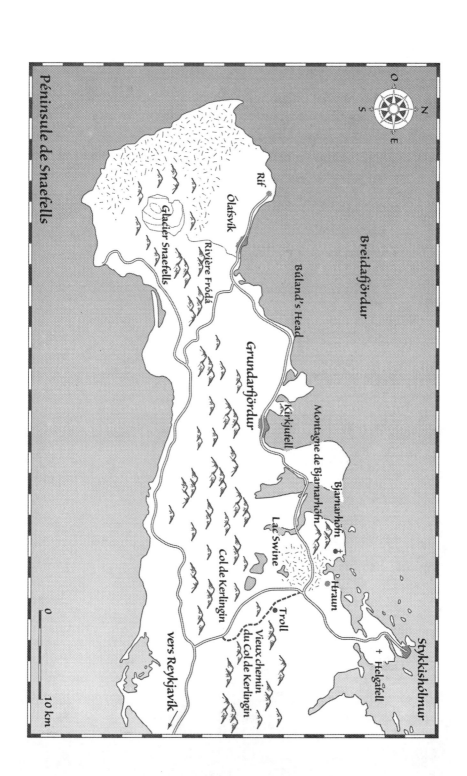

Péninsule de Snaefells

1

Janvier 2009

L'Islande enrageait. Encore plus furieuse que du temps où les premiers Vikings avaient posé le pied sur les côtes embrumées de Reykjavík mille ans plus tôt.

Et Harpa, Harpa enrageait vraiment.

Debout devant le Parlement, en compagnie de quatre mille autres Islandais, elle criait, scandait, frappait. Elle avait apporté une casserole et un couvercle qu'elle cognait l'un contre l'autre. Autour d'elle s'exhibaient toutes sortes d'ustensiles de cuisine, ainsi que des tambourins, des sifflets, et une corne de brume. Une petite vieille tapait son déambulateur contre le sol, le regard fixe et provocateur, les yeux pétillant de fureur.

Un vacarme assourdissant envahissait désormais la place. Au rythme imposé plus tôt par les organisateurs se substituaient une cacophonie de colère et des cris décousus : « Ólafur dehors ! », « Gouvernement pourri ! », ou simplement « Démissionne ! ». En cette mi-janvier, l'air était glacial. Une légère couche de neige recouvrait le trottoir. Faire du bruit réchauffait Harpa. Mais les cris et les coups attisaient aussi la fureur et la haine qui montaient en elle depuis des mois, telle la lave d'un volcan bouillonnant dans les profondeurs de la terre.

La nuit commençait à tomber. Les lampes torches dont certains s'étaient munis étincelaient dans la pénombre naissante.

Des lumières s'allumèrent dans le Parlement, un petit bâtiment en basalte noirci.

La foule s'était rassemblée, comme tous les samedis depuis les dix-sept semaines précédentes, pour demander aux hommes politiques d'arranger la situation déplorable dans laquelle ils avaient plongé le pays. Sauf qu'aujourd'hui mardi, c'était le premier jour de la session parlementaire. Les protestations redoublaient d'insistance, le bruit montait d'un cran, il fallait que le Premier ministre et son gouvernement démissionnent pour que soient organisées de nouvelles élections. Ólafur Tómasson, l'ancien directeur de la Banque centrale, désormais Premier ministre, celui qui avait privatisé les banques et les avait poussées à emprunter toujours plus, bien plus qu'elles ne pouvaient rembourser, devait démissionner avant tout.

C'était la première fois que Harpa assistait à l'une de ces manifestations. Au début, elle était contre, se disant que la violence et les conflits n'étaient pas dignes des Islandais, et que les manifestants ne comprenaient pas la complexité de la situation. Mais, tout comme des milliers de ses concitoyens, elle avait perdu son travail. Elle savait compter, elle voyait bien que l'Islande mettrait des décennies à rembourser la dette accumulée par les banques. Markús, son fils, n'avait que trois ans. À quarante ans, il n'aurait pas fini d'en baver.

Pourris ! Tous pourris !

Ólafur Tómasson était responsable. Les autres politiciens étaient responsables. Les banquiers étaient responsables. Et Gabríel Örn était responsable.

Bien sûr, elle avait contribué à ce carnage. Et c'est pour cela qu'elle était restée loin des manifestations jusque-là. Mais à présent elle criait et frappait, la culpabilité ajoutant à la colère.

Les débats avaient commencé de façon ordonnée, avec les discours animés d'un écrivain, d'un musicien et d'une jeune fille de dix-huit ans. Des drapeaux islandais s'agitaient un peu partout, des banderoles se dressaient, évoquant une ambiance de carnaval plus qu'une émeute.

Mais les gens étaient de plus en plus en colère.

Les policiers, en uniformes noirs et casqués, formaient une ligne devant le parlement, protégeant de la foule les politiciens qui entraient dans le bâtiment. Armés de matraques, de boucliers et de bombes lacrymogènes, certains se tenaient droits et fermes devant les manifestants, d'autres se mordaient les lèvres.

Des œufs et des pots de *skyr*, le yaourt islandais, fusèrent dans le ciel. Les contestataires vêtus de noir, le visage caché derrière un passe-montagne, foncèrent sur les policiers. La foule déferla. Certains, beaucoup même, hurlaient pour qu'on laisse les policiers tranquilles. D'autres applaudissaient. Les lignes de police se démantelèrent. Maintenant on ne se contentait plus de jeter du yaourt, des pierres volaient en direction des forces de l'ordre. Une policière tomba à terre, le visage couvert de sang.

Des sifflets s'élevèrent. Harpa fut poussée en arrière et elle trébucha sur l'homme derrière elle. Un instant, elle se dit qu'on allait la piétiner. Une botte lui écrasa la jambe. Allongée sur le dos, elle brandit la casserole pour se protéger le visage. La colère se transforma en peur.

Des bras puissants la soulevèrent, l'extrayant à la foule.

— Ça va ? Je suis désolé, je ne voulais pas vous renverser.

L'homme était mince et fort, avec d'épais sourcils marron et des yeux d'un bleu profond. Harpa éprouva un choc en levant les yeux vers lui. Elle en resta sans voix.

— Venez, partons d'ici.

Elle hocha la tête et suivit l'homme qui se frayait un chemin à travers la foule vers le coin de la place où le cortège était moins dense. La main sur son bras était large et calleuse, la main d'un pêcheur, la main de son père.

— Merci, parvint enfin à articuler Harpa en se frottant le tibia, là où la botte avait atterri.

— Vous êtes blessée ? demanda-t-il dans un sourire, timide et dur, mais qui trahissait son inquiétude.

— Ça ira.

Un gosse passa à côté d'eux, toussotant en retirant son passe-montagne et en se frottant les yeux. Il ne devait pas avoir plus de quatorze ans. Un autre protestataire pencha la tête du môme en arrière et lui versa du lait dans les yeux pour le soulager.

— Imbéciles ! lâcha Harpa. Ce n'est pas la faute de la police.

— Peut-être pas, non. Mais il faut que les hommes politiques nous prennent enfin au sérieux.

— Oh, c'est pitoyable ! grommela une voix grave derrière eux.

Harpa et son sauveur se tournèrent pour voir un homme d'une cinquantaine d'années, les épaules larges, avec des yeux bouffis, une barbe grise éparse et une queue-de-cheval, qui les regardait en fronçant les sourcils. Sa bedaine se posait sur son jean et il portait un chapeau en cuir à bord large. Harpa avait l'impression de le reconnaître, mais elle n'aurait su dire d'où.

— Comment ça ? demanda-t-elle.

— Les Islandais sont pitoyables ! Le temps de la révolution a sonné. On ne peut plus se contenter de discuter politique dans notre salon et de venir frapper nos casseroles dans la rue. Le peuple doit prendre le contrôle ! Et tout de suite !

Harpa ouvrit grand les yeux et l'écouta. Mais avec le pêcheur à côté d'elle, sa peur diminuait et sa colère se ravivait. Il avait raison, bon sang ! Totalement raison !

— Vous ne seriez pas Sindri ? demanda le pêcheur. Sindri Pálsson ?

L'homme hocha la tête.

— J'ai lu votre livre, *La Mort du capital*.

— Et ?

— Je l'ai trouvé un peu extrême à l'époque. Maintenant, je n'en suis plus si sûr...

L'homme rit.

Harpa se souvint alors où elle avait vu son visage. Il avait été rocker punk au début des années quatre-vingt. Un seul de ses titres avait eu du succès et il s'était reconverti vingt ans plus tard en écrivain anarchiste.

— Je m'appelle Björn, se présenta le pêcheur en tendant la main.

Sindri la serra.

— Et toi ? demanda-t-il à Harpa.

Son haleine empestait l'alcool et elle vit bien qu'elle ne lui était pas indifférente. Elle avait beau être une mère célibataire au chômage de presque quarante ans, elle plaisait encore, surtout aux plus âgés.

— Harpa, répondit-elle, jetant un regard rapide à Björn.

Il lui sourit. Comme il était séduisant ! Il avait quelque chose de différent, ou peut-être que cela venait d'elle, de toute cette colère exprimée.

En tout cas, il avait autrement plus de charme que Gabríel Örn. Dommage qu'il fût pêcheur. La règle numéro un qu'elle s'était imposée, adolescente, était de ne pas sortir avec un pêcheur.

— Ólafur à la porte ! hurla Sindri, son poing levé dans les airs.

Ce grand homme qui s'époumonait, sa queue-de-cheval sursautant, était impressionnant à regarder.

— Ólafur à la porte ! cria-t-elle à son tour en tournant la tête vers Björn.

La nuit les enveloppait désormais. Les clameurs s'intensifiaient. Les plus vieux rentrèrent chez eux, laissant une proportion bien plus forte de manifestants encagoulés. Le grand sapin au centre de la place vacilla : en quelques minutes, il était en feu. Les tambours tonnaient, les gens dansaient. Harpa et Björn emboîtèrent le pas à Sindri, qui se mouvait dans la cohue et parlait avec tout le monde. Tandis qu'elle le suivait, Harpa se sentit à sa place dans cette foule et sa colère ressurgit.

La police arriva finalement à bout de patience.

— Des gaz, des gaz ! Attention !

Un instant plus tard, ses yeux la piquaient. Elle se pencha en avant, mais Björn l'entraîna avec lui. Elle avait la gorge en feu. Ils coururent loin de la place, encerclés par des centaines de personnes, avant que le gaz n'atteigne leurs poumons. Ils perdirent Sindri quelques secondes, puis le retrouvèrent en discussion avec un jeune homme torse nu qui plongeait la tête dans un seau d'eau. Il avait des cheveux roux hérissés sur la tête et sa poitrine luisait dans le froid et les faisceaux des torches. Sindri le félicitait, lui donnant des tapes dans le dos. Le gamin frissonnait, mais sa colère lui tenait chaud.

L'assemblée se dispersa, du moins temporairement. Les gaz rendaient la place inaccessible.

Ils restèrent à bonne distance, à côté de l'imposante statue d'Ingólfur Arnarson, le premier Viking à être entré dans la baie de Reykjavík.

— Au moins, les gaz ne le dérangent pas, remarqua Sindri. Si des gens comme lui dirigeaient encore le pays, ils sauraient quoi faire des banquiers et des politiciens !

— Je me demande s'il avait vraiment l'air de ça, commenta Harpa en admirant ses muscles puissants.

— Moi, il m'a toujours paru un peu efféminé, à se vautrer comme ça sur son bouclier, la hanche en avant, s'insurgea Sindri.

— Oh, pas du tout, il est super viril ! contredit Harpa.

— Il était sans doute petit, gros, avec un double menton, intervint Björn.

Tous trois éclatèrent de rire.

— Venez chez moi boire un verre, proposa Sindri à Harpa et Björn. C'est juste là, au coin de la rue.

Ils échangèrent un regard qui signifiait « j'y vais, si tu y vas ».

— D'accord, accepta Harpa.

Ils suivirent donc Sindri, accompagnés du gamin toujours torse nu, qui agitait, dégoûté, sa chemise dans l'air.

— Un autre, Harpa ?

Harpa hocha la tête, alors que Sindri remplit son verre de brandy. Elle avait l'impression d'être enveloppée dans une sorte de brouillard agréable, l'alcool se mêlant aux émissions chimiques produites par son corps durant l'agitation de la manifestation. Elle n'avait plus pris un verre depuis des semaines, considérant d'un mauvais œil les gens qui buvaient au milieu de la semaine. Mais ce n'était pas un mardi comme les autres.

Ils étaient dans le petit appartement de Sindri, tous les cinq : Sindri, Harpa, Björn, le gamin roux et un petit gars propre sur lui, assez jeune pour être étudiant, qui s'était joint à eux sur le chemin. Le gamin s'appelait Frikki et l'étudiant Ísak.

Sindri s'amusait à en mettre plein la vue à ses convives et particulièrement à Harpa. Il l'avait installée sur le canapé défraîchi à côté de lui, Björn et Ísak étaient assis sur des vieux fauteuils en face d'eux et Frikki gisait par terre. Le studio était un vrai trou : petit, le plafond craquelé, un plancher vermoulu et des livres, des journaux, des magazines et des cendriers remplis de mégots un peu partout. De la vaisselle s'accumulait dans l'évier, dans le coin-cuisine de la pièce. Les seules décorations qui égayaient un peu les lieux étaient les trois ou quatre paysages accrochés aux murs, l'un d'eux représentant un fermier portant une jeune fille inconsciente à travers la lande.

Ils avaient fini une bouteille de vin rouge et attaquaient maintenant le brandy.

Harpa écoutait Sindri, flattée par l'attention qu'il lui accordait et intéressée par ce qu'il avait à raconter. Mais c'était la présence de Björn qu'elle ressentait le plus. Il suivait tout ce que disait Sindri, calme, posé bien que furieux. Il ne se lançait pas dans le genre de compétition masculine classique pour qu'elle le regarde, mais elle voyait bien qu'il jetait un œil ici et là vers elle.

Elle s'amusait, elle aussi. Un instant, elle avait éprouvé une pointe de culpabilité à l'idée d'avoir laissé Markús, mais sa mère était ravie de s'occuper de lui. Elle répétait tout le temps à Harpa qu'elle devait sortir un peu plus et se trouver un homme bien. Elle avait raison. Depuis que Gabríel Örn l'avait laissée tomber, elle était restée cloîtrée dans sa petite maison à Seltjarnarnes.

— Je sais que je n'en ai pas l'air, mais je suis un fermier, affirma Sindri. Ou du moins, je viens d'une famille de fermiers. Jusqu'à ce que les banques nous obligent à vendre nos fermes, bien sûr.

— Que s'est-il passé ? demanda Harpa.

— Tout le monde a été pressé jusqu'à la moelle, expliqua Sindri. Même les fermiers. Mon frère, qui dirige la ferme maintenant, ne peut pas rembourser ses dettes. *Finito.*

Sindri fit le geste de se couper la gorge avec son index.

— Tout simplement. Une ferme qui était dans la famille depuis des générations, qui figure dans le *Livre de la colonisation*, est détruite. Ça me déchire le cœur.

Harpa pensait pourtant que les fermes étaient les seules à s'en sortir après l'effondrement de la couronne islandaise, mais elle ne voulait pas contredire Sindri devant tout le monde.

— Les fermiers sont l'âme de l'Islande, déclara ce dernier en se tournant vers elle. Comme Bjartur ici, dit-il en montrant le paysan qui portait la jeune fille sur le tableau. C'est moi qui l'ai peint, tu sais.

— C'est très beau, affirma-t-elle.

Et ça l'était. Les coups de pinceau étaient ceux d'un amateur, mais ils suggéraient la noblesse de ce paysage rude.

— Les fermiers et les pêcheurs, continua Sindri, acceptant le compliment d'un hochement de tête. Des hommes qui ne refusent jamais de travailler dur dans des conditions extrêmes, qui économisent et se battent pour gagner leur vie dans la lande ou sur les flots. Et pas seulement les hommes, les femmes aussi. L'Islande compte les femmes les plus indépendantes et les plus acharnées au travail du monde. On avait besoin d'eux tous pour survivre. Et maintenant les banquiers, les politiciens, tout ce qu'ils savent faire, c'est dépenser et emprunter. Les gosses d'aujourd'hui ne savent plus ce qu'est le vrai labeur, ce que c'est de parcourir la lande dans un vent déchaîné à la recherche d'un mouton égaré.

— Certains d'entre nous travaillent dur, réagit Frikki. Il y a deux semaines encore, je passais toutes mes journées à trimer dans des cuisines surchauffées pour nourrir ces messieurs en costume. Et l'argent qu'ils gaspillaient ! Dix mille couronnes pour se bâfrer d'un espadon pêché quelque part dans le Pacifique quand on a plein d'excellents poissons autour de nous !

— Pardon, Frikki. Tu as raison, tout le monde n'a pas oublié. Il reste encore de bons Islandais qui ne rechignent pas à retrousser leurs manches. Ils ont toujours été là. C'est juste que plus personne ne les écoutait.

Harpa se demanda si Sindri avait réellement eu un « vrai travail » depuis qu'il avait quitté la ferme. Mais il avait raison. C'était tout à fait le genre de type qu'elle aurait regardé de haut il y a à peine deux mois, le considérant comme un idéaliste ignorant, alors qu'elle trouvait qu'il n'avait pas tort à présent.

— Quelles sont mes chances de trouver du boulot ? demanda Frikki. Il n'y a plus rien...

— Et toi, Björn ?

— Je suis pêcheur. De Grundarfjördur. Je suis venu aujourd'hui à moto spécialement pour la manifestation. Et je suis de ton avis, Sindri. Je sors en mer autant que mon quota me le permet et je ne peux toujours pas rembourser mes dettes. Je ne suis pas le seul, crois-moi. Les banques nous ont dit d'emprunter en monnaies étrangères parce que les taux d'intérêt étaient bas. Et maintenant, mes dettes ont non seulement doublé à cause de l'effondrement de la couronne, mais je dois rendre tout l'argent que les banques ont emprunté aux Anglais et aux Hollandais pour me le prêter. C'est absurde. De la pure folie...

La tournure que prenait la conversation mettait Harpa mal à l'aise.

Quelqu'un d'autre remarqua sa gêne.

— Et toi, Harpa ? demanda Ísak, l'étudiant.

Il l'observait de près. Elle se doutait qu'il l'avait percée à jour, malgré les mois de chômage qu'elle venait de traverser. Était-ce sa façon de parler, ses habits, quelque chose dans son attitude ? Harpa ne l'aimait pas. Son détachement lui donnait la chair de poule. Il ne cadrait pas avec l'indignation des autres. Mais elle devait lui répondre.

— Comme Frikki, j'ai perdu mon travail.

— Bon Dieu ! Encore une !

— Et tu faisais quoi ? demanda Ísak sur un ton calme.

Harpa se sentit rougir. Malaise, honte, culpabilité. Elle eut l'impression d'être submergée, comme si tous les yeux étaient braqués sur elle, mais elle les évita, fixa son verre de brandy, laissant ses boucles noires lui cacher les yeux.

Le silence les écrasa. Björn toussa. Elle leva la tête pour croiser son regard.

Elle devait accepter qui elle était. Reconnaître ce qu'elle et ses semblables avaient fait. Comment, aussi, on s'était servi d'elle.

— Je travaillais dans la banque. Pour Ódinsbanki, jusqu'il y a deux mois, quand mon petit ami m'a renvoyée. Malheureusement, je n'ai pas réussi à m'emparer de tout l'argent que les autres se sont fait. Et l'argent que j'ai tout de même réussi à gagner, c'étaient les parts de la banque et elles ne valent plus rien.

— Tu n'as rien vu venir ? l'interrogea Ísak.

— Non, rien du tout. Je croyais entièrement à la légende que nous étions des petits génies de la finance, plus jeunes, plus rapides et plus intelligents que les autres. Que nous étions les Vikings du XXIᵉ siècle. Que nous prenions des risques calculés pour gagner à coup sûr. Que la fortune n'allait plus nous lâcher. Que ce n'était que le début de la prospérité et pas la fin. J'avais tort. Désolée.

Elle secoua la tête et le silence se fit de nouveau.

— Le capitalisme porte en lui les germes de sa destruction, affirma Ísak. C'est aussi vrai maintenant qu'il y a cent cinquante ans quand Marx l'a dit. Tu as écrit là-dessus, Sindri.

Sindri hocha la tête, clairement ravi qu'on cite son livre.

— Nous avons entendu des excuses, au moins.

— Nous avons tous été bernés, déclara Björn. Personne n'y échappe.

— Et on n'y peut rien ? demanda Frikki. Parfois, j'ai envie de leur casser la gueule, à ces gars-là.

— Je comprends ce que tu ressens, ponctua Björn. Les politiciens ne feront rien. Vous croyez vraiment qu'Ólafur Tómasson va mettre en prison ses meilleurs amis ? Ils commissionnent ces procureurs, mais ils ne mettront jamais la main sur les banquiers. Ils sont tous partis à Londres ou à New York. Et ils veulent notre argent pour laver leur bordel.

— C'est vrai, confirma Harpa. Óskar Gunnarsson est le président de ma banque. Il est parti bouder à Londres. On ne l'a plus vu à Reykjavík depuis trois mois. Mais d'autres sont encore ici, je sais qu'ils ont encore de l'argent caché.

— Comme qui ?

— Comme Gabríel Örn Bergsson, mon ancien patron. Quand il me poussait à souscrire un emprunt à ma banque pour acheter des parts et faire monter les prix, il revendait ces mêmes parts de son côté. Quand il contractait des crédits foireux en Angleterre, il me faisait porter le chapeau, même si je l'avais mis en garde. Et quand les banques ont été nationalisées et que les vieilles règles ont été réinstaurées, interdisant à des couples de travailler ensemble, c'est moi qui ai été renvoyée.

— Un type extra, ironisa Björn.

— Tu sais, il n'a jamais été un type bien. Il était drôle, réussissait bien. Mais ça a toujours été un connard.

— Il est où maintenant ? demanda Ísak.

— Tu veux dire en ce moment ? s'étonna Harpa.

Ísak hocha la tête.

— Aucune idée. On est mardi soir. Je suppose qu'il est chez lui, je suis à peu près sûre qu'il n'était pas à la manif. Il vit dans un appartement sur Skuggahverfi, tout près d'ici.

— Tu crois qu'il sait où est l'argent ?

— Peut-être que oui, peut-être que non.

— Et si tu lui demandais ? suggéra Ísak.

Sindri sourit, froissant la peau sous ses yeux bouffis.

— Oui, fais-le venir ici. On l'obligera à nous dire où ces salopards de voleurs ont planqué l'argent. Et il pourra nous expliquer pourquoi il t'a traitée comme ça. Et nous tous par la même occasion.

— Oui, et je vais lui casser la gueule ! s'exclama Frikki.

Harpa voulut tout d'abord refuser. Ce n'est pas comme si Gabríel Örn allait accepter de révéler à un groupe de soûlards les rouages compliqués des emprunts internes qu'Ódinsbanki avait mis en place. Même s'il le faisait, ils n'y comprendraient rien... D'un autre côté, pourquoi Gabríel Örn ne ferait-il pas la connaissance des gens qu'il avait mis dans la merde ? Qu'il se justifie comme elle venait de le faire. Et pourquoi pas ? Ce connard le méritait largement. La vengeance a meilleur goût après quelques verres de brandy.

— D'accord. Mais ce ne sera pas facile. Je ne sais pas comment je peux le convaincre de venir ici.

— Tu n'as qu'à dire que tu veux discuter de quelque chose avec lui, suggéra Sindri.

— Dans un bar, peut-être. Ou bien chez lui. Mais pas chez des inconnus.

— Dis-lui de te retrouver dans un bar en ville et on le coincera sur le chemin, on le ramènera ici.

— D'accord, accepta Harpa après réflexion. Je vais essayer.

Il était presque minuit. Les bars de Reykjavík seraient encore ouverts, mais elle ne savait pas comment elle pourrait convaincre Gabríel Örn de venir.

Elle sortit son portable et chercha son numéro. Étonnamment, elle ne l'avait pas supprimé de ses contacts. Elle aurait dû l'effacer totalement de sa vie.

— Oui ? répondit-il, la voix ensommeillée.

— C'est moi. Il faut que je te voie. Ce soir.

— Hein ? Quelle heure il est ? Je viens de me coucher, c'est ridicule !

— C'est important.

— Ça ne peut pas attendre ?

— Non. Je dois te voir maintenant.

— Harpa, tu es soûle ? Tu as bu, n'est-ce pas ?

— Bien sûr que non ! protesta Harpa. Je suis fatiguée, je suis contrariée et j'ai besoin de te voir.

— Qu'est-ce qui se passe ? Tu ne peux pas me le dire au téléphone ?

Harpa sentait son cerveau embrumé, mais il lui vint une idée.

— Ce n'est pas le genre de chose dont on peut discuter au téléphone.

— Oh, mon Dieu ! Tu es enceinte, c'est ça ?

Gabríel avait eu la même pensée.

— J'ai dit : « pas par téléphone ». Rejoins-moi au B5. Dans quinze minutes.

— D'accord.

Harpa raccrocha.

— C'est fait ! s'exclama-t-elle.

Le B5 était un bar sur Bankastraeti, une rue qui montait sur une petite colline vers l'est, depuis Austurvöllur, la place devant le Parlement, jusqu'à Laugavegur, la rue commerçante la plus importante de Reykjavík. Elle et Gabríel Örn y retrouvaient des amis le vendredi soir.

— Je sais par où il va passer. On peut l'intercepter.

— Allons-y, proposa Frikki.

L'appartement de Sindri était sur Hverfisgata, une rue miteuse, parallèle à Bankastraeti et Laugavegur, entre ces voies et la baie. Quand ils sortirent dans l'air de la nuit, Harpa se sentit euphorique. Elle évacuait la frustration et le désespoir de ces derniers mois. Bien sûr les banquiers et les politiciens étaient responsables, mais plus que tout c'était un homme qui avait détruit la vie de Harpa.

Gabríel Örn.

Et dans un instant, il serait confronté au peuple que des hommes comme lui méprisaient tant. Il essaierait de trouver une parade, mais elle ne le laisserait pas faire. Elle le forcerait à les regarder en face, à s'excuser et à se justifier de la merde dans laquelle il les avait plongés.

Le froid ne dessoûla pas Harpa, il la revigora. Elle ouvrait la marche, pressant les autres. Le Skuggahverfi, ou « quartier de l'ombre », était un quartier nouveau, avec ses appartements de luxe qui dominaient les bords de la baie. Seuls quelques-uns avaient été terminés avant que les promoteurs soient à court d'argent. Ils regardaient de haut leurs frères à moitié achevés et autour d'eux les immeubles condamnés à la démolition, tout comme celui de Sindri. Elle n'était plus qu'à une centaine de mètres de là où Gabríel Örn traverserait Hverfisgata.

Quelques flocons de neige tombèrent. Malgré l'heure tardive, des gens circulaient encore dans les rues, animées par la manifestation. En bas de la colline vers le Parlement, des flammes s'élevaient d'une poubelle à roulettes, projetant de grandes ombres sur les murs et deux pétards explosèrent.

Harpa conduisit ses nouveaux amis dans les petites rues qui débouchaient sur Hverfisgata. Elle ne doutait pas qu'elle le rencontrerait là-bas.

Elle s'arrêta net devant lui.

— Gabríel Örn !

— Harpa ? s'étonna-t-il en levant la tête vers elle. Je croyais qu'on devait se retrouver au bar ?

Harpa fut prise de dégoût en voyant son visage. Mou du cou et légèrement dégarni, il avait quelques années de moins qu'elle. Que lui avait-elle trouvé ?

— Non, je veux que tu viennes avec nous.

Gabríel Örn jeta un œil derrière elle.

— Qui sont ces gens ?

— Ce sont mes amis, Gabríel Örn, mes amis. Je veux que tu parles à mes amis. C'est pour cela qu'il faut que tu nous accompagnes.

— Tu es soûle, Harpa ! s'indigna le jeune banquier.

— Je m'en fiche. Allez, suis-nous.

Harpa tenta d'attraper Gabríel par la manche. Brutalement, il se dégagea. Frikki arriva à sa hauteur en grommelant. Vêtu uniquement de sa chemise à l'effigie du club de football de Chelsea, il ne portait pas de manteau, mais il était trop ivre pour s'en soucier.

— Tu l'as entendue ? cria-t-il au visage de Gabríel Örn. Tu viens avec nous !

Il attrapa le revers de son manteau, et Gabríel Örn le repoussa. Frikki lui décocha une droite, que le banquier n'eut pas de mal à esquiver. Gabríel Örn avait quinze bons centimètres de moins que Frikki, mais il lui envoya un uppercut qui fit perdre l'équilibre au gamin.

Harpa n'en revenait pas. Elle n'aurait pas imaginé son ancien amant prendre l'ascendant physique sur qui que ce soit.

Gabríel se tourna pour repartir.

La colère explosa dans la tête de Harpa, un voile rouge de fureur. Pas question qu'il les snobe ainsi. Elle attrapa une bouteille de bière sur un mur qui entourait un parking. Faisant trois pas en avant, elle visa la partie chauve sur le haut du crâne de Gabríel Örn.

Il chancela et s'écroula, sa tête cognant dans un craquement sourd la borne en fer à l'entrée du parking.

Il resta à terre sans bouger.

Choquée, Harpa lâcha la bouteille, sa main couvrant sa bouche.

— Oh, mon Dieu ! laissa-t-elle échapper.

Frikki accourut puis lui assena deux coups de pied dans les côtes et un dans la tête. Björn l'attrapa par la taille pour le jeter au sol.

Ensuite, il s'agenouilla pour examiner le banquier.

Gabríel Örn ne bougeait pas. Il avait les yeux fermés, son visage déjà pâle prenait une teinte cireuse. Un flocon de neige atterrit sur sa joue. Du sang coulait de son crâne sous ses cheveux ras.

— Il ne respire plus, chuchota Harpa, avant de hurler. *Il ne respire plus !*

2

— Aaagh !

Hallgrímur fit tournoyer sa hache tandis qu'ils arrivaient sur lui. Ils étaient huit. Dans une rage frénétique, il coupa la jambe du premier guerrier et la tête du deuxième. Sa hache trancha le bouclier du troisième. Le quatrième, il l'atteignit au visage avec son bouclier à lui. Slash ! Slash ! Encore deux de moins. Les deux derniers s'enfuirent et on pouvait les comprendre.

Hallgrímur s'affala sur le cairn en pierre, haletant, vidé de son énergie.

— J'en ai eu huit, Benni, annonça-t-il.

— Oui, et tu m'as eu moi aussi, répliqua son ami en se frottant la bouche. Je saigne. Une de mes dents bouge.

— Ce n'est qu'une dent de lait, rétorqua Hallgrímur. Elle serait tombée de toute façon.

Il se détendit, laissant le soleil pâle caresser son visage. Il aimait la sensation qu'il éprouvait après avoir joué au guerrier viking. Tant d'agressivité et de violence bouillonnaient en lui qu'il était persuadé d'être un Berserk des temps modernes.

Et il se trouvait dans son endroit préféré. En plein milieu des vagues de pierres figées qu'on appelait Berserkjahraun, ou « champ de lave des Berserks ». C'était un lieu magique et sinistre, fait de plis et de replis de pierres recouvertes de mousse verte, de bruyère vert foncé et des feuilles rouge sang des myrtilles.

Le champ de lave tenait son nom des deux guerriers amenés comme esclaves de Suède sur le sol islandais mille années plus tôt par Vermund l'Incliné, l'homme qui possédait la ferme de la famille de Hallgrímur, Bjarnarhöfn. Les Suédois n'avaient pas d'égaux dans les batailles lorsqu'ils entraient dans une rage incontrôlable. Ils furent une aide considérable pour le fermier de Bjarnarhörfn qui les passa à son frère, Styr at Hraun, qui occupait la ferme de Benedikt de l'autre côté du champ de lave.

Styr ne s'était pas entendu avec ses nouveaux serviteurs et les Berserks furent retrouvés enterrés sous les pierres de lave et la mousse, à l'endroit précis où Hallgrímur se reposait.

Bien sûr, Hallgrímur avait grandi bercé par l'histoire de ces deux Berserks, mais son ami Benedikt venait de commencer *La Saga du peuple d'Eyri* et avait découvert un tas de nouveaux détails, le plus intéressant étant que l'un des deux portait le même nom que son ami, Halli. Âgé de huit ans, Benedikt avait un an de moins que Hallgrímur, mais il lisait incroyablement bien. Leur jeu préféré était désormais d'arpenter le champ de lave, en incarnant des Berserks. Ça marchait bien, selon Hallgrímur. C'est Benedikt qui inventait les histoires et Hallgrímur qui jouait le mieux les guerriers survoltés. Et après tout, c'était le but.

— On fait quoi, maintenant ? demanda-t-il à Benedikt.

C'était plus une façon de lui ordonner de trouver une nouvelle idée de jeu qu'une vraie question.

— Des nouvelles de tes parents ? interrogea Benedikt.

— Mon père ne reviendra pas avant des heures. Il est allé chercher une brebis dans la montagne. Je vais juste vérifier pour ma mère.

Le cairn se trouvait dans une dépression, hors de la vue des adultes, ce qui faisait de l'endroit l'aire de jeux parfaite. Entre les deux fermes montait un vieux chemin, dont les pierres de lave avaient été taillées des siècles plus tôt, avant même l'arrivée des Berserks. Hallgrímur l'emprunta et jeta un œil en direction de l'est, vers Bjarnarhöfn. La ferme prospérait, nichée en contrebas d'une cascade qui coulait le long de la montagne de Bjarnarhöfn. Un vaste champ la bordait, d'un vert vif, tranchant avec le marron de la lande alentour. Une minuscule église en bois, pas plus grande qu'une cabane, s'érigeait entre la ferme et la baie grise de Breidafjördur, le large fjord parsemé de petites îles. Juste au-dessus du littoral, des poissons salés pendaient pour sécher. Hallgrímur ne voyait pas de signe de vie. Sa mère lui avait dit qu'elle allait laver l'église, ce qu'elle faisait de façon obsessionnelle. À Hallgrímur, cela semblait complètement inutile, le pasteur n'officiant là qu'une fois tous les trois mois.

Cependant, il était inutile de raisonner sa mère.

Il aurait dû être dans la chambre qu'il partageait avec son frère, à finir ses devoirs d'arithmétique. Mais il avait filé en douce pour jouer avec Benedikt.

— D'accord, lança ce dernier. J'ai entendu dire que les hommes d'Arnkel ont volé quelques-uns de nos chevaux. Nous devons les retrouver et récupérer nos bêtes. Il va falloir les prendre par surprise.

— Très bonne idée, se réjouit Hallgrímur, pas tout à fait sûr de savoir qui était Arnkel.

Ce devait être un chef de la saga. Benedikt connaissait tout par cœur.

Ils partirent en rampant vers le sud. La lave avait jailli d'une des grandes montagnes et coulé vers le sud des milliers d'années plus tôt, s'arrêtant dans le fjord entre les deux fermes, dans un endroit appelé Hraunsvík, la « baie de lave ». Sur plusieurs kilomètres, le champ s'étendait dans un tumulte de pierre et de mousse, gris, vert et pourpre, à vingt mètres au-dessus de la plaine. Il était possible de se glisser sur les plis de lave, de s'introduire dans les fentes, de se tapir derrière les formes extraordinaires qui se dressaient au-dessus d'eux. À un endroit, la lave semblait dessiner la silhouette de deux chevaux, dans un angle précis. C'était là qu'ils se dirigeaient.

Cela faisait cinq minutes qu'ils rampaient et se faufilaient quand soudain, ils entendirent un grognement devant eux.

— C'était quoi ? demanda Hallgrímur.

— Je ne sais pas, répondit Benedikt, terrorisé.

— On aurait dit un animal...

— Peut-être que la troll de Kerlingin est descendue de son col...

— Ne sois pas ridicule ! s'énerva Hallgrímur, mais il n'en menait pas large.

Le grognement se fit plus intense. Cela venait d'un homme.

Un court cri aigu retentit.

— C'est ma mère ! chuchota Hallgrímur, ignorant les supplications à voix basse de Benedikt de ne pas approcher.

Son cœur battait la chamade. Il ne savait pas ce qui l'attendait. Était-ce vraiment sa mère ? Était-elle en danger ?

Peut-être que les Berserks étaient revenus dans le champ de lave.

Il hésita, la peur le paralysant un moment. Mais Hallgrímur était courageux. Il prit son courage à deux mains et se souleva de la fente où il était caché.

Là, sur un tapis de mousse, il vit les fesses nues d'un homme monter et descendre sur une femme à moitié habillée, le visage entouré d'un oreiller de cheveux blonds, incliné directement vers lui. Elle ne le vit pas, elle fermait les yeux et des petits miaulements sortaient de ses lèvres légèrement ouvertes.

Mère...

Mère semblait d'excellente humeur pendant le dîner ce soir-là. Père était rentré de la montagne après avoir trouvé la brebis coincée dans une ravine.

Mère adorait ses enfants, enfin la plupart. Elle était très fière des trois sœurs de Hallgrímur, qu'elle élevait de sorte qu'elles deviennent des femmes travailleuses, honnêtes et fortes.

Mais Hallgrímur... Elle n'aimait pas Hallgrímur.

— Halli ! Comment t'es-tu écorché les genoux ? interrogea-t-elle.

— Je ne les ai pas écorchés.

Il niait toujours tout obstinément. Ça ne marchait jamais.

— Bien sûr que si ! C'est du sang, là, et ils sont sales.

Hallgrímur baissa les yeux. C'était vrai.

— Euh... je suis tombé dans les escaliers.

— Tu es allé jouer dans le champ de lave, c'est bien ça, hein ? Alors que je t'avais dit de faire tes devoirs !

— Non, je te jure que non. Je suis resté ici tout le temps.

— Tu me prends pour une imbécile ? demanda sa mère en élevant le ton. Gunnar, vas-tu contrôler ton fils ? Empêche-le de mentir à sa mère !

Père n'aimait pas plus Hallgrímur. Mais il aimait encore moins sa femme, malgré sa beauté.

— Laisse-le tranquille.

La bonne humeur de sa mère était depuis longtemps partie.

— Dans ta chambre, Halli ! Et sur-le-champ ! Tu ne reviendras que quand tu auras fini tes devoirs. Ton frère mangera ton *skyr*.

Hallgrímur se leva, lançant un regard triste à son plat de *skyr* et de baies. Il partit vers le couloir.

Il s'arrêta à la porte.

— Tu as raison, mère. Je suis allé jouer dans le champ de lave avec Benni.

Il était content de voir les joues de sa mère s'empourprer.

— Je t'y ai vue avec le père de Benni. Vous faisiez quoi ?

— Dehors ! Dans ta chambre !

Cette nuit-là, après que tous les enfants furent couchés et que les lampes furent éteintes, Hallgrímur entendit son père hurler et sa mère pleurer.

Le petit garçon s'endormit, un sourire aux lèvres.

3

L'inspecteur Magnús Jonson, de la police de Boston, ferma les yeux en se glissant dans l'eau délicieusement chaude. Tout son corps picota du choc de la température de l'eau après l'air froid et les trente longueurs qu'il venait de parcourir. Il faisait six degrés dehors, mais quarante dans le jacuzzi. De la buée s'élevait au-dessus de la piscine olympique remplie de nageurs assidus. Il était 6 heures, l'heure de pointe dans les thermes à ciel ouvert de Laugardalur, quand les habitants de Reykjavík affluaient pour nager et discuter. Le fait qu'ils étaient presque nus et ce, par une soirée grise et froide de septembre, ne semblait déranger personne.

— Ouh, ça fait du bien ! s'exclama le grand homme mince qui entra dans l'eau après Magnús. Tu nages vite !

— Il faut bien que j'évacue mon trop-plein d'énergie, Árni. Et mon agressivité.

— Agressivité ?

— Oui, je n'ai pas l'habitude de passer mes journées assis dans une salle de classe.

— En fait, tu préférerais courir dans les rues de Boston, à tirer sur des voyous avec ton Magnum 357 ?

Magnús jeta un œil en direction de son ami. Bien qu'il fût à Reykjavík depuis quatre mois, il n'était jamais sûr de savoir quand les Islandais plaisantaient. C'était particulièrement vrai avec Árni Holm qui excellait dans l'ironie pince-sans-rire, tout en pouvant sortir des réflexions vraiment stupides.

— C'est un peu ça, Árni.

— J'ai entendu dire que tes cours étaient vraiment intéressants. Les gens se bousculent pour y assister. Tu le savais ?

— Tu devrais venir.

— Je suis sur la liste d'attente...

Magnús enseignait à la fac de police un cours sur la criminologie urbaine aux États-Unis. Il aimait ça. Et même s'il ne l'avait jamais fait avant, il se révélait un très bon professeur.

Il avait été appelé dans les forces de l'ordre islandaises par le chef de la police qui s'inquiétait que son petit pays atteigne le taux de criminalité des grandes villes. Non pas que l'Islande ignorât tout des délits, la drogue coulait à flots, et les vendredis et samedis soirs arrosés contribuaient à remplir les prisons de soûlards. Et bien sûr, il y avait eu les manifestations de l'hiver dernier devant le Parlement, qui avaient débouché sur la « révolution des casseroles », renversant le gouvernement et mettant à mal les ressources policières.

Mais le chef de la police craignait que le genre de méfait qui frappait Amsterdam, Copenhague ou même Boston ne s'abatte sur Reykjavík. Des trafiquants de drogue étrangers, l'usage de couteaux, peut-être même d'armes à feu. Et il voulait que ses hommes soient préparés. D'où son appel à un officier américain qui parlait islandais.

On n'en comptait pas tant que cela, parmi les forces de l'ordre des grandes villes américaines. Magnús, qui avait quitté l'Islande pour les États-Unis avec son père à l'âge de douze ans, cadrait parfaitement, et après avoir été blessé par balle dans une affaire de corruption policière, il avait été envoyé à Reykjavík presque autant pour sa propre protection que pour ce qu'il pouvait apporter aux Islandais.

— Quoi de neuf au poste ? demanda-t-il à Árni.

— On a un voleur d'oiseaux.

— Un voleur d'oiseaux ?

— Quelqu'un vole des oiseaux exotiques. Surtout des perroquets et des perruches ondulées. Il n'en reste presque plus dans tout Reykjavík, maintenant. C'est un gros problème. Cet homme, car nous pensons que c'est un homme et pas une femme, est très intelligent.

— Je croyais que tu ne t'occupais que des crimes violents ?

— On va là où le besoin se fait sentir. Le taux de cambriolages a doublé durant les six derniers mois et ils ont dû virer une vingtaine d'officiers en uniforme. Le *kreppa*. Tu vois de quoi je parle. Tu as pu constater par toi-même les réductions budgétaires.

Kreppa était le terme islandais pour la crise financière, et le sujet de conversation favori des Islandais.

— Vous avez des pistes ?

— Quelques-unes. Pas assez. Mais je suis confiant : l'affaire sera réglée d'ici la fin de la semaine. Quand est-ce que tu nous rejoins ? Ton expérience nous sera sûrement utile.

— Encore deux mois, je pense.

Le chef de la police avait tenu à ce que Magnús étudie six mois à l'académie de police avant d'obtenir son badge. Magnús avait accepté à contrecœur, mais il reconnaissait qu'Árni n'avait pas tort quand il affirmait qu'il était impossible de faire respecter la loi quand on ne la connaissait pas.

Par conséquent, Magnús avait passé les quatre mois précédents comme étudiant et enseignant. Il préférait enseigner.

Des bulles commencèrent à se former dans l'eau. Árni pencha la tête en arrière pour se détendre. Magnús en profita pour examiner la cicatrice sur le torse de son coéquipier. Le chirurgien de l'hôpital national avait fait du bon travail. Magnús avait vu des blessures par balle bien moins belles que celle-là.

Juste après son arrivée, quatre mois plus tôt, Magnús avait collaboré avec Árni sur une affaire. L'homme n'avait pas la réputation d'être le meilleur inspecteur de Reykjavík, certains disaient même qu'il avait obtenu le poste grâce à son oncle, le sergent-chef Thorkell Hólm, directeur du département de police. Par moments, Magnús l'avait trouvé horripilant, mais il l'appréciait et admirait sa loyauté.

Et il n'oublierait jamais qu'Árni avait pris une balle pour le protéger.

Ils sortirent du jacuzzi pour prendre une douche froide, suivie d'une douche chaude.

Alors qu'ils s'habillaient dans les vestiaires, Árni vérifia ses messages.

— Un appel de Baldur, annonça-t-il.

Il appuya sur quelques boutons et posa l'appareil contre son oreille.

L'inspecteur Baldur Jakobsson était le chef de la brigade des crimes avec violence. En bon flic islandais traditionnel, il se méfiait de Magnús et de ses méthodes des grandes villes. Magnús comprenait, mais il le trouvait tout de même pénible.

Magnús se dit qu'ils avaient dû faire une découverte de poids avec les volatiles. Árni fermait les yeux en écoutant son chef et sa pomme d'Adam se mit à remuer furieusement. Il rougit d'enthousiasme.

— Oui. Oui… oui. Oui, tout de suite.

Son excitation avait éveillé l'intérêt de Magnús.

— C'était quoi ?

— Je dois retourner au poste. Tu connais Óskar Gunnarsson ?

— Je crois. C'est un banquier, non ?

C'était le problème principal de Magnús. Même s'il avait réussi à progresser suffisamment en islandais pour effacer toute trace d'accent, Reykjavík était une si petite ville que tout le monde se connaissait. Hormis Magnús qui n'avait jamais entendu parler de personne.

Árni se dépêcha de s'habiller.

— C'est l'ancien P.-D.G. d'Ódinsbanki. Il a été renvoyé l'année dernière. La brigade financière et le procureur spécial ont ouvert une enquête sur lui. Bref, il a été assassiné la nuit dernière à Londres.

— On pense à une piste islandaise ?

— Les enquêteurs britanniques n'en ont pas encore trouvé, mais Baldur veut que nous vérifiions de notre côté.

— J'imagine.

— Tu devrais t'en mêler, suggéra Árni en enfilant sa veste. Tu te chargeras du côté international.

— Ça ne va pas plaire à Baldur.

— Depuis quand c'est le genre de considération qui t'arrête ?

Magnús ouvrit la porte d'entrée de sa petite maison du centre-ville de Reykjavík. Les murs extérieurs étaient en béton couleur crème et le toit, comme la plupart des toits islandais, en tôle ondulée et peint d'une couleur vive, vert clair, en l'occurrence. La maison appartenait en fait à Árni et à sa sœur, Katrín, même si seule Katrín y habitait. Magnús lui payait un loyer très raisonnable.

Après avoir grimpé les quelques marches jusqu'à sa chambre, il sortit une bière Viking de son réfrigérateur, s'écroula sur une chaise et l'ouvrit. Les Islandais ne buvaient peut-être pas pendant la semaine, se réservant pour des cuites mémorables le week-end, mais Magnús était assez américain pour avoir besoin d'un petit remontant à la fin de la journée.

Son corps fourmillait encore après ses longueurs. La chambre n'était pas grande, mais lui suffisait. Il n'avait pas beaucoup d'affaires. Avant de venir en Islande, il partageait un appartement avec son ex-petite amie, Colby, où il s'était toujours senti comme un invité : elle possédait tellement plus de choses que lui. Pourtant, il avait des livres, et la petite bibliothèque qui occupait tout un mur croulait sous leur poids. Bien rangées dans le désordre ambiant, il savait toujours où retrouver ses sagas en islandais aux pages jaunies et écornées, pour la plupart achetées par son père.

De l'autre côté de la fenêtre, à quelques pâtés de maisons de là, l'église de Hallgrímskirkja menaçait, son énorme flèche cachée derrière les échafaudages, tel un vaisseau spatial prêt à décoller, entouré de sa tour de lancement.

Magnús laissa échapper un soupir en buvant le liquide pétillant. Ça faisait du bien.

À Boston, rares étaient les journées ou les nuits de travail sans au moins un mort. Résoudre le crime n'incluait pas toujours des fusillades en série, comme avait l'air de le croire Árni, mais il fallait beaucoup discuter. Avec les gens dont la vie venait d'être détruite par la mort d'un être proche, des gens dont la vie était déjà détruite par leur quotidien minable, des témoins qui voulaient parler, des témoins qui ne le voulaient pas. On passait la plus grande partie de son temps à s'assurer que la procédure était respectée, que l'interrogatoire se déroulait dans les règles, que le témoignage était retranscrit avec précision et que les pièces à conviction étaient relevées correctement.

Cela signifiait de longues heures pénibles, frustrantes et déprimantes, mais Magnús ne s'en lassait jamais. Toutes les victimes avaient des familles, des gens qui allaient devoir passer par un processus de deuil, et Magnús voulait faire le maximum pour ces gens-là.

Bien sûr, il était conscient que quelque part, il le faisait pour lui. Son propre père avait été assassiné dans une petite ville en dehors de Boston, quand Magnús avait vingt ans et étudiait à l'université. La police locale n'avait jamais réussi à élucider l'affaire, et Magnús non plus, bien qu'il ait passé presque une année à essayer. En fait, il n'avait pas vraiment renoncé. C'est pour cela qu'il avait rejoint les forces de l'ordre de Boston. C'est pour cela qu'il ne manquait jamais d'énergie pour un mort de plus.

Et voilà qu'il vivait en Islande. À son arrivée, au printemps, il s'était chargé d'une affaire passionnante, mais depuis il n'avait fait qu'étudier et enseigner. Le Code pénal orange trônait sur son bureau à côté de la fenêtre. Il en connaissait au moins les trois quarts à présent.

Les gars de la brigade des crimes avec violence n'étaient vraiment pas débordés. En juin, un type avait été poignardé dans la rue à 4 heures, un dimanche matin. Les premiers flics sur place avaient résolu l'affaire, concluant que le gamin de dix-huit ans complètement défoncé qui agitait un couteau dégoulinant de sang en hurlant qu'il allait tuer tout le monde devait sans doute être le coupable.

Magnús avait promis à Snorri Gudmundsson, le chef de la police nationale, qu'il resterait deux ans. Il le lui devait pour lui avoir procuré un refuge quand le gang des Dominicains était à ses trousses. Il le devait aussi à Árni qui avait pris une balle pour lui, quand le tueur à gages qu'ils avaient envoyé à Reykjavík avait retrouvé Magnús.

Mais cette promesse ne serait pas facile à tenir. Quatre mois et il s'arrachait déjà les cheveux.

Pourtant, Árni avait raison. Il ferait bien d'appeler. Essayer de se voir confier l'affaire d'Óskar Gunnarsson. Qui sait, elle pouvait s'avérer intéressante. Ça le changerait. Et ce serait enrichissant de traiter avec la police britannique.

Mais qui appeler ? Baldur refuserait, il en était certain. Il savait que le chef de la police nationale accepterait de l'entendre, mais il voulait garder cette possibilité en dernier recours. Avec Thorkell Hólm, le sergent-chef, il avait plus de chances. Cela enragerait Baldur, mais tant pis.

Il prit son téléphone pour composer son numéro.

À cet instant, il entendit un gloussement.

Il tourna la tête.

Il y avait une femme nue allongée sur son lit.

— Ingileif ! Mais qu'est-ce que tu fiches ici ?

Elle jeta les couvertures au sol et vint se pencher sur lui.

— Tu ne m'avais pas vue, hein ? Quel genre de flic es-tu, si tu n'es même pas capable de repérer une femme nue dans ton lit, en manque de sexe ?

— Tu te cachais ! protesta Magnús.

— Pitoyable.

Elle s'installa à califourchon sur lui. Ses seins exquis passèrent à quelques centimètres de son visage et elle rit, ses cheveux blonds détachés.

— Comment tu as eu la clé ?

— Tout doux, Magnús. Ça fait une demi-heure que je t'attends ici. Et tu as bien trop d'habits sur toi.

— Mais...

Elle l'embrassa. Passionément. Il posa les mains sur ses hanches nues. Il se fichait de savoir comment elle était entrée. Il la voulait. Maintenant.

Un craquement leur parvint du téléphone tombé au sol. Ingileif le ramassa pour répondre.

— Oui ?

— Donne-le-moi ! s'exclama Magnús en essayant de s'emparer du combiné.

Ingileif tourna la tête.

— Désolée, l'inspecteur Magnús est occupé. Il vous rappelle dès qu'il a fini. Ce ne sera pas long, sans doute pas plus de deux minutes. En général, il ne tient pas beaucoup plus que ça.

— Ingileif ! cria Magnús en se levant et la laissant tomber par terre.

Triomphante, Ingileif appuya sur le bouton rouge pour raccrocher avant que Magnús n'ait pu saisir le téléphone.

— C'était le sergent-chef quelque chose. Ne t'inquiète pas, il a dit qu'il comprenait.

Magnús la ramassa et la jeta sur lit.

Il est très difficile de faire l'amour à une femme qui n'arrête pas de rire.

— Je peux regarder *LazyTown* maintenant ?

Harpa jeta un œil vers l'assiette vide de son fils.

— Tu as regardé la télé chez grand-mère ?

— Non.

Markús secoua sa tête bouclée et la fixa de ses yeux marron clair. Harpa savait que les jeunes enfants mentaient souvent, mais pas Markús. Il ne mentait jamais, ou du moins pas à elle. D'où tenait-il cette honnêteté ? Pas de son père, ça, elle en était sûre.

Et pas d'elle.

— Très bien, vas-y alors.

Harpa suivit son fils dans le salon et inséra un DVD dans le lecteur.

Elle repartit ensuite dans la cuisine ranger leurs assiettes dans le lave-vaisselle. Elle aimait manger avec son fils, même s'il était tôt.

Par la fenêtre, elle regarda la baie de Faxaflói. Vers la droite, derrière les réservoirs de pétrole, se trouvait la ville de Reykjavík, méli-mélo de maisons aux couleurs vives surplombé par l'église de Hallgrímskirkja, sa flèche majestueuse enfouie derrière les échafaudages. Droit devant, de l'autre côté de la baie, on voyait le mont Esja, rempart horizontal de granite, pas encore enneigé à cette période de l'année. Et vers la gauche s'élevait la petite ville d'Akranes, nichée tout au bout de sa péninsule, de la fumée s'échappant de son unique cheminée immense.

Sa petite maison était en plein Nordurströnd, la route qui longeait le versant nord-est de la banlieue riche de Seltjarnarnes, perchée sur son propre promontoire qui dominait la baie. La maison avait coûté cher à cause de la vue, mais Harpa avait pu prendre une grosse hypothèque pour payer les frais, une hypothèque qu'elle n'avait pas eu de mal à financer avec son salaire de banquière. Elle aurait dû en choisir une à taux fixe, mais comme la plupart des Islandais, elle avait opté pour un crédit qui dépendait de l'inflation avec l'avantage que les remboursements mensuels étaient plus bas.

L'inconvénient : quand l'inflation était élevée, par exemple après la dévaluation massive de la monnaie, la valeur du crédit dépassait vite la valeur de la maison.

Elle n'avait plus son salaire de banquière, et par conséquent, elle ne pouvait plus rembourser. La maison valait désormais moins que l'hypothèque. Elle allait la perdre, c'était inévitable. La seule raison pour laquelle elle ne l'avait pas encore perdue, c'était le décret temporaire du gouvernement demandant aux banques de repousser la saisie au mois de novembre.

Que se passerait-il ensuite ? Peut-être que les banques se montreraient indulgentes. Ou peut-être que Markús et elle se retrouveraient obligés d'aller vivre chez ses parents comme ces mères adolescentes à peine sorties du lycée.

Si ses parents parvenaient à garder leur maison, bien sûr. Elle savait qu'ils avaient des difficultés financières eux aussi. Après tout, elle en était responsable, elle ne savait juste pas à quel point ils étaient embourbés. Et elle n'osait pas demander.

Pourquoi avait-elle pris cette hypothèque ridicule ? Avec son master de l'université de Reykjavík, elle connaissait les risques théoriques. Elle s'était juste laissé emporter par l'optimisme ambiant qui avait balayé l'Islande.

Elle alluma les infos. Il était question de ministres qui menaçaient de démissionner à cause de l'accord que l'Islande avait passé pour repayer les quatre milliards d'euros empruntés au gouvernement britannique afin de renflouer les déposants de Icesave, la banque d'épargne en ligne islandaise qui opérait à Londres.

Puis elle entendit le nom d'un homme qu'elle connaissait trop bien.

— Le banquier islandais Óskar Gunnarsson, ancien P.-D.G. d'Ódinsbanki, a été abattu d'un coup de revolver dans sa maison à Londres.

Harpa se figea, l'eau chaude continuant à couler sur la vaisselle qu'elle rinçait.

— Une enquête a été ouverte sur son compte par les autorités islandaises dans une affaire de fraude dans la banque Ódinsbanki avant sa nationalisation il y a presque un an. On ne sait pas encore si le meurtre est lié à la fraude présumée.

Harpa s'empara de son portable pour trouver plus d'informations. En attendant que l'ordinateur s'allume, elle se remémora ce banquier charismatique. Mais elle pensa également à Gabríel Örn. Un autre banquier assassiné.

Est-ce que le jour arriverait où elle ne penserait plus à Gabríel Örn ?

Elle entra sur la page de la BBC. Ils donnaient quelques détails supplémentaires. La maison se situait à Onslow Gardens à Kensington. Harpa se rappelait quand Óskar l'avait achetée juste avant qu'elle ne termine sa mission de deux ans à Londres en 2006. À cette époque, elle habitait à Reykjavík, mais faisait des allers-retours réguliers en Angleterre. On s'était introduit chez lui la veille pour le tuer. Sa petite amie se trouvait dans sa maison, mais n'avait pas été blessée.

— Bonjour !

La porte d'entrée s'ouvrit avec fracas.

— Harpa ?

— Je suis dans la cuisine, papa !

Un instant plus tard, son père entra. Des petits pas empressés résonnèrent dans le couloir. Markús se jeta dans les bras de son grand-père.

— Alfi !

Einar Bjarnason fit tourner le gamin dans les airs comme une feuille, riant aux éclats.

— Bonjour Markús ! Comment vas-tu ? Tu es content de voir ton vieux grand-père ?

— Je regarde *LazyTown*, Alfi, tu veux venir avec moi ?

— Dans un instant, Markús, dans un instant.

Son visage buriné se fendit d'un large sourire. Einar était pêcheur et à l'époque il sortait encore son bateau sur la mer, où il avait acquis la réputation d'être un capitaine féroce. Avec son petit-fils cependant, il se montrait tout doux. Et avec sa fille aussi.

Il ouvrit les bras pour l'embrasser. Péniblement, elle s'arracha à l'ordinateur pour venir vers lui. Ils avaient la même taille, mais il était large et fort et cela faisait du bien de sentir ses grosses mains sur son dos.

Il n'avait jamais été aussi câlin que récemment.

Il savait qu'elle en avait besoin.

Surprise par sa propre réaction, une fois dans ses bras, elle se mit à pleurer.

Einar la repoussa légèrement pour pouvoir la regarder.

— Qu'est-ce qui se passe ? Qu'est-ce qui t'arrive ?

— Le patron d'Óðinsbanki a été assassiné. Óskar Gunnarsson.

— Il le méritait sûrement.

— Papa !

Harpa savait que son père exécrait les banquiers, surtout ceux qui avaient mis à la porte sa fille chérie, mais sa remarque manquait trop de sensibilité.

— Je suis désolé, mon cœur, tu le connaissais ?

— Non, pas vraiment. Un peu.

Einar noyait son regard bleu dans les yeux de sa fille. *Il sait que je mens*, se dit Harpa, paniquée. *Tout comme il savait que je mentais quand j'ai parlé à la police de Gabríel Örn.* Elle se sentit rougir.

Elle recula d'un pas et s'écroula sur une chaise de la cuisine, sanglotant.

Einar leur servit à tous les deux une tasse de café avant de s'asseoir en face d'elle.

— Tu veux qu'on en parle ?

Harpa secoua la tête. Elle parvint à contrôler ses larmes. Son père attendit.

— Comment était la pêche ? demanda enfin Harpa.

Elle voulait dire la pêche à la mouche. Einar avait dû renoncer à la pêche en mer quinze ans plus tôt quand une vague avait détruit l'*Helgi*, le jetant contre un treuil et lui cassant le genou. Pendant quelques années, il avait réussi à diriger le bateau depuis la terre avant de le vendre avec son quota pour des centaines de millions de couronnes. Depuis, il avait mené une vie de retraité prospère. Jusqu'à ce qu'il écoute sa fille...

Au départ, il avait investi de l'argent dans des comptes à taux d'intérêt élevés à Óðinsbanki, ce qui lui avait rapporté des revenus très confortables pour vivre. Mais certains de ses camarades faisaient fortune en spéculant sur les monnaies étrangères ou en investissant dans la Bourse islandaise en plein essor. Il avait demandé conseil à sa brillante fille qui travaillait dans une banque.

Elle lui avait dit de se méfier de la spéculation sur les devises étrangères et les investissements boursiers. Les titres bancaires, ça, c'était du sûr. Et elle lui avait recommandé l'Ódinsbanki, la plus futée des banques islandaises.

Alors, Einar avait placé toutes ses économies dans les actions d'Ódinsbanki. Des actions qui perdirent toute leur valeur lorsque le gouvernement nationalisa les banques à l'automne dernier.

Harpa se demanda comment il avait encore les moyens de partir faire de la pêche à la mouche.

— Ça n'a pas bien mordu. Et il a beaucoup plu. Mais j'y retourne ce week-end, peut-être que la chance tournera.

Il entoura de son bras les épaules de sa fille.

— Tu es sûre que tu ne veux me parler de rien ?

Harpa réfléchit un instant. Tout lui révéler ? Il l'aimait d'un amour inconditionnel. Il serait de son côté quoi qu'elle ait pu faire. C'était évident, non ?

Mais ce qu'elle avait fait était abominable. Impardonnable. Elle ne se l'était pas pardonné et ne se le pardonnerait jamais. C'était un homme bon. Comment pourrait-il lui pardonner ?

Elle ne le supporterait pas s'il lui en tenait rigueur.

Alors Harpa secoua la tête.

— Non, papa. Il n'y a rien.

4

Octobre 1934

B enedikt avait une excellente idée de jeu.
Il venait de finir *La Saga du peuple d'Eyri* où il avait lu
qu'un chef appelé Björn de Breidavík, de l'autre côté de la
péninsule de Snaefells, par-delà les montagnes de Hraun et
Bjarnarhöfn, avait traversé les océans vers un pays que
Benedikt soupçonnait être l'Amérique. Björn était devenu un
chef là-bas, parmi les indigènes. Et si Hallgrímur et Benedikt
découvraient l'Amérique ?

Hallgrímur voulait que les Berserks y aillent aussi. Ils pourraient combattre les Skraelings, nom que les Vikings avaient
donné aux indigènes. Benedikt ne s'y opposa pas.

Mais ils devaient se lancer dans une longue journée
d'exploration. Hallgrímur proposa qu'ils se rendent au lac
Swine, un lac formé de lave congelée à plusieurs kilomètres
vers le sud. Même si la mère de Benedikt acceptait volontiers
qu'il passe la journée dehors à s'amuser, celle de Hallgrímur
était beaucoup plus sévère. Alors il attendit que son père
parte pour Stykkishólmur, la ville la plus proche, et que sa
mère aille rendre visite à une amie dans une ferme voisine.

Ce n'était pas facile d'arpenter le champ de lave, surtout en
se cachant tout le long. Malgré le soleil, il faisait froid, car
une brise mordante soufflait depuis le nord-est. La neige était
tombée au sud la semaine précédente et recouvrait désormais le sommet de la montagne de Bjarnarhöfn. Ils
s'arrêtèrent pour regarder passer une voiture au loin dans le
col de Kerlingin sur la route principale de Borgarnes vers
Stykkishólmur. Un cheval hennit de peur.

— Une Buick, annonça Benedikt.

Il s'y connaissait en voitures, ou du moins il s'en vantait,
selon Hallgrímur. Avec lui toutes les voitures étaient toujours des Buick.

Un couple de canards leur passa juste au-dessus de la tête, en chemin vers le saule nain au bord du ruisseau à Bjarnarhöfn.

Ils accélérèrent. Benedikt commençait à fatiguer, et Hallgrímur aussi. Ce n'était peut-être pas une si bonne idée finalement. Mais les Vikings qui avaient découvert l'Amérique avaient supporté des conditions bien plus difficiles que ça. Et Hallgrímur était un Berserk. Il ne renoncerait à aucun prix.

— Halli, rentrons !

— Arrête de gémir, Benni.

— Je suis fatigué !

— D'accord, se résigna Hallgrímur dans un soupir. On va se reposer quelques minutes. Mais ensuite, on doit aller en Amérique !

Ils trouvèrent une cuvette confortable pour s'asseoir. La lave les protégeait du vent, et le soleil réchauffait leurs joues. Hallgrímur leva les yeux vers le col brutal de Kerlingin, avec ses formes saugrenues contre la crête. De là, il voyait la silhouette de la troll de Kerlingin, une géante qui marchait un sac jeté par-dessus l'épaule, rempli des enfants qui n'avaient pas été sages de Stykkishólmur. La troll avait été surprise par le soleil naissant avant de rentrer dans sa grotte et elle s'était figée sur place, au-dessus du col, pour l'éternité.

Les Berserks pouvaient-ils dominer la troll dans un combat à la loyale ? se demanda Hallgrímur. Ce ne serait pas facile. Peut-être qu'à deux ils y arriveraient.

Il se tourna pour demander son avis à Benedikt quand il entendit des voix, ou plutôt une dispute.

— Tu crois qu'ils vont le retrouver ? demanda la mère de Hallgrímur en larmes.

— Aucune chance, répondit son père, alors qu'ils se rapprochaient. Il est au fond du lac et il y restera. Les poissons le mangeront. Il ne méritait rien d'autre.

— Tu es un homme horrible et cruel ! Je ne rentre pas avec toi !

— Tu veux le rejoindre où il est, sale putain ? Dis-moi, c'est ce que tu veux ?

Hallgrímur entendit sa mère sangloter.

— C'est bien ce que je pensais. J'ai laissé les chevaux au bord de la route. Allez, viens !

Ils étaient vraiment tout près maintenant. Hallgrímur et Benedikt ne pouvaient pas prendre le risque qu'on les voie. Hallgrímur imaginait la colère de ses parents s'ils le découvraient ici. Les garçons se tapirent contre le sol, leurs visages enfouis dans la mousse. Ce n'est que lorsque Hallgrímur fut certain que ses parents étaient déjà loin qu'il releva la tête.

— Benni ? De quoi parlaient-ils ? C'est quoi une putain ?

Son ami ne répondit pas. Il regardait fixement le champ de lave, au-delà du lac Swine, des larmes coulant sur ses joues.

Jeudi 17 septembre 2009

Il faisait encore nuit quand Harpa longea Nordurströnd en direction de la boulangerie. Elle travaillait là depuis deux mois. Pendant l'été, elle avait apprécié la balade avec les lumières de Reykjavík qui clignotaient, encore ensommeillées, alors que la ville se réveillait devant elle, et que le soleil se levait au-dessus des montagnes vers l'est, ouvrant une voie d'or devant elle sur la baie. Mais ce matin, l'aube n'était qu'une bande bleu acier sous les nuages à l'horizon. Une brise froide soufflait depuis la mer. Elle attendait avec impatience de sentir l'odeur réconfortante du pain chaud dans les fours de la boulangerie.

Au début, après son licenciement d'Óðinsbanki, elle était restée en état de choc, à l'abri dans sa maison avec son fils. Mais elle avait fini par prendre conscience qu'elle devrait retrouver du travail. Elle avait pensé à la boulangerie dans laquelle elle s'arrêtait tous les jours en allant au travail. Ils l'aimaient bien, elle était sûre qu'ils accepteraient de l'engager, mais elle pouvait viser plus haut.

Eh bien, il s'avéra que non. Par conséquent, après deux mois de recherches infructueuses, elle se présenta à Dísa, la gérante de la boulangerie. Dísa se montra gentille, mais ferme. On n'embauchait pas. La vérité frappa alors Harpa de plein fouet. Pendant le *kreppa*, il n'y avait aucun espoir de travail pour quelqu'un comme elle. Pas un seul.

Elle essaya partout. Ce ne fut qu'à la fin juin que Dísa l'appela enfin, lui expliquant qu'une place s'était libérée. C'était un bon travail : tout le monde était agréable et elle bénéficiait d'une relative liberté pour profiter de son fils. Ses parents gardaient Markús le matin et l'emmenaient à la crèche. Et elle gagnait un peu d'argent.

Pas assez pour rembourser l'hypothèque, cependant.

Elle repensa à la mort d'Óskar. Et à celle de Gabríel Örn. L'angoisse qu'elle connaissait si bien lui chatouilla le ventre. Elle s'arrêta face à la brise qui venait de la mer et prit une profonde respiration. Et pleura.

Björn. Il fallait qu'elle le voie. Il était toujours debout à la première heure pour trouver du travail sur un bateau de pêche. Elle prit son téléphone et composa son numéro.

— Salut, Harpa, ça va ? demanda-t-il, décrochant rapidement.

— Pas du tout, non.

Elle entendait au loin le grondement des moteurs et des vagues. Parfois il pouvait même recevoir des appels quand il était en pleine mer.

— Tu pêches ?

— On est sur le départ. Qu'est-ce qui t'arrive ?

— Tu as vu les infos ? Au sujet d'Óskar Gunnarsson.

— Le banquier ? Oui. Tu le connaissais ?

— Un peu.

— Ce n'était pas un des connards qui t'ont renvoyée ?

— Je suppose que non. Mais...

— Mais quoi ?

— Mais ça me fait repenser à toute cette histoire avec Gabríel Örn...

— Oui, je comprends.

— Björn ? Je déteste avoir à te le demander, tu ne pourrais pas venir à Reykjavík ?

— Ça va être difficile. On sera de retour au port dans la soirée, mais je repars en mer pour quelques jours demain. Peut-être dimanche ?

— Et ce soir tard ? J'ai vraiment besoin de te voir.

Elle était à deux heures et demie de Grundarfjördur. Même si Björn pouvait aller bien plus vite sur sa moto, Seltjarnarnes était vraiment loin après une journée de travail.

— D'accord, acquiesça Björn. D'accord, je viendrai. Tard, mais je viendrai.

— Merci, Björn, bredouilla-t-elle, sentant les larmes poindre. J'ai vraiment besoin de toi. Tu es le seul à qui je puisse parler de ça...

— Oui, Harpa, je comprends. Crois-moi, je comprends. À ce soir. Je t'appelle sur le chemin.

— Je t'aime.

— Je t'aime aussi, Harpa.

5

— Bonjour Magnús.

Baldur l'accueillit dans son bureau sur un ton glaçant. Árni était déjà là, ainsi qu'une autre inspectrice, Vigdís.

Finalement Magnús n'avait pas éprouvé de difficulté à se voir confier l'affaire. Le plus gros problème avait été de réunir son courage pour rappeler Thorkell.

Le sergent-chef s'était montré très professionnel au téléphone, même s'il avait commencé la conversation par une pique.

— Ah, Magnús, ça vous a pris plus de temps que prévu.

— Désolé, sergent-chef. Vous comprenez, j'ai laissé tomber le téléphone...

— Je veux que vous vous occupiez de l'affaire Óskar Gunnarsson, interrompit Thorkell.

— Très bien.

— C'est pour cela que vous m'appeliez, n'est-ce pas ?

— Euh... oui, en effet.

— D'accord. Je vous veux dans le bureau de Baldur demain matin à 8 heures. Il vous attendra. J'expliquerai votre absence au directeur de l'académie.

— Parfait. Merci.

Thorkell avait raccroché, mais Magnús entendit le début d'un éclat de rire juste avant que la ligne ne soit coupée. Magnús se doutait qu'il n'avait pas fini d'entendre parler de la plaisanterie d'Ingileif.

Peu importe. Magnús jeta un coup d'œil vers Árni. Aucun sourire amusé ne se dessinait sur son visage : il n'était pas encore dans la confidence. Vigdís, elle, était bien trop professionnelle pour trahir ce genre de ragot. Et il découvrirait vite ce qu'il en était de Baldur.

— Pas trop fatigué ce matin, jeune homme ? demanda ce dernier avec un petit rictus.

Il savait. Il ne souriait jamais vraiment, il laissait juste échapper de temps en temps une sorte de grimace sur sa bouche fine. Baldur avait un visage long et lugubre et un front immense. Pas le plus grand plaisantin de la police de Reykjavík.

— En pleine forme, assura Magnús, essayant de ne pas trop penser à Ingileif encore blottie sous sa couette, pour se concentrer sur son travail.

— J'ai parlé à un officier de la police de Londres hier. Elle s'appelle...

Il s'interrompit pour consulter ses notes.

— Inspecteur Sharon Piper. À ce stade de l'enquête, elle n'a aucune raison de soupçonner une piste islandaise. Ce qui est étonnant quand on pense que pour les Anglais nous sommes tous des terroristes...

Baldur faisait référence à l'application par le gouvernement britannique des lois de « lutte contre le terrorisme » à l'encontre de l'État islandais en octobre, pour geler tous les avoirs islandais en Grande-Bretagne. Cette mesure leur restait en travers de la gorge, presque un an plus tard, surtout avec la controverse au sujet des remboursements de Icesave.

— Elle vous a donné des détails sur ce qui s'est passé ? s'enquit Magnús.

— Pas encore. L'enquête vient à peine de commencer.

L'anglais de Baldur n'était pas très bon. Magnús se demanda s'il avait tout compris de ce que Piper lui avait raconté.

— Vous devriez l'appeler ce matin pour voir si elle a du nouveau, suggéra le chef de la police.

Il dicta un numéro de téléphone que Magnús s'empressa de noter.

— Árni, Vigdís, qu'avez-vous trouvé la nuit dernière ?

— Óskar n'a pas de casier, répondit Árni. J'ai vérifié avec la brigade financière, le procureur spécial a ouvert une enquête sur lui.

— Pour quelle raison ?

— Manipulation du marché et escroquerie à l'investisse-ment, répondit Árni, avec aplomb.

— Ça veut dire quoi, ça ?

— Je n'en suis pas sûr, reconnut Árni. Quelque chose à propos de prêts à des gens qui achetaient leurs actions. Ou les vendaient. Enfin un truc du genre.

Baldur secoua la tête, désespéré.

— Vigdís ?

Vigdís était une inspectrice consciencieuse d'une trentaine d'années. Elle portait un sweat-shirt blanc à l'effigie de l'équipe de base-ball de Keflavík et un jean sur ses jambes à n'en plus finir.

— Óskar était âgé de trente-neuf ans. Jusqu'à octobre der-nier, il était le P.-D.G. d'Ódinsbanki. Il en est également le principal actionnaire, avec sa famille qui possède la compa-gnie d'investissements OBG, enregistrée à Tortola, dans les îles Vierges britanniques. Comme vous le savez, il était l'un des plus brillants raiders vikings, ces hommes d'affaires qui ont monté de grandes opérations financières à l'étranger pour leur compagnie.

— Et qui nous ont tous foutus dans cette merde noire, ajouta Baldur.

— Il était très respecté parmi ses collègues banquiers, du moins jusqu'au *kreppa* l'année dernière. Depuis, il a passé le plus clair de son temps à Londres. Il a été forcé de démissionner de son poste de P.-D.G. d'Ódinsbanki en novembre dernier.

Magnús remarqua que Vigdís avait une photo dans le dos-sier devant elle.

— Je peux regarder ? demanda-t-il, faisant glisser le cliché vers lui.

Un bel homme avec des cheveux noirs ondulés, fier et sûr de lui. Il avait de grands yeux marron et un menton fendu. Malgré son assurance, il semblait abordable.

— Est-il marié ? demanda Baldur. Sharon Piper a parlé d'une petite amie, présente dans sa maison au moment du meurtre.

— Il épouse Kamilla Símonardóttir en 1999 et divorce en 2004. Ils ont eu deux enfants. Il avait une petite amie russe, Tanya Prokhorova, c'est elle ?

— Elle ne m'a pas donné de nom. Bon travail jusque-là. Je ne pense pas qu'il faille se démener pour aider les Anglais sur ce coup-là, mais je veux qu'il soit prouvé clairement que le meurtre n'a aucun lien avec l'Islande. Bien sûr, si vous découvrez le contraire, avertissez-moi.

Il laissait entendre qu'il était certain que non.

Ils quittèrent le bureau de Baldur. Magnús réquisitionna un box vide dans la brigade des crimes avec violence. Il se sentait revivre. Quel plaisir de travailler sur une vraie affaire, même s'il n'était qu'à la périphérie de l'enquête et à des milliers de kilomètres du corps ! Vigdís et Árni le rejoignirent alors qu'il appelait Londres.

— Inspectrice Piper.

— Bonjour, ici Magnús Jonson. Je suis de la police de Reykjavík.

Magnús se rendit compte qu'il s'était présenté avec son nom américain. Il avait deux identités. En Islande, il avait été baptisé Magnús, prononcé « Magnous ». Son père s'appelait Ragnar et son grand-père Jón, du coup son père était Ragnar Jónsson et lui, Magnús Ragnarsson. Jusque-là tout allait bien. Sauf que quand il était arrivé aux États-Unis, à l'âge de douze ans, la bureaucratie ne pouvait se dépêtrer du fait que son père et sa mère avaient des noms de famille différents, sa mère s'appelant Margaret Hallgrímsdóttir. Alors, comme bien d'autres immigrants avant lui, il avait changé son nom pour quelque chose qui fasse plus américain. Il était devenu Magnús Jonson. En rentrant en Islande, il avait repris Ragnarsson, mais cela sonnait bizarrement quand il parlait anglais.

— Je suis contente que vous appeliez.

— Je peux vous mettre sur haut-parleur ? Je suis ici en compagnie de deux autres inspecteurs, Árni et Vigdís.

— Pas de problème.

Magnús enclencha le bouton et posa son téléphone.

— L'inspecteur Baldur nous a dressé un bref tableau du meurtre, mais peut-être pourriez-vous nous en dire plus.

— Vous parlez très bien anglais, s'étonna Piper. Mieux que votre chef. Je n'étais pas certaine de ce qu'il comprenait.

Magnús jeta un œil par-dessus son épaule à la porte fermée du bureau de Baldur.

— Merci, lança Magnús, résistant à l'envie de répondre « vous aussi ».

L'accent de Piper était régional, selon lui.

— Bien, commença Piper. Gunnarsson a été tué à minuit quarante-cinq, mercredi matin. De trois coups de feu à la poitrine dans l'entrée de sa maison, avec un Sauer P226. Il est mort avant l'arrivée de l'ambulance.

— Des témoins ?

— Sa petite amie était dans son lit. Elle a dit qu'on avait sonné à la porte, Gunnarsson est allé ouvrir. Elle l'a entendu parler à quelqu'un. La porte s'est refermée. Quelques secondes plus tard, trois tirs ont retenti et la porte d'entrée a claqué. Ensuite une moto est partie en trombe.

— Les voisins ont la même version ?

— Oui, trois d'entre eux. Ils ont entendu les coups de feu et les cris de la fille. Et ils ont aussi entendu la moto, même si l'un d'eux a dit qu'il pouvait s'agir d'un scooter. Petit moteur ? On a des images de surveillance de plusieurs motos à cette heure-là sur Brompton Road et Fulham Road, les deux rues principales de chaque côté de Onslow Gardens. On essaye de les retrouver toutes.

— Des liens avec l'Islande ?

— Rien d'évident. Sa petite amie a dit que le visiteur parlait dans une langue étrangère. Peut-être de l'islandais. Ou du russe. Ou toute autre chose qui ne soit ni de l'anglais ni de l'espagnol. La petite amie est vénézuélienne, au fait.

— Du russe ? Pourquoi pensez-vous au russe ?

— On a trouvé un petit Post-it avec l'adresse de Gunnarsson en lettres russes. Comment on appelle ça ? Du cyrillique. Il était roulé en boule devant la grille du jardin.

— C'est une erreur de débutant pour un tueur à gages, remarqua Magnús.

— En effet, reconnut Piper. Mais rien ne dit que c'était un tueur à gages. Cela pouvait tout à fait être quelqu'un que Gunnarsson connaissait. Après tout, il l'a laissé entrer.

— Auquel cas, il aurait très bien pu être islandais. Et la piste russe ? Óskar avait une petite amie russe, n'est-ce pas ? Tanya Prokhorova, affirma Magnús après avoir regardé ses notes.

— On l'a interrogée. Elle affirme l'avoir largué il y a deux mois. Elle est top model, mincissime, les jambes jusqu'au cou, mais la tête parfaitement sur les épaules. Un diplôme de comptabilité. Elle dit qu'elle s'est rendu compte que Gunnarsson était fauché et c'est plus ou moins pour cela qu'elle a rompu.

— Elle a des amis russes ?

— Oui. Elle a ses entrées dans le cercle des milliardaires de Londres. Et certains sont plutôt louches. Et de votre côté ? Vous avez trouvé une piste russe à Reykjavík ?

— Pas encore, on va chercher. Une enquête était ouverte sur Óskar pour fraude et manipulation du marché.

— J'ai entendu des rumeurs dans la City selon lesquelles les banques islandaises avaient reçu de l'argent via la mafia russe.

Magnús ouvrit de grands yeux et regarda ses collègues. Árni prit un air dérouté. Vigdís secoua la tête.

— On vérifiera ça aussi. On vous rappelle ce soir pour faire le point.

— Super ! Merci, Magnús.

— Vous avez tout compris ? demanda Magnús en se tournant vers les deux autres officiers.

Il savait qu'Árni n'avait pas dû avoir de problème. Il avait étudié la criminologie dans une université de l'Indiana et son anglais était excellent. Mais Vigdís affirmait ne pas le parler, ce que Magnús ne croyait pas du tout. Tous les Islandais de moins de trente-cinq ans parlaient anglais et il ne voyait pas pourquoi elle non, simplement parce qu'elle était noire.

Vigdís était la seule Black de la police de Reykjavík. Elle en avait ras le bol des Islandais et des étrangers qui la traitaient comme si elle n'était pas islandaise. Elle avait expliqué à Magnús que bien que son père fût militaire dans la base aérienne de Keflavík, elle ne l'avait jamais rencontré et n'en éprouvait pas le désir. Elle se sentait aussi islandaise que Björk.

Magnús l'appréciait. Elle faisait son travail avec application et il était réconfortant pour un flic américain de travailler avec une Noire parmi tous ces visages archi-blancs.

Árni hocha la tête. Vigdís ne répondit pas.

— On va dire que c'est bon pour tout le monde, affirma Magnús. Bien. Organisons-nous un peu. Alors, qui fait quoi ?

Le siège d'Óðinsbanki se trouvait sur Borgartún, un boulevard qui longeait la baie, bordé de bâtiments luxueux en marbre et en verre. Rien à voir avec le dense rassemblement de gratte-ciel qu'on peut trouver dans les quartiers financiers des villes américaines. C'était plus calme, mais cela manquait encore plus d'âme.

Árni et Magnús stationnèrent derrière l'un des plus majestueux immeubles. Ils prirent les portes tambours sous les mots « Nouvelle Óðinsbanki ». Le hall d'entrée résonnait du clapotement des nombreuses chutes d'eau, fontaines et courants qui décoraient l'atrium en verre.

Ils furent reçus par l'assistante du directeur, qui les conduisit dans l'ascenseur jusqu'à l'étage le plus élevé. Elle les fit passer par une salle des opérations assez grande pour accueillir quarante personnes. Un calme sinistre régnait dans cette pièce au tableau blanc immaculé, aux chaises vides, si ce n'est un petit groupe d'une douzaine de personnes alignées contre le mur. Derrière ces survivants, s'offrait à eux une magnifique vue de la baie jusqu'au mont Esja, pour le moment plongé dans un gros nuage gris.

— C'est calme aujourd'hui, annonça l'assistante avant de se reprendre avec un petit sourire. C'est calme tous les jours...

Finalement, après plusieurs couloirs et quelques tournants, ils arrivèrent dans le bureau du directeur pour le rencontrer en personne. Grand, la soixantaine, avec une tête carrée, des cheveux gris et un froncement de sourcils permanent, il s'appelait Gudmundur Rasmussen et avait été sorti de sa retraite un an plus tôt pour reprendre les rênes de la banque. L'aménagement était criant de simplicité : bureau en bois, chaises fonctionnelles et une table de conférence. Quelques cartons s'entassaient dans un coin. Cela rappela à Magnús le commissariat.

— Terrible nouvelle pour Óskar, terrible, affirma Gudmundur. Je ne le connaissais pas vraiment. Il était d'une génération plus jeune, on ne travaillait pas du tout comme cela de mon temps. Pas du tout. J'ai passé près d'une année à essayer d'arranger le bazar qu'Óskar et ses condisciples avaient laissé.

— Était-il apprécié dans le milieu ?

— Oui, il l'était. Même après la révélation de toutes ses erreurs. Il avait du charisme, les gens aimaient travailler avec lui.

Le froncement de sourcils se creusa encore davantage.

— Cela a rendu ma tâche encore plus compliquée. Ce n'est pas facile de rivaliser avec lui. Tous les employés semblent regretter le bon vieux temps où Óskar était aux commandes. Ils n'ont pas l'air de comprendre l'ampleur du désastre. Maintenant que la banque appartient au gouvernement, il faut agir avec prudence. Ne pas se précipiter de façon irréfléchie.

On frappa à la porte. Un homme d'une vingtaine d'années fit irruption, débordant d'assurance, les cheveux plaqués en arrière, un costume hors de prix sur le dos. Un parfum d'eau de Cologne le suivit dans la pièce. Il tendit à son patron une feuille de papier.

— Pouvez-vous signer ceci pour moi, Gudmundur ?

Le directeur s'empara du papier pour le parcourir du regard.

— Mais ces gens sont des courtiers, n'est-ce pas ?

— Oui, on fait souvent affaire avec eux.

— Non. La banque ne paye pas pour cela. Je vous l'ai déjà dit, si ce n'est pas un client, vous vous payez vous-même votre déjeuner.

Il fixa le jeune banquier en lui rendant sa feuille non signée.

— Mais...

— J'ai été très clair à ce sujet.

Le banquier reprit son papier et quitta le bureau sans rien ajouter.

— Ils ne se rendent pas compte que le monde a changé, commenta Gudmundur en secouant la tête. Donc, où en étions-nous ?

— Vous disiez qu'Óskar était apprécié. Il n'avait pas d'ennemis dans la banque ?

— Pas que je sache. Il pouvait en avoir à l'extérieur. Il fait tout de même partie du gang de jeunes banquiers qui a ruiné le pays, et les gens lui en veulent, à lui entre autres. Ils manquaient d'expérience pour diriger une banque. C'était irresponsable de les laisser faire.

Magnús détecta autant de plaisir que de douleur dans les propos de Gudmundur, qui se résumaient à « Ils l'ont bien cherché ».

— Óskar fait l'objet d'une enquête par le procureur spécial, pour manipulation du marché. Qu'est-ce que cela signifie exactement ?

— Prêter de l'argent à des clients et à des amis pour qu'ils achètent des parts de la banque, et bien sûr en secret. Du moins, c'est de cela qu'on l'accuse.

— Il y avait des Russes parmi ces clients ?

— Je ne pense pas, mais je n'en suis pas absolument sûr. Il existe des réseaux de filiales et de sociétés de portefeuille basées à Tortola et dans le Liechtenstein. C'est un cauchemar pour découvrir qui en est le vrai propriétaire. Mais la banque a très peu de clients russes. En fait, je n'en connais aucun.

— Vraisemblablement, certaines de ces compagnies à l'étranger appartiennent indirectement à Óskar ?

— Oui. La principale holding est *OBG Investments*. Tout comme Ódinsbanki, elle a des filiales dans une chaîne d'hôtels connue et certains détaillants en Allemagne et au Royaume-Uni. Je ne vous dis que ce que tout le monde sait. La compagnie est dirigée par Emilía Gunnarsdóttir, la sœur d'Óskar. Leurs bureaux sont ici, sur Borgartún.

Magnús posa encore quelques questions au sujet de la banque et d'Óskar, tandis qu'Árni griffonnait un tas de notes, même s'il n'avait pas vraiment l'air de suivre ce qui se disait.

Au moment de prendre congé, il posa enfin une question.

— Gabríel Örn Bergsson ne travaillait-il pas dans cette banque ?

— Si. Autre triste affaire. C'est malheureux que deux des dirigeants d'Ódinsbanki trouvent la mort dans des circonstances aussi dramatiques, quels que soient les dégâts qu'ils aient causés.

— Gabríel Örn a causé beaucoup de dégâts ?

— Oh oui ! La plupart des mauvais crédits contractés par la banque venaient de son département.

— Et Harpa Einarsdóttir ? demanda Árni.

— Je ne la connaissais pas très bien. Elle a quitté la banque à mon arrivée. Elle travaillait avec Gabríel Örn, je crois qu'elle était sa petite amie. Elle jouissait d'une bonne réputation, mais elle était trop jeune. Bien trop optimiste. Aucun sens de l'anticipation.

— Y avait-il un lien entre eux et Óskar ?

— Oui, bien sûr. Gabríel Örn s'occupait d'un département important, je suis certain qu'Óskar et lui se connaissaient. Je n'ai aucune idée de la nature de la relation entre Óskar et Harpa, mais elle avait aussi un poste à responsabilités, et Óskar aimait fréquenter ses employés. Vous avez dû lire des articles sur les grandes soirées qu'il donnait.

Même Magnús savait combien la presse islandaise avait noirci de pages sur les excès des banquiers, Óskar en bonne position avec ses fêtes, ses jets privés et ses appartements à New York et Londres. Pour Magnús, cela n'avait rien d'exceptionnel, un phénomène bien connu dans les grandes entreprises américaines. Cela ne cadrait peut-être pas avec la tradition islandaise, mais à Wall Street, c'était monnaie courante.

— Pourquoi ces questions ? demanda Magnús à Árni, une fois hors du bureau du directeur. C'est qui ce Gabríel Örn ?

— Un banquier qui s'est suicidé en janvier, quelques mois avant ton arrivée en Islande. Harpa était sa petite amie, elle travaillait avec lui. Je l'ai interrogée à l'époque.

— Pourquoi s'est-il suicidé ?

— On n'en est pas sûr. Il a seulement envoyé un court texto pour se justifier. Mais il est responsable de la faillite de la banque. Mauvaise période au boulot, si tu veux.

— Et tu crois que la mort d'Óskar serait liée ?

— Euh, non.

— Tu en es sûr ?

Árni fixait les portes de l'ascenseur qui se refermaient sur eux alors qu'ils descendaient vers le hall d'entrée.

— Oui, j'en suis sûr.

Magnús l'observa de près. Il ne le croyait pas.

6

Emilía Gunnarsdóttir avait de la classe. Autour de trente-cinq ans, mince, les cheveux noirs attachés, elle portait un tailleur noir élégant, et de discrètes boucles en or assorties à son collier.

Les bureaux d'*OBG Investments* occupaient un étage dans un immeuble à cinq cents mètres du siège d'Ódinsbanki sur Borgartún. Magnús vit sur le répertoire dans le hall d'entrée que les quatre autres étages abritaient des cabinets d'avocats et des comptables, ainsi qu'une autre mystérieuse compagnie financière comme OBG. Ils furent frappés par le luxe en arrivant à l'étage : une sculpture en bronze d'un Viking en taille réelle sur une Harley-Davidson trônait dans la réception.

Emilía fit entrer Magnús et Árni dans son bureau : tapis blanc épais, fauteuils et canapé en cuir noir, grande table de travail noire, dépouillée de papiers, mais dominée par un écran plat d'ordinateur. Le contraste avec le bureau de Gudmundur était évident.

— Je suis désolé pour votre frère, commença Magnús.

Pendant un court instant, Emilía perdit de sa superbe. Mais dans un pincement de lèvres, elle la retrouva.

— Merci. Prenez place, je vous prie. J'espère que cela ne vous dérange pas d'attendre quelques minutes. J'ai demandé à notre avocate de se joindre à nous. Elle travaille dans le bâtiment, elle ne devrait pas tarder.

— Je ne pense pas qu'il soit nécessaire de faire appel à un avocat, Emilía, s'étonna Magnús. Vous n'êtes pas une suspecte.

Ou pas encore, se dit-il. Demander l'assistance d'un avocat si tôt dans une enquête attisait les soupçons.

— Pas pour ce meurtre, peut-être. Mais n'oubliez pas qu'une enquête a été ouverte sur notre compagnie.

— Je ne m'intéresse pas aux affaires du procureur spécial. Je veux juste en apprendre davantage sur votre frère.

— Et c'est ce à quoi je vous répondrai dès que mon avocate sera ici. Voudriez-vous une tasse de café ?

La porte s'ouvrit à ce moment-là et une jeune femme entra.

Une femme que Magnús connaissait. Il ne put dissimuler son choc, et l'avocate parut tout aussi surprise que lui.

— Je vous présente mon avocate, maître Sigurbjörg Vilhjálmsdóttir. Mais j'ai l'impression que vous vous connaissez.

Magnús et l'avocate restèrent quelques secondes sans voix.

— Oui, concéda enfin Magnús en se raclant la gorge. Nous nous connaissons en effet. Sigurbjörg est ma cousine.

Il hésita avant de l'embrasser sur la joue.

— Oh, je vois, ponctua Emilía, pas plus étonnée que ça.

Ils étaient à Reykjavík, après tout. Mais elle sentait bien la tension entre le policier et l'avocate.

— Vous sera-t-il possible de me conseiller sur cette affaire, Sigurbjörg ? s'enquit-elle.

— Oui, il n'y a aucun problème.

— Nous ne sommes pas proches, affirma Magnús, le regrettant aussitôt.

Même si c'était vrai, il n'avait pas voulu se montrer impoli.

— Très bien, lança Emilía. Commençons, voulez-vous ?

— Pourriez-vous nous parler d'Óskar ? demanda Magnús.

Árni sortit son bloc-notes, l'air profondément concentré, prêt à subir un peu plus de charabia financier.

— C'était un homme très spécial, hésita Emilía, comme si cette question risquait de libérer un flot d'émotions, ce qui était bien l'intention de Magnús.

Mais encore une fois, elle reprit vite le contrôle d'elle-même.

— Très intelligent, débordant d'énergie, drôle... On l'appréciait. On l'aimait... Surtout ceux qui travaillaient avec lui.

— Il avait des ennemis ?

— Aucun.

— Oh, s'il vous plaît, Emilía. Comment quelqu'un comme lui pourrait ne pas avoir d'ennemis ?

Une étincelle d'irritation traversa le regard d'Emilía. Elle n'aimait pas qu'on la contredise.

— Eh bien, il avait des rivaux, je suppose. Mais ils ne le *détestaient* pas. La presse aimait faire les gros titres sur lui, ils avaient besoin de lui pour leurs ventes. Pendant les manifestations, certains contestataires ont réclamé sa peau, mais ils ne le connaissaient pas vraiment.

— Les clients de la banque ? Les déposants ? Les actionnaires ? Beaucoup de monde a dû perdre de l'argent quand Ódinsbanki a été nationalisée.

— En effet. Mais je ne pense pas que les gens ont accusé mon frère. Toutes les banques islandaises se sont effondrées : Ódinsbanki était probablement la mieux gérée de toutes.

— Et sa vie privée ? Sa femme ? Ou plutôt son ex-femme ?

— Kamilla ? Elle était effondrée quand ils se sont séparés. Il avait une liaison et elle l'a découvert. Mais cela remonte à cinq ans. Plus, même. Ils ont réussi à bien s'entendre depuis. Il voit ses enfants régulièrement, enfin il les voyait régulièrement jusqu'à cette année où on l'a envoyé à Londres.

— Il avait une petite amie russe ? Tanya Prokhorova, une top model.

— En tout cas, elle n'était pas idiote celle-là, remarqua Emilía dans un haussement d'épaules. Óskar était complètement fou d'elle. Avec sa froideur et sa beauté, elle le menait à la baguette. Je ne l'ai jamais aimée. Et bien sûr elle l'a quitté quand elle a compris qu'il n'était pas aussi riche qu'elle le pensait. Il était bien mieux avec Claudia.

— La Vénézuélienne ?

— Oui, elle est plus comme lui. Elle a de l'argent de son divorce et est plus âgée que lui d'un an, même si elle ne voulait pas trop que cela se sache. Óskar était bien plus détendu avec elle. Je ne l'ai rencontrée que deux fois, à Londres, mais elle était bien pour lui.

— Il connaissait beaucoup de Russes ? À part Tanya ?

— Je ne suis pas sûre. Il a dû rencontrer des amis à elle dans les soirées mondaines.

— Et des clients de la banque ?

Sigurbjörg, l'avocate, toussota.

— Je ne peux faire aucun commentaire sur les clients de la banque.

— Óskar s'occupait-il personnellement de certains clients russes ?

Emilía ne répondit pas.

— Du blanchiment d'argent ? insista Magnús. Des hommes d'affaires russes qui ont perdu de l'argent en traitant avec Ódinsbanki ?

— Ce sont des points délicats, intervint Sigurbjörg. Le procureur spécial étudie les dossiers de tous les clients de la banque, Emilía ne voudrait pas porter préjudice à cet examen.

— Votre frère est mort, Emilía, rappela Magnús en ignorant l'avocate. Quelqu'un l'a tué. Je voudrais aider la police britannique à retrouver le coupable. Nous aimerions savoir s'il existe des liens avec la Russie et spécialement à travers l'Islande.

— Ne vous inquiétez pas, Sigurbjörg. Il n'y avait aucun client russe. Peut-être un ou deux petits, mais personne d'important. Óskar ne leur faisait pas confiance, c'est aussi simple que cela. C'était une des règles de la banque : on ne prend aucun risque avec les Russes.

— Tanya aurait-elle pu lui présenter un homme d'affaires louche en quête d'un endroit pour cacher son argent ?

— Possible. Mais je ne pense pas. En fait, j'en doute vraiment. C'était exactement le genre de personne qu'Óskar aurait évitée. Je vous ai dit qu'il était fou amoureux de Tanya, mais il ne lui a jamais fait entièrement confiance.

— D'accord, lâcha Magnús, pas tout à fait convaincu. Et votre famille ? Des tensions ?

— Oh, Óskar était l'enfant chéri de mes parents, déclara Emilía sans rancœur ni jalousie.

— Même après le *kreppa* ?

— Oui, même après. J'ai un autre frère et une sœur. Mon frère n'est pas ravi de se rendre compte qu'il n'est pas aussi riche qu'il le pensait. Mais il vénère Óskar.

Elle fronça les sourcils en comprenant son erreur.

— Je veux dire « vénérait ».

Elle ferma les yeux. Une larme coula sur sa joue. La façade de glace se fissura devant Magnús.

— Je suis désolée, s'excusa-t-elle. Ce sera tout ?

Soudain l'image de Latasha revint à l'esprit de Magnús. Cette jeune fille de seize ans de Mattapan. Son frère de quinze ans avait été abattu d'une balle au visage dans la rue derrière leur immeuble, quelques heures à peine avant que Magnús ne l'interroge. Elle était fière, elle n'allait surtout pas aider les flics. Sa mère dormait dans sa chambre, défoncée au crack, sa sœur avait besoin qu'on lui change la couche. Courageuse et froide, ce n'est que lorsque Magnús fut sur le point de quitter l'appartement qu'une larme coula sur sa joue et qu'elle lui demanda de retrouver l'assassin de son petit frère.

Cela ne lui prit pas trop de temps : c'était son meilleur ami, âgé de quatorze ans. Ils s'étaient disputés au sujet d'un iPod volé.

Que ce soit un gosse, ou une femme d'affaires islandaise réservée, Magnús compatissait avec la famille des victimes. Toujours.

— Merci, Emilía, lança-t-il. Il se pourrait qu'on revienne vous poser d'autres questions.

Emilía hocha la tête, et elle ne retint plus ses larmes quand ils sortirent de son bureau.

Sigurbjörg rattrapa Magnús devant l'ascenseur. Elle était plus âgée que lui, environ quarante ans, les cheveux roux et courts et le visage large. Même si la couleur n'était pas exactement la même, elle lui rappelait un peu la chevelure de sa mère, mais elle avait l'air plus vieille. Sa mère n'avait que trente-cinq ans au moment de sa mort.

— C'est ton client aussi, Sibba ? demanda Magnús, en faisant un signe de la tête vers le Viking sur sa Harley-Davidson. Au moins, lui, il ne parle pas trop.

— Je suis désolée d'être intervenue, s'excusa Sigurbjörg en anglais.

Elle avait grandi au Canada, et tout comme Magnús, elle était retournée sur la terre de ses parents à l'âge adulte.

— L'enquête du procureur spécial sur Ódinsbanki est cruciale pour OBG.

— Tu ne faisais que ton boulot, reconnut Magnús en haussant les épaules.

C'était ça le travail des avocats : gêner celui des policiers. C'est comme cela que fonctionnait le système et Magnús avait depuis longtemps renoncé à lutter contre.

— Écoute, voici ma carte. Je sais que je suis un peu partie en courant, à notre dernière rencontre. Mais appelle-moi, d'accord ? Viens dîner chez moi. J'aimerais beaucoup te présenter mon mari.

Magnús prit la carte et y jeta un œil. Il reconnut le nom du cabinet d'avocats, qui se situait dans le même bâtiment.

— OK, ça marche.

Il n'avait aucune intention de le faire. Il voulait garder cette partie de sa vie dans un coffre fermé à double tour. Sigurbjörg l'avait bien vu et sembla déçue.

Elle prit l'ascenseur qui montait.

— Querelle familiale ? demanda Árni, alors qu'ils prenaient l'ascenseur pour descendre.

— Je ne sais pas. On peut dire ça, oui.

7

— Les voilà !

Sindri leva la tête vers le flanc de la montagne pour voir un courant blanc apparaître sur la crête, d'abord une douzaine, puis une centaine et vite un millier de moutons se pressèrent en direction des enclos. De chaque côté du flot, on distinguait les silhouettes noires des chiens qui les guidaient et les contenaient. Ensuite ce fut le tour d'un cavalier, puis un autre et encore un. Le spectacle était somptueux.

La foule, principalement constituée des familles des fermiers de la vallée, les saluait avec de grands signes. Les bergers étaient partis depuis trois jours, ratissant toute la montagne pour ramener les bêtes qui avaient passé l'été en liberté à brouter l'herbe fraîche. C'était le *réttir* annuel, le rassemblement des moutons, l'un des principaux événements dans le calendrier des fermiers. C'était la première fois que Sindri y assistait depuis qu'il avait quitté la ferme à seize ans, mais les souvenirs affluèrent.

Lui-même était parti dans les montagnes trois fois à partir de l'âge de quatorze ans. Les deux premières fois, il avait ressenti une profonde excitation alors qu'il suivait son père et ses voisins à dos de cheval dans les montagnes, à la recherche des agneaux et des brebis. La troisième fois avait été un désastre. Le temps était mauvais, il s'était soûlé dans la cabane la veille du retour et son père lui avait hurlé dessus parce qu'il n'aidait pas assez.

Deux semaines plus tard, il était parti à Reykjavík. Musique, drogue et alcool, puis Londres et encore plus de musique, de drogue et d'alcool. Son père fut profondément déçu de lui et ne le lui pardonna pas. Ce qui était injuste. À vingt ans, Sindri était le chanteur charismatique du groupe *Devastation,* dont le bric-à-brac de cris anarchistes atteignit la deuxième place dans les hit-parades anglais.

Mais cela dura moins d'un an. L'argent donnait accès à des fontaines de drogue. Les chansons perdirent toute mélodie et Sindri retourna à Reykjavík.

Il avait perdu dix ans de sa vie. Au bout du compte, il parvint à se ressaisir et se trouva un travail dans une usine de poisson. Il canalisa son besoin de se rebeller pour lui donner du corps. Il rejoignit des associations écologistes contre l'exploitation du sol islandais à des fins économiques. Il écrivit un livre, *Le Viol du capital*, qui mettait en contraste d'une part la vie simple et rude du fermier islandais qui cultivait ses ressources et vivait avec la nature, et d'autre part, l'exploitation par les capitalistes urbains qui arrachaient les ressources et détruisaient la nature. Le capital violait toute la planète.

Le livre marcha fort en Allemagne, et Sindri gagna beaucoup d'argent. Son père n'approuvait pas sa démarche et Sindri ne rentrait que rarement à la maison. Le fait est que Sindri était aussi éloigné de la ferme de son enfance que le capitaliste des villes qu'il condamnait.

Sindri scruta les collines qu'il connaissait bien, resplendissant dans les rayons or et brun du soleil de septembre. Le ciel d'un léger bleu pâle était tacheté de nuages blancs. Les chevaux et les chiens tournaient autour du troupeau géant de moutons, les menant droit vers les enclos communaux. Il vit sa nièce de dix ans, Frída, sauter de joie en attendant l'arrivée de son agneau à elle.

Cela faisait plaisir de voir la petite si heureuse. Elle avait traversé une année difficile.

Il s'avéra que les difficultés financières que son frère, Matti, avait connues au moment de Noël n'étaient pas dues aux restrictions de crédit imposées par les banquiers sur les fermiers comme Sindri l'avait pensé. C'était pire et toujours la faute des banquiers. Son plus jeune frère avait repris la ferme familiale à la mort de leur père. Durant trois ans, Matti avait investi en Bourse. Avec un succès renversant, du moins au début. Il avait triplé ses avoirs. Un jeu d'enfant.

Il avait hypothéqué la ferme et avait doublé ses avoirs. Il avait acheté un nouveau Land Cruiser et avait emmené toute sa famille en safari en Afrique. Et il avait investi encore. Avec son expérience toute nouvelle, Matti avait identifié Ódins-banki comme la banque la plus prometteuse. Il y avait d'abord investi les deux précédentes années. Comme les prix avaient chuté, Matti avait cru reconnaître l'opportunité d'acheter et reversa tous ses bénéfices dans les parts de la banque.

Ensuite, bien sûr, tout s'était effondré.

Matti ne l'avait jamais avoué à sa femme, Freyja. Elle était au courant qu'il avait joué en Bourse une partie de leurs écono-mies, et elle savait qu'il s'inquiétait de la situation, mais elle n'avait aucune idée de la faillite dans laquelle il avait plongé sa famille, jusqu'à ce matin de mars où elle s'était réveillée tôt pour trouver la place à côté d'elle dans le lit vide. Elle ne put se rendormir et était partie à sa recherche. Elle avait trouvé la porte de derrière ouverte et des pas dans la neige.

Elle mit ses bottes et un manteau pour suivre les empreintes qui la menèrent, dans la pénombre, vers l'endroit préféré de son mari en bas de la pente du pré, là où le ruis-seau coulait sur les rochers vers une mare.

Elle n'avait pas entendu le coup de feu. Ou peut-être que si. Peut-être que c'est ce qui l'avait réveillée.

Elle fut anéantie. Mais c'était une femme forte, la fille d'un fermier d'une vallée voisine, déterminée à ne pas laisser tomber Matti, malgré ce qu'il lui avait fait. Une série de coups frappa la famille. La banque menaça de saisir la ferme si elle ne récupérait pas son argent. Les enfants étaient à ramasser à la petite cuillère.

Sindri l'avait très mal vécu. Il aimait beaucoup Freyja, une grande blonde d'une quarantaine d'années avec la mâchoire forte et l'œil vif. Il avait adoré son petit frère Matti, qui avait pris sa place pour s'occuper de la ferme familiale. Matti était le fermier fort et travailleur qui manquait légèrement d'ima-gination que Sindri avait fini par considérer comme le vrai héros de l'Islande.

Mais c'était peut-être Freyja, la vraie héroïne.

Alors que Sindri regardait les moutons s'entasser dans leurs enclos sur la vallée, il repensa à Bjartur. L'homme qui n'était jamais loin dans son esprit. Il l'avait toujours admiré, mais depuis les douze derniers mois, ce fermier endurci l'obsédait.

Bjartur n'était pas réel, même si pour Sindri, ce qu'il représentait l'était, ses valeurs l'étaient. Personnage de fiction, il habitait les pages de *Gens indépendants*, le roman de l'écrivain lauréat du prix Nobel en 1955, Halldór Laxness. Bjartur, petit paysan islandais, a économisé assez d'argent pour s'acheter sa ferme, Summerhouses. Fort, tenace, fier, il lutte avant tout pour conserver son indépendance. Durant les années au cours desquelles le roman se déroule, il résiste aux difficultés immenses, à la mort de ses femmes successives et de ses enfants, aux destructions des récoltes et par conséquent au manque de foin pour ses moutons, à la condescendance avec laquelle le traitent ses voisins les plus prospères et enfin aux malédictions des fantômes du coin.

Mais Bjartur de Summerhouses ne baisse jamais les bras. La Première Guerre mondiale éclate, la « guerre bénie » qui apporte aux éleveurs de moutons islandais richesse et prix élevés. Le progrès aidant, les petites fermes traditionnelles font place aux grosses exploitations agricoles modernes.

Au début, Bjartur refuse de céder, mais il finit par prendre un crédit auprès de la coopérative dirigée par Ingólfur Arnarson, le fils d'un voisin qui avait pris le nom du premier colon à avoir résidé sur le sol islandais.

La crise suit le boom, comme la nuit suit le jour. L'argent manque. Les paysans ne peuvent rembourser. Ingólfur Arnarson quitte la région pour Reykjavík où il devient directeur de la Banque nationale puis Premier ministre. La nouvelle maison de Bjartur est froide, humide et pratiquement inhabitable. Pour finir, il ne peut plus honorer ses dettes. La maison et la propriété de Summerhouses sont vendues aux enchères et Bjartur traverse la lande, sa fille malade dans les bras, pour tout recommencer.

Mais même à la fin, quand il ne lui reste plus un sou, il a encore sa fierté et son indépendance.

En plein *kreppa*, l'Islande devait se souvenir de Bjartur.

Malheureusement Matti n'était pas Bjartur. Matti avait succombé à l'appât des banques, des emprunts et de l'argent facile. Comme pour le reste de la société islandaise, cela l'avait détruit.

— Sindri ! Tu nous aides à trier le bétail ? criait Freyja en courant vers lui. Si tu te rappelles comment faire.

— Je vais me rappeler.

Une fois les moutons rassemblés dans l'enclos communal, chaque famille devait retrouver ses bêtes. Elles étaient claire-ment identifiables par des étiquettes, mais les fermiers savaient les reconnaître et leur avaient donné des noms. Frída trouva vite sa Hyrna, bien plus grosse et forte après les mois d'été dans les montagnes. Sindri n'en revenait pas de la maîtrise des bergers. Il ne se souvenait pas que dans sa jeu-nesse il aurait pu différencier une brebis d'une autre, et là, elles lui semblaient toutes identiques. À part les rares noires, bien sûr. Sindri avait toujours préféré les noires.

— Viens ! appela Freyja.

Sindri entra dans l'arène. Il fut un peu bousculé au début, mais la technique d'enfourcher les moutons, d'éviter les cornes et de les traîner jusqu'à l'enclos familial lui revint vite. C'était un dur labeur, mais il se dégageait chez tous les fer-miers de la vallée un sentiment d'exaltation. Ils étaient heureux de retrouver leurs bêtes. Les moutons allaient brouter l'herbe des prés pendant un mois environ, avant d'être pour la plupart envoyés à l'abattoir. Les autres passe-raient l'hiver à l'intérieur, dorlotés par leurs maîtres.

En deux heures, tout fut terminé.

— Merci Sindri. Tu nous as bien aidés. Le *réttarkaffi* est chez Gunni, tu viens ?

— Non, il faut que je retourne à Reykjavík.

— Pourquoi ne restes-tu pas cette nuit avec nous ?

— J'aimerais bien, mais j'ai des choses à faire demain.

Freyja lui adressa un regard perplexe. Elle n'imaginait pas du tout que Sindri ait quoi que ce soit à faire d'important. Ce qui, jusqu'à récemment, était sans doute vrai.

— En tout cas, ça nous a fait plaisir de te voir. Merci pour ton aide. Et si jamais tu as un peu de temps et que tu veux rester quelques jours chez nous, on sera ravis d'avoir une paire de bras en plus. On ne peut pas te payer, mais on peut très bien te nourrir.

— Peut-être, acquiesça Sindri. Tu sais déjà quand tu devras vendre la ferme ?

— La banque patiente pour le moment, mais je risque de ne jamais pouvoir rembourser mes dettes. Pourquoi ont-ils prêté tant d'argent à Matti, je n'arriverai jamais à le comprendre.

— Je suis désolé pour ça. Pour ce qu'il a fait.

Freyja haussa les épaules.

— Comment comptes-tu t'organiser ? demanda Sindri.

— Je vais continuer à travailler sur la ferme si je peux, pour que les filles soient élevées comme moi. Je ne sais pas comment. Mon frère travaille à Reykjavík, il dirige une petite entreprise d'informatique, il dit qu'il pourrait me trouver du travail. Je ne veux pas aller habiter à Reykjavík, mais peut-être que nous n'aurons pas le choix.

— En tout cas, tiens-moi au courant. Bonne chance, Freyja.

Il l'embrassa sur la joue.

En marchant vers sa voiture puis sur la route en direction de Reykjavík, il se dit qu'après tout, Bjartur avait peut-être survécu.

Il n'en pouvait plus de culpabiliser. C'étaient les habitants de la ville comme lui qui mettaient les paysans dans la merde, pas juste les banquiers et les politiciens comme Ólafur Tómasson, mais les consommateurs des magasins de Laugavegur, les dépensiers, les emprunteurs, les spéculateurs. Il est vrai que Sindri avait toujours contesté le système capitaliste, mais il avait abandonné la campagne. Son frère avait succombé aux attraits de l'argent facile.

Il aimait accuser les autres de ce qui était arrivé en Islande, mais en vérité il se sentait aussi responsable que les autres.

Il avait une dette envers Freyja. Et Frída. Et il s'en acquitterait.

De retour au poste, Magnús téléphona à l'inspectrice Piper. Árni et Vigdís écoutaient la conversation. Après leur entrevue avec Emilía, Magnús et Árni avaient interrogé le jeune frère d'Óskar dans sa maison à Laugardalur. Il était à l'évidence furieux que la fortune de la famille se soit envolée en fumée, mais il avait tendance à féliciter Óskar de l'avoir bâtie plutôt qu'à l'accuser de l'avoir perdue.

Vigdís avait rendu visite aux parents endeuillés, avant de fouiller la maison vide d'Óskar à Thingholt. Rien. Le banquier n'y vivait plus depuis neuf mois. Les seuls visiteurs avaient été une femme de ménage toutes les deux semaines et une secrétaire d'*OBG Investments* pour relever le courrier.

Magnús rapporta à Piper toutes les informations, ou plutôt l'absence d'informations.

— Donc aucun signe de piste islandaise ici, dit-il. Pas plus que d'une piste russe. Et de votre côté ? Du nouveau avec les motos ?

— Un peu. Un des propriétaires est un petit dealer pour riches à Kensington. Il affirme ne jamais avoir entendu parler de Gunnarsson. On serait plutôt enclins à le croire. En outre, sa moto est une Kawasaki 900 cm^3 et un des témoins nous a dit qu'il pensait que le moteur du tueur était plus petit que cela.

Pas vraiment un suspect selon Magnús. Il s'inquiétait de la tendance de la police mondiale à vouloir mettre tous les crimes de la terre sur le dos des petits dealers. Au moins les Anglais semblaient résister à cette tentation.

— Rien sur les autres ?

— Si. Une des motos a été volée la semaine dernière à Hounslow. Une Suzuki 125 cm^3. Nous essayons de mettre la main dessus. Ça pourrait nous mener quelque part.

— Qu'en est-il de la Russe ?

— On l'a de nouveau interrogée. Rien. Elle est plus froide qu'un concombre. Il est tout à fait possible qu'elle nous cache quelque chose. Mais on a quand même une piste.

— Ah oui ?

— Une voisine nous a dit qu'un type était venu quelques jours avant le meurtre avec un paquet pour Gunnarsson. Il n'avait pas le bon numéro de rue. Elle ne savait pas où il habitait, mais en demandant aux autres voisins, l'un d'eux a renseigné l'inconnu.

— Intéressant. Vous avez obtenu une description ?

— Oui. Jeune homme, une vingtaine d'années, cheveux courts, cinq pieds et huit pouces environ.

Un mètre soixante-quinze environ. Magnús fut ravi d'entendre la taille du type en pieds et en pouces. Il trouvait encore la mesure métrique difficile à convertir.

— Visage large, petite fossette sur le menton, yeux bleus. Veste en cuir noire, jean et chemise à carreaux, mais propre sur lui. Très même. Trop pour un simple coursier selon la voisine. Accent étranger.

— Quel accent ?

— Voilà le problème. La femme est française, même si elle parle un excellent anglais. Virginie Rogeon. Et elle se le rappelle bien. Il lui a plu, elle le trouvait charmant. Elle pense que ça pouvait être du polonais, mais elle n'en était pas sûre. Plutôt d'Europe du Nord ou de l'Est que de l'Italie ou de l'Espagne.

— Ça pourrait être de l'islandais ?

— L'accent islandais est reconnaissable ?

— Oui, je pense, affirma Magnús après réflexion. Vous pourriez demander à des Islandais de parler à votre témoin pour qu'elle nous dise si le gars avait le même accent.

— Bonne idée. On va essayer d'en trouver à l'ambassade, ou alors parmi les amis de Gunnarsson à Londres.

— Donc à part ça, aucune piste sérieuse ?

— Non. Nous n'en sommes qu'au début, mais on s'accroche. Mon chef veut que je parte en Islande, si ça vous va, bien sûr.

— Sans problème. On sera heureux de vous avoir. Quand est-ce que vous arrivez ?

— Sans doute demain. Je vous tiens au courant quand j'aurai acheté mes billets.

— Très bien. Je viendrai vous chercher à l'aéroport.

— Je n'ai encore jamais été en Islande. Un peu frisquet, chez vous, non ?

— Frisquet ?

— Vous savez, froid, glacial...

— Les rues ne sont pas encore recouvertes de neige, mais on est bien au nord. Vous pouvez laisser la crème solaire à la maison sans risque.

— Baldur va sauter de joie, déclara Árni une fois que Magnús eut raccroché. Une flic british dans ses pattes.

— Je vais m'occuper d'elle, affirma Magnús.

Magnús ne voyait pas vraiment l'intérêt, mais il serait content d'avoir une anglophone quelques jours avec lui.

— Bon, et maintenant ? demanda Vigdís.

Magnús se cala dans son fauteuil pour réfléchir. Il était probable qu'il n'existe aucune piste islandaise, mais il fallait qu'ils restent ouverts à toute éventualité. Mieux que ça, même, ils devaient agir comme si le lien avec l'Islande était avéré, sinon, ils allaient passer à côté.

Ils avaient encore des gens à interroger, des dossiers à lire. Mais il devait se poser la question clé : de ce qu'il avait appris jusque-là, qu'est-ce qui ne collait pas ?

— Árni ?

— Oui ?

— Dis-m'en plus sur la mort de Gabríel Örn.

— Je suis sûr que ça n'a rien à voir.

— Je t'écoute.

— D'accord. Ça s'est passé en janvier dernier, juste au moment où les manifestations battaient leur plein. On travaillait comme des malades ici. On nous a tous réquisitionnés, même les inspecteurs, vingt-quatre heures sur vingt-quatre. On était à bout. Bref, un corps a fait surface

sur la rive de Straumsvík, vers le haut-fourneau d'aluminium.
Il était nu. Les habits ont été retrouvés à dix kilomètres au
nord, à côté de City Airfield, près de la piste cyclable qui
longe le rivage. C'était Gabríel Örn Bergsson. Il avait envoyé
deux messages de suicide avant de piquer une petite tête, un
à sa mère qui a donné l'alerte et un à son ex-petite amie,
Harpa Einarsdóttir, qui n'a appelé la police que le lendemain
matin. J'ai interrogé Harpa. Elle m'a raconté qu'elle aurait dû
le rencontrer dans un bar, mais qu'il ne s'est jamais pointé.

— Et tu ne l'as pas crue ?

— Elle avait un alibi. On l'a vue dans un bar, en train
d'attendre. En fait, elle a été mêlée à une bagarre. Mais non,
ça ne sonnait pas juste.

— Pourquoi pas ?

Le visage d'Árni se contracta dans une grimace
douloureuse.

— Je ne sais pas. Je ne saurais l'expliquer. C'est pour ça que
je t'ai dit qu'il n'y a probablement aucun rapport.

— On est sûr qu'il s'est suicidé ?

— Le médecin légiste a émis quelques doutes, je pense.
Ainsi que Baldur. Mais la consigne est venue d'en haut de
classer l'affaire.

— Pourquoi ?

— Une révolution grondait. Jusque-là, tout se passait dans
le calme. Si on apprenait que Gabríel Örn avait été assassiné
la nuit d'une des manifestations, cela allait complètement
changer la donne. Les politiques, le commissaire principal,
tout le monde avait la trouille que la violence monte.

— Árni, laisse-moi te dire quelque chose. Si tes tripes te
parlent, écoute-les. Tu peux te tromper, ça arrive souvent, mais
la plupart du temps, c'est la meilleure preuve dont tu disposes.

— OK, soupira Árni.

— Où est-ce qu'elle vit, cette Harpa ?

— Seltjarnarnes. Je peux l'appeler, voir si elle est chez elle.

— Non, Árni. On va lui faire une petite surprise.

8

Harpa habitait une des maisons blanches de la rangée de maisons toutes identiques qui donnaient sur la baie. Petite, mais sûrement très chère au moment du boom, se dit Magnús. Plus maintenant.

Quand elle ouvrit la porte, Magnús aurait pu donner sa main à couper qu'elle s'attendait à avoir la visite de la police. Tout d'abord elle eut l'air paniquée, avant de feindre assez mal la surprise.

Elle devait approcher la quarantaine, visage pâle, yeux bleu clair, cheveux noirs bouclés jusqu'aux épaules. Elle avait dû être jolie et certainement, elle pourrait de nouveau l'être, mais pour le moment elle semblait juste tendue et épuisée. Deux profondes rides marquaient chaque côté de sa bouche et deux autres plus petites séparaient ses sourcils. Au début, Magnús pensait qu'elle était maquillée, jusqu'à ce qu'il comprenne que les taches sous ses yeux étaient des marques de fatigue.

Árni fit les présentations. Ils retirèrent leurs chaussures et allèrent s'installer dans la cuisine.

Un homme aux cheveux gris jouait à genoux par terre avec un petit garçon bouclé. Ils faisaient entrer et sortir des petites voitures dans un garage à plusieurs étages.

L'homme se leva en grimaçant. Il était petit, les épaules larges et le visage buriné. Il devait avoir autour de soixante-dix ans.

— C'est à quel sujet ? demanda-t-il, d'une voix sévère, en redressant les épaules.

— Nous enquêtons sur la mort d'Óskar Gunnarsson, expliqua Árni.

— Oui, et ?

— Voici mon père, Einar, présenta Harpa.

— Nous voudrions parler à votre fille, Einar, lança Magnús. Et nous voudrions lui parler seule.

— Je reste, affirma le vieil homme.

— Elle est majeure, elle n'a pas besoin de la présence d'un parent.

Magnús sentait Harpa se crisper à côté de lui.

— Cela l'a beaucoup chamboulée la dernière fois que vous l'avez interrogée, insista Einar. Je ne voudrais pas que cela recommence.

— Ne t'inquiète pas, papa. Ça ira cette fois. S'il te plaît, emmène Markús jouer sur le port.

Le visage du petit garçon s'illumina et il se mit à sauter dans tous les sens.

— Le port ! Le port !

Malgré lui, les yeux d'Einar s'adoucirent et il dut réprimer le sourire qui lui venait.

— Tu es sûre, ma chérie ?

— Oui, papa, tout ira bien.

— D'accord, allez, viens, Markús.

Le vieil homme tendit sa grosse main qui enveloppa la paluche du petit bonhomme. Magnús, Árni et Harpa attendirent gênés qu'ils enfilent leurs manteaux et leurs chaussures.

— Désolée, s'excusa Harpa. Mon père est du genre surprotecteur.

— Beau gamin.

— Oui. Et son grand-père en est fou, comme vous avez pu le voir. Il va lui raconter toutes ses prouesses de pêcheur quand ils seront sur le port. Markús adore ça, même si je ne suis pas sûre qu'il comprenne tout ce que son grand-père lui dit. Il aime juste l'écouter parler.

Magnús et Árni s'assirent autour de la table de la cuisine, Harpa leur servit du café et prit place en face d'eux.

— Vous avez entendu qu'Óskar a été tué à Londres ?

— Oui, j'ai entendu la nouvelle à la radio. Ça m'a fait un choc.

— Vous le connaissiez ?

— Oui. C'était mon patron, enfin le chef de mon chef. Oh, je ne le connaissais pas bien. Mais j'ai assisté à bon nombre de réunions avec lui.

— Vous vous fréquentiez ?

— Non, affirma Harpa, catégorique. Absolument pas.

Son assurance éveilla l'intérêt de Magnús. Il sentait que Harpa n'était pas si tranquille.

— Vous n'avez jamais été invitée à ses grandes réceptions ?

— Euh, si. Si, bien sûr. Je l'ai croisé lors de soirées d'affaires. Il était très gentil avec ses employés. Mais je ne dirais pas que nous étions amis. Et nous ne nous fréquentions pas en dehors du travail.

— Quand l'avez-vous vu pour la dernière fois ?

Les joues de Harpa s'empourprèrent aussitôt.

— Le jour du discours d'adieu qu'il a prononcé devant toute la banque avant de partir. Gudmundur Rasmussen, l'idiot qu'ils sont allés déterrer après que la banque a été nationalisée, lui a demandé de sortir par la porte de derrière, raconta Harpa en souriant. Óskar est très calmement parti par la porte d'entrée. Il l'avait programmé depuis le début. Un petit groupe d'entre nous l'attendait dans l'atrium. Ce fut un brillant discours.

— Mais vous ne l'avez pas revu depuis ?

— Non. Non, d'après ce que j'ai lu, il s'est envolé pour Londres juste après et il y est resté. Je ne suis pas sûre qu'il soit jamais revenu en Islande.

Magnús hocha la tête. Harpa devenait plus convaincante.

— Je voudrais vous poser quelques questions au sujet de la mort de Gabríel Örn Bergsson.

Harpa se raidit de nouveau.

— Pourquoi ? C'était un suicide, quel lien pourrait-il y avoir avec la mort d'Óskar ?

— C'est une bonne question. Pouvez-vous imaginer un lien ?

Le visage de Harpa trahit un mélange de confusion et de panique. Elle baissa la tête pour laisser ses boucles tomber sur ses yeux, puis elle les repoussa, irritée. Elle gagnait du temps.

— Non, non. Il ne peut pas y en avoir. Je sais bien qu'ils travaillaient tous les deux pour la même banque, mais l'un d'eux s'est suicidé et l'autre a été abattu.

— Savez-vous pourquoi Gabríel Örn s'est suicidé ?

— Non. Mais il était responsable d'une série de crédits douteux. Ça a entraîné des pertes énormes pour la banque.

— Ce n'est pas le seul banquier qui a fait perdre de l'argent à la banque. Aucun autre ne s'est suicidé. Pourquoi Gabríel Örn a-t-il été si touché ?

— Je n'en sais rien.

— Vous le connaissiez bien. Cela vous a-t-il étonné qu'il se jette dans le lac ?

— Oui, vraiment, concéda Harpa dans un soupir. Il était plutôt sûr de lui et de son talent. Peut-être qu'il a fini par comprendre quel salaud il était vraiment. Peut-être qu'il ne pouvait plus se regarder dans un miroir...

— Il a été méchant avec vous ?

— On peut dire ça. Il s'est attribué tout le mérite du travail que j'ai accompli, c'est lui qui a empoché les gros bonus, pendant que moi, je n'avais que dalle. Il m'a accusée pour les mauvaises transactions qu'il avait réalisées. Ça m'a mise hors de moi. J'ai contesté être responsable des affaires qui ont capoté, mais il a rejeté mon objection et je n'ai pas été assez intelligente pour me rebeller et cesser de l'écouter. Ensuite, un jour, pour récompenser mes succès dans la banque, il m'a dit que je faisais partie des privilégiés autorisés à acheter des parts d'Ódinsbanki à taux avantageux. La banque me prêterait l'argent pour le faire, à très bas taux. Je savais que c'était comme ça qu'il avait gagné une fortune en quelques années, alors j'ai décidé de tenter ma chance.

Elle secoua la tête.

— Six mois plus tard, ça a été la débâcle. Le prix de l'action a chuté presque jusqu'à zéro et la banque a été nationalisée. Et pourtant le prêt que j'avais contracté était encore bien là.

— Je suppose que tout le monde en a souffert.

Harpa éclata d'un rire sans joie, teinté d'une pointe d'hystérie.

— Beaucoup d'entre nous, oui, mais pas le « cercle en or ». Alors que nous achetions, eux ils revendaient. Gabríel a vendu les trois quarts de ses parts et a remboursé tout son prêt.

— Alors vous l'avez largué ? demanda Magnús.

— Je ne savais rien de tout ça à l'époque. C'est lui qui m'a larguée. Avant, une des règles de la banque était que des employés ne pouvaient pas sortir ensemble. Après l'arrivée de Gudmundur, la règle a été de nouveau appliquée. Devinez qui a dû partir ?

— Je vois. Ça a été un coup dur...

— Oui. Même si, quand je suis partie, mes amis m'ont avoué que de toute façon Gabríel Örn avait une liaison avec une stagiaire de vingt-trois ans. C'est plutôt bien tombé.

L'amertume avait pris le dessus sur la confusion chez Harpa.

— Pouvez-vous me raconter ce qui s'est passé la nuit où il est mort ?

— Où il s'est suicidé, vous voulez dire ?

— Où il est mort, répéta Magnús, fermement.

— Mais je l'ai déjà expliqué à vos collègues en janvier.

— Redites-le-moi.

Il avait sorti son carnet. Les notes qu'Árni avait prises lors du premier interrogatoire et que Magnús avait parcourues sur le chemin vers Seltjarnarnes étaient bien trop sommaires.

Harpa hésita, comme si elle cherchait un moyen d'esquiver. Il n'y en avait pas.

— Je suis allée à la manifestation cet après-midi-là, sur la place Austurvöllur, devant le Parlement. J'ai rencontré un homme, Björn Helgason. Après que les bombes lacrymogènes ont dispersé les manifestants, je suis allée chez lui.

— C'est où ?

— Sur la colline, à côté de la cathédrale catholique. En fait, c'était l'appartement de son frère. Björn vit à Grundar-fjördur ; il est resté chez son frère pour pouvoir assister à la manif.

— Le frère de Björn était là ?

— Non, il était ailleurs.

— Et alors, qu'est-ce qui s'est passé ?

— On a bu un verre. On a parlé. On était sur le point de passer à quelque chose de plus sérieux, et... j'ai eu la frousse. Je me sentais coupable par rapport à Gabríel Örn. J'ai eu besoin de le voir. Alors je l'ai appelé pour qu'on se retrouve au B5 à Bankastraeti.

— Qu'en a pensé Björn ?

— Il était déçu, mais il s'est montré très gentleman. Il a insisté pour me donner son numéro.

— Ensuite ?

— Je suis partie vers Bankastraeti. Je suis entrée dans le B5 et j'ai attendu. Gabríel n'est jamais venu. J'étais un peu soûle, un étudiant a commencé à me draguer. Je l'ai giflé, il m'a giflée. Deux mecs sont intervenus pour me protéger. Le barman a jeté dehors l'étudiant.

— Il s'appelait comment cet étudiant ? demanda Magnús, connaissant la réponse grâce aux notes d'Árni.

— Ísak, je pense. Je ne m'en souviens pas.

— Et ensuite ?

— J'ai reçu un texto de Gabríel. Quelque chose comme : « Je suis parti nager. Désolé. » Je n'ai pas vraiment compris, mais j'étais plutôt pompette. Je me suis dit que c'était le genre de blague stupide que Gabríel Örn adorait faire : en d'autres termes, il me disait qu'il me posait un lapin. Alors j'ai appelé Björn et je lui ai demandé de venir me chercher.

— Il était quelle heure à ce moment-là ?

— Je ne sais pas. Minuit ? 1 heure ? 2 heures ? Je l'ai dit à votre collègue, à l'époque.

Et mon collègue ne l'a pas noté, songea Magnús.

— OK. Et vous êtes allée où avec Björn ?

— Nous sommes retournés chez son frère. Et ce qui s'est passé là-bas, vous pouvez l'imaginer.

— Vous avez vu son frère ?

— Oui, mais le lendemain matin seulement. Quand je repartais.

— Et il était quelle heure ?

— Aucune idée. Je ne m'en souviens pas. Mais alors que je rentrais chez moi – je suis rentrée à pied, ça je m'en souviens – j'ai commencé à repenser au texto de Gabríel. Et je me suis inquiétée. Je me suis dépêchée et une fois chez moi, j'ai appelé la police.

L'histoire était possible, peu plausible, mais possible. Il restait toutefois un élément que Magnús ne comprenait pas bien.

— Pourquoi avoir appelé Gabríel Örn, comme ça, tout à coup ? Vous venez de me donner toutes les raisons qui vous faisaient le détester, et elles tenaient parfaitement la route.

— Euh...

Magnús attendait patiemment que Harpa sorte de son bourbier. Il avait l'impression qu'elle essayait de se souvenir de quelque chose plutôt que d'inventer, comme si le plus important pour elle était de répéter ce qu'elle avait déjà raconté aux enquêteurs.

— J'imagine que je l'aimais toujours...

— Oh, s'il vous plaît ! Il s'est comporté comme une vraie ordure avec vous !

— Oui, mais j'étais soûle. Je n'avais plus été avec un homme depuis Gabríel Örn. J'étais nerveuse, j'avais peur. Je me sentais coupable...

— Je n'en crois pas un mot, affirma Magnús en secouant la tête.

— Je me fiche de ce que vous croyez ! s'exclama Harpa. Je ne sais plus ce que je crois, maintenant. Après la mort de Gabríel Örn, tout a changé. Je ne me souviens pas pourquoi je l'aimais, je ne me souviens plus de ce que je ressentais pour lui à l'époque. L'homme que j'aimais s'est suicidé ! Oui, je le déteste. Oui, parfois je l'aime encore. Et parfois je me sens coupable. Je ne sais pas pourquoi, mais c'est vrai, déclara-t-elle, luttant pour se calmer. Je ne sais plus pourquoi je l'ai appelé. Je n'étais pas la même il y a quelques mois.

Ça, Magnús voulait bien le croire. Il est difficile d'imaginer ce que peut éprouver une femme quand son ex-petit ami se suicide, même s'il ne s'est pas bien comporté avec elle. Ce ne pouvait être ni logique ni cohérent.

Mais tout le monde s'accordait sur une hypothèse qui ne lui convenait pas entièrement.

— Harpa, interpella-t-il, la regardant dans les yeux. Serait-il possible que la mort de Gabríel Örn ne soit pas un suicide ?

— Non, absolument pas. C'était un suicide. Forcément. C'est ce que l'enquête a conclu.

— Gabríel Örn avait-il des ennemis ? À part vous, bien sûr.

— Qu'est-ce que vous sous-entendez par là ?

— Je pose juste une question.

— Beaucoup de gens n'aimaient pas Gabríel Örn. C'était une ordure.

— Et le monde tourne mieux sans lui ?

— Non ! s'écria-t-elle, les larmes aux yeux. Non ! Pas du tout ! Vous déformez mes propos. Sa mort est horrible, comme celle d'Óskar. Alors vous feriez bien de vous bouger un peu et de trouver qui les a tués !

— *Les* a tués ? reprit Magnús en souriant.

— L'a tué, je voulais dire ! Óskar ! Et n'essayez pas de me piéger, ça ne prouve rien. Maintenant, s'il vous plaît, partez.

— Ton intuition était la bonne, Árni ! lança Magnús, alors qu'ils retournaient dans le centre-ville. Pas étonnant qu'elle n'ait pas voulu que son père reste. Elle ne dit pas la vérité.

— C'est ce que je pensais aussi. Tu crois qu'on aurait dû lui demander de rester ?

— Non, elle ne nous aurait tout simplement rien dit. Árni, il faut que tes notes soient plus complètes. Ce qu'on a de l'interrogatoire de janvier ne sert strictement à rien. Tu dois noter *tous* les détails.

— Ça ne m'avait pas paru important à l'époque. On suivait juste la procédure officielle. Le big boss a fait clairement comprendre que ça devait être un suicide et *basta*.

Le big boss était Snorri Gudmundsson, le commissaire principal de la police islandaise.

— Et j'étais fatigué. Moi aussi, j'étais à la manif, tu sais. Mais c'est sur moi qu'on balançait du *skyr*. Ils nous ont tous réquisitionnés, on avait des services de seize heures d'affilée pour protéger le Parlement. Je crois que j'ai fait l'interrogatoire après douze heures sans pause.

Magnús grommelait en parcourant les notes de l'interrogatoire d'Árni avec Björn Helgason. Là aussi, il manquait des informations.

— Björn a-t-il corroboré ce qu'a dit Harpa ?

— Oui. Et il était bien plus convaincant. Tu n'essayes pas de me dire qu'il faut qu'on aille lui rendre une visite à Grundarfjördur, n'est-ce pas ? C'est à au moins deux heures d'ici. Ça va nous prendre la journée de faire l'aller-retour.

Magnús savait bien qu'il le faudrait. L'histoire de Harpa ne tenait pas debout et c'est chez Björn qu'il devait naturellement chercher la faille. Mais Grundarfjördur n'était pas la porte à côté, dans la péninsule de Snaefells sur la côte ouest de l'Islande. Et surtout il avait ses propres raisons de ne pas vouloir s'approcher de cette partie du pays s'il pouvait l'éviter.

— Peut-être plus tard.

Le Kría rentrait chez lui. La journée avait été mauvaise et l'humeur virait à l'aigre. L'équipage avait hâte de revenir à terre pour décharger le peu qu'ils avaient réussi à pêcher, deux ridicules filets de haddock.

Il faisait déjà presque nuit. À droite, Búland's Head s'élevait dans toute sa noirceur contre le gris du ciel nuageux.

Devant, on voyait les lumières de Krossnes, avec le rythme familier de son scintillement. L'équipage ne parlait pas. Gústi, le capitaine, avait tout foiré. Il avait mal jugé l'effet de la marée sur le filet qui avait dérivé vers une épave bien connue et s'y était accroché. Quand Björn avait vu où ils pêchaient, il l'avait prévenu qu'ils étaient trop près, mais Gústi n'en avait fait aucun cas. Ensuite, ils avaient passé le reste de la journée à essayer de dégager le filet, avant de renoncer et de dire adieu à deux mille couronnes d'équipement. Björn avait suggéré qu'on le déchire après une heure ou deux, au moins ils auraient pu utiliser ce qui serait resté du filet pour conserver un peu du butin de la journée.

Ce n'est pas facile d'être capitaine. Il faut trouver le poisson, et il faut sans cesse peser les risques de chaque action. Björn avait un don pour cela. Gústi non. Et on avait vraiment l'impression qu'il faisait tout pour ne pas écouter les conseils de Björn.

Björn représentait plus un danger qu'une aide pour Gústi. Depuis que Björn avait perdu son bateau, il sortait en mer avec tous les capitaines qui voulaient bien de lui, soit à Grundarfjördur, soit dans l'un des petits ports qui bordaient la côte de la péninsule de Snaefells : Rif, Ólafsvík, Stykkishólmur. Le Kría n'appartenait pas à Gústi mais à une compagnie maritime, et même si Björn avait dix ans de moins que le capitaine, tout le monde savait qu'il était meilleur pêcheur. Gústi avait peur de perdre son travail. Björn avait intérêt à être prudent, ou Gústi risquait de ne plus jamais l'accepter dans son équipage.

En tout cas, la prise ne serait pas longue à décharger et le bateau serait rapidement nettoyé. Il serait plus vite en chemin vers Reykjavík pour voir Harpa.

Il tenait à elle plus qu'il n'avait jamais tenu à aucune autre femme. Elle n'était pas du tout son type, et il commençait à comprendre que c'était précisément ce qui lui faisait un tel effet. Il aimait les femmes sûres d'elles, les femmes qui savaient ce qu'elles voulaient, et ce qu'elles voulaient, c'était coucher avec lui. Il s'exécutait toujours avec plaisir, mais quand les choses devenaient un peu compliquées, lourdes, comme c'était toujours le cas, il passait à autre chose. Certaines lui en voulaient, mais la plupart savaient depuis le début que ça faisait partie du marché. Il avait vécu avec une femme pendant deux ans, Katla, mais leur histoire avait duré uniquement parce qu'ils avaient tous les deux réussi à retenir leurs émotions, même s'ils partageaient le même lit et le même toit. Dès que la relation avait pris une tournure plus sérieuse, elle s'était terminée.

Harpa était différente. Elle était intelligente, en fait, il aimait parler avec elle. Comme lui, elle s'était laissé avoir par le *kreppa*, bien que d'une manière totalement différente. Elle était vulnérable et il y avait quelque chose dans la vulnérabilité de cette femme brillante que Björn trouvait touchant. Elle avait besoin de lui d'une manière dont aucune autre femme auparavant n'avait eu besoin de lui. Mais plutôt que de s'enfuir, il accourait.

Rien ne l'obligeait à parcourir deux cents kilomètres pour la voir ce soir, mais cela lui faisait plaisir. Ça en valait la peine.

Elle en valait la peine.

9

En garant son Game Over sur Njálsgata, devant sa maison, ou plutôt celle de Katrín, Magnús était de bonne humeur. Les « Game Over », c'était comme cela qu'on appelait les Range Rover : Magnús avait acheté le sien pour un prix dérisoire à un avocat ruiné qui en avait deux et ne pouvait même pas s'en permettre un. C'était un puits à essence, mais hors de Reykjavík, on ne peut pas se passer d'un bon 4 x 4.

Les quelques bières qu'il s'était enfilées au Grand Rokk expliquaient en partie son allégresse. Le Grand Rokk était un bar sur Hverfisgata. Chaud, miteux et peuplé d'hommes et de femmes qui appréciaient un verre pendant la semaine, il rappelait à Magnús le genre d'endroit qu'il fréquentait avec ses amis à Boston. À Reykjavík, ces sorties étaient beaucoup plus rares, hormis le week-end où là, tout le monde se lâchait. En fait, ici, on voyait plutôt d'un mauvais œil de boire en semaine. Ce qui ajoutait au charme du Grand Rokk.

Les premiers temps, en Islande, il buvait bien plus d'une ou deux bières par soir, sans compter les petits verres d'alcool entre deux, ce qui lui avait causé des soucis. Mais depuis il s'était repris et savait désormais se contrôler.

Mais il n'y avait pas que la bière. Cela faisait du bien de se voir enfin confier une mission digne de ce nom. Il ne savait pas encore s'ils allaient trouver une piste islandaise, mais si c'était le cas, il imaginait que Harpa devait jouer les pivots. Rien d'étonnant à ce qu'elle soit bouleversée par le suicide de son ex-petit ami. La nervosité de Harpa ne se limitait toutefois pas à cela : elle cachait quelque chose.

Et le suicide de Gabríel Örn paraissait complètement invraisemblable. Pour le moment, ils n'avaient trouvé aucune trace d'intentions suicidaires, ni aucun signe de forte dépression. Et s'il avait vraiment voulu se suicider, parcourir à pied cinq kilomètres pour se jeter à la mer semblait pour le moins étrange, surtout une nuit d'hiver... Pourquoi ne pas y aller en voiture ? Ou prendre un taxi ? Ou simplement rester à la maison et avaler des comprimés ?

Bien sûr, Magnús ne pouvait exclure que l'enquête révèle finalement chez Gabríel Örn une tendance suicidaire qui expliquerait tout, mais pour l'instant, il avait de sérieux doutes.

Alors qu'il cherchait ses clés, la porte s'ouvrit et sa propriétaire sortit, dans ses plus beaux atours.

Grande, les cheveux courts et teints en noir, le visage peinturluré de blanc et couvert de piercings, Katrín portait un jean noir, un tee-shirt et un manteau. Elle ressemblait un peu à son frère, Árni, mais elle avait les traits bien plus fins que lui. Sous son épaule apparut une toute petite femme avec des cheveux blonds et courts.

— Salut, Magnús, lança Katrín dans son excellent anglais appris au Royaume-Uni. On sort. Je te présente Tinna, au fait.

— Bonjour, Tinna. Ça va ?

Tinna hocha la tête, sourit et posa la tête sur sa grande compagne.

— J'ai fait une croix sur les mecs, annonça Katrín en remarquant la gêne de Magnús. Ils puent et ils mentent. Tu ne trouves pas ?

— Euh...

— Tinna est bien plus gentille, ajouta Katrín en serrant contre elle la petite blonde.

Tinna leva un visage béat vers son amie et elles s'embrassèrent rapidement sur les lèvres.

— Oh, ne le dis pas à Árni, d'accord ? conclut Katrín. Moi, ça m'est égal, mais ça risque de le contrarier.

— Pas de problème.

Une des raisons pour lesquelles Árni avait installé Magnús chez sa sœur, c'était pour qu'il puisse l'espionner. Et ça, Magnús n'en avait pas du tout l'intention. Il appréciait Katrín, et ils s'entendaient bien, même s'ils ne se croisaient pas souvent. Peut-être justement parce qu'ils ne se croisaient pas souvent.

En entrant dans le couloir, il sentit une odeur de cuisine. Il partit vérifier si Katrín lui avait laissé quelque chose sur le feu. Une cuillère en bois à la main, Ingileif se tenait devant les fourneaux et préparait des escalopes.

— Salut !

Ingileif quitta ses escalopes pour s'approcher de Magnús et l'embrasser langoureusement.

— Salut ! lança enfin Magnús quand il eut l'occasion de parler. Quelle surprise !

— Tu es allé au Grand Rokk, remarqua Ingileif. Je le sens à ton haleine.

— Ça t'ennuie ?

— Non, bien sûr que non, ce bar est tout à fait pour toi, mais n'essaye pas de m'y emmener. Tu aimes les escalopes ?

— Oui.

— Tant mieux.

— Euh... Comment es-tu entrée, Ingileif ?

— Katrín m'a ouvert la porte. À propos, tu as rencontré Tinna ? Mignonne, tu ne trouves pas ?

— Sans doute, oui.

Il ne savait pas vraiment si cela lui plaisait qu'Ingileif s'introduise ainsi chez lui à l'improviste.

— Je suis invitée à une soirée, vendredi. Chez Jakob et Selma. Ça te dit de m'accompagner ?

— C'est le petit gars avec un gros nez ?

— Je dirais plutôt un gros gars avec un petit nez. Tu l'as déjà rencontré. Ce sont tous les deux mes clients.

Ingileif dirigeait une galerie d'art. Et elle la dirigeait bien. Ses clients comptaient parmi les gens les plus riches de Reyk-javík, des gens d'une grande beauté, qui possédaient des œuvres d'art sublimes et s'habillaient avec beaucoup de goût. Ils se montraient tout à fait polis avec Magnús, mais il ne se sentait pas à sa place. Pour commencer, il n'avait pas les vête-ments appropriés, sa garde-robe ne contenait aucun tee-shirt de grand couturier, ni aucun costume de marque. Ses deux chemises préférées étaient de LL Bean, mais ça ne comptait pas vraiment, pas plus que ses costumes de Macy's. Mais surtout, tous ces gens se connaissaient depuis l'école.

— Je ne sais pas, répondit Magnús. Je suppose que je serai pris par l'affaire Óskar Gunnarsson.

— OK ! lança Ingileif, que cela ne semblait pas déranger.

Cela ne la dérangeait jamais de sortir seule.

Il ne savait pas à quoi s'en tenir avec elle. Mais c'était plutôt sympa quand elle se pointait chez lui, au beau milieu de sa vie, sans prévenir, sans attendre d'invitation.

— Tu sais, ces escalopes peuvent attendre, lança-t-elle en le regardant.

Magnús sourit en regardant Ingileif. Elle était blottie sous son bras, la tête sur son torse, ses cheveux blonds lui chatouillant le menton. Elle gardait les yeux fermés mais ne dormait pas. Il reconnaissait ce petit pli au-dessus de ses sourcils. Ses lèvres dessinaient elles aussi un petit sourire.

— Je suis bien, ici, remarqua-t-elle. Apparemment j'ai la bonne taille. Ou alors c'est toi ?

— C'est tous les deux. On s'emboîte bien.

Elle rit.

Ingileif était une des meilleures choses qui lui soient arrivées en Islande, une raison de rester. Magnús avait eu une petite amie aux États-Unis, une avocate appelée Colby. Elle était brillante, belle et savait ce qu'elle voulait. En l'occurrence, que Magnús quitte la police pour reprendre ses études de droit, trouver un bon travail et l'épouser. Magnús, lui, ne voulait rien de tout cela. Ils s'étaient séparés.

Aussi parce que Colby n'appréciait pas de se faire tirer dessus par des truands avec des fusils semi-automatiques en plein Boston.

Ingileif ne semblait pas du tout penser à l'épouser ou à le changer. Ils s'étaient rencontrés la première semaine de son arrivée en Islande. Ils avaient traversé de rudes épreuves ensemble. Le père d'Ingileif, comme celui de Magnús, s'était fait assassiner quand elle était enfant. Magnús avait découvert les circonstances du meurtre, et Ingileif avait eu beaucoup de mal à l'accepter.

Il l'avait soutenue, lui avait parlé, il avait compris sa douleur et l'avait aidée à la surmonter, ou du moins à vivre avec. Cela les liait.

— Alors, tu n'as pas encore résolu l'affaire Óskar ?

— Pas encore.

— Pitoyable ! Tu avais toute la journée...

— Ça risque de me prendre plus d'une journée.

— Même pour CSI Magnús ?

— Tu veux dire CSI Boston.

— Vraiment ? Je ne regarde pas cette série, *CSI : Les Experts*, ça m'ennuie un peu. Mais je suis sûre de pouvoir résoudre ton crime.

Ingileif se dépêtra de sous Magnús pour s'asseoir sur le lit.

— Donne-moi tes indices.

— Ça ne marche pas vraiment comme ça. On n'a pas encore trouvé de piste islandaise, le meurtrier habite sans doute à Londres. C'est là qu'Óskar a été tué, après tout.

— Hmmm, tu as fouillé dans la vie sexuelle d'Óskar ?

— Quoi, tu connais quelque chose sur la vie sexuelle d'Óskar ?

— Pas personnellement, idiot ! Mais j'en ai entendu parler. Kamilla, sa femme, ou plutôt son ex-femme, était l'une de mes clientes. Gentille femme, un peu quelconque.

— Vigdís l'a interrogée. Elle ne pense pas qu'elle lui en veuille encore vraiment.

— Sans doute que non, acquiesça Ingileif. Mais elle lui en a voulu très longtemps. Surtout à l'époque où il était avec María.

— Qui est María ?

— Une ancienne copine à moi. Elle était la petite amie d'Óskar pendant deux ans. C'est à cause d'elle qu'il a demandé le divorce. Elle est mariée maintenant, à quelqu'un d'autre, mais elle peut t'en parler elle-même.

— Je vois.

La jalousie comme motif de meurtre, un classique. Ingileif avait raison, ils devaient en apprendre plus sur les anciennes maîtresses d'Óskar, du moins celles qui vivaient en Islande.

— Je l'appelle, on peut se retrouver.

— Vigdís peut l'interroger demain.

— Comment ça ? C'est *mon* témoin, affirma Ingileif en sortant du lit pour aller chercher son portable. C'est comme ça qu'on dit, non ?

— Pas tout à fait.

Ingileif posa l'index sur sa bouche pour le faire taire.

— María ? Salut, c'est Ingileif. Je voulais te parler d'Óskar. Ça doit être terrible pour toi...

Cinq minutes plus tard, Ingileif avait organisé une rencontre avec Magnús le lendemain matin. Elle était fière d'elle.

— On va résoudre ça en un rien de temps. Alors tu as vu qui aujourd'hui ?

— Ma cousine, Sibba, répondit Magnús.

— C'est un témoin ?

— Non, mais c'est l'avocate de la sœur d'Óskar.

— Attends, tu m'as déjà parlé d'elle. C'est ta cousine du côté de ta mère, c'est ça ?

— Oui, c'est bien ça.

— C'est celle qui t'a parlé de ton père qui couchait avec la meilleure amie de ta mère ?

— Oui, répondit Magnús d'une voix enrouée. Ça ne te fait rien si on ne développe pas ? Je n'aurais pas dû t'en parler. Je n'ai pas envie de penser à ça.

— D'accord, acquiesça Ingileif en lui prenant la main.

Mais Magnús y pensait. Jusqu'à l'âge de huit ans, Magnús avait vécu une enfance de rêve. Sa mère enseignait à l'école primaire, son père à l'université, et avec son frère, Óli, ils jouaient dans le jardin devant leur petite maison au toit en tôle ondulée bleu vif, non loin de là où il habitait maintenant, à Thingholt.

Mais les choses avaient basculé dans l'horreur. Son père avait annoncé qu'il partait enseigner dans une université aux États-Unis. Sa mère, seule avec deux enfants, s'était mise à boire. Les deux garçons avaient été envoyés dans la ferme de leurs grands-parents à Bjarnarhöfn, dans la péninsule de Snaefells. Cette période de sa vie, Magnús l'avait rayée de sa mémoire, sans réussir à faire disparaître les cicatrices, enfouies profondément sous sa peau.

Dans le cas d'Óli, les cicatrices se voyaient plus nettement. Il ne s'était jamais vraiment remis de son séjour à la ferme.

Puis un jour, leur mère s'était tuée dans un accident de voiture. Elle était soûle. Finalement, Ragnar, le père des deux garçons, était revenu des États-Unis pour les sauver et les ramener à Boston avec lui. Magnús avait douze ans, Óli, dix.

Comme Magnús grandissait et commençait à mieux comprendre les méfaits de l'alcoolisme, il se fit sa propre image de la vie de ses parents. Sa mère, son alcoolique de mère, pas la femme ravissante dont il se souvenait vaguement dans son enfance, était la méchante, et son père, le héros.

Jusqu'à ce qu'il croise Sigurbjörg dans la rue quatre mois plus tôt. Elle avait fait voler en éclats l'idée que Magnús se faisait de son histoire en lui révélant que son père avait eu une liaison avec la meilleure amie de sa mère. C'était ce qui l'avait poussée à boire. C'était pour cela qu'il avait fui en Amérique. Et pour finir, c'était ce qui l'avait conduite à sa mort.

C'était cette nouvelle vérité que Magnús essayait d'enfouir au fond d'une boîte.

— Tu penses toujours à Sibba, n'est-ce pas ? demanda Ingileif. Je le sens bien.

— Oui, admit Magnús dans un soupir.

— Tu sais que tu devrais arrêter de te voiler la face. Rencontre-la. Essaye de comprendre ce qui s'est vraiment passé entre ton père et l'amie de ta mère.

— J'ai dit que je ne voulais pas en parler.

— Je me souviens quand tu as décidé de rester en Islande, continua Ingileif en ignorant la remarque de Magnús. Une des raisons était que tu pensais pouvoir découvrir ici le meurtrier de ton père.

— Ingileif...

— Non, écoute-moi. Toute ta vie d'adulte tu as été obsédé par le meurtre de ton père. C'est ce qui t'a poussé à devenir flic. C'est ce qui t'a construit. Pas vrai ?

À contrecœur, Magnús hocha la tête. Il avait en effet rejoint les forces de l'ordre pour cette raison, et c'était pour cela qu'il était devenu inspecteur et qu'il traquait le meurtrier de chaque victime avec tant d'acharnement.

— D'accord. Alors tu es tout excité à l'idée de découvrir la piste islandaise pour le meurtre d'Óskar, ce qui, tu le reconnais toi-même, est très peu probable, mais tu ne fais rien pour avancer sur le meurtre de ton père. Ça n'a pas de sens !

— Ce n'est pas pareil.

— Pourquoi ?

— Parce que.

Il tenta désespérément de trouver un argument, mais se contenta de la vérité.

— Parce que c'est personnel.

— Bien sûr que c'est personnel ! Et c'est exactement pour ça qu'il faut que tu règles cette question ! Tout comme il fallait que j'apprenne comment mon père était mort, même si cela fait mal. Et ne va pas me dire que ce n'était pas personnel.

Magnús lui caressa les cheveux.

— Non, je ne te dirai pas ça.

Ingileif avait énormément souffert, elle souffrait encore. Elle avait raison. Elle avait eu besoin de découvrir la vérité. Alors pourquoi pas lui ?

— Tu as peur, Magnús, reconnais-le, tu as peur de ce que tu pourrais découvrir.

Magnús ferma les yeux. Il détestait qu'on le traite de lâche. Ce n'était pas du tout l'image qu'il avait de lui-même. Depuis qu'il était enfant, il lisait avidement les sagas islandaises, les contes relatant des exploits et des vengeances courageuses. Dans ces histoires, on trouvait des héros et des lâches, ceux qui recherchaient la vérité et ceux qui se cachaient, et Magnús se voyait comme un héros. Il sourit intérieurement. Il y avait aussi les femmes qui pressaient leurs hommes de se bouger pour aller sauver l'honneur de la famille. Des femmes comme Ingileif.

— Tu as raison. J'ai peur. Mais... peu importe...

— Non, quoi ? Qu'est-ce que tu voulais dire ?

— Tu sais, je t'ai déjà raconté que j'ai passé quatre ans chez mes grands-parents, dans leur ferme quand mon père est parti ?

— Oui.

— Ces quatre années-là, je n'ai pas envie de me les rappeler.

— Que s'est-il passé ? demanda Ingileif en lui touchant le torse. Raconte-moi, Magnús.

— C'est quelque chose dont je ne veux vraiment pas parler. Ces souvenirs doivent rester dans leur boîte.

Harpa regardait par la fenêtre les lumières scintillantes de Reykjavík de l'autre côté de la baie. Elle attendait Björn. Il avait une grosse moto très puissante et elle pouvait lui faire confiance, il arriverait aussi vite qu'il le pouvait. Il était à cent quatre-vingts kilomètres, mais la route était bonne sur toute la distance, à l'exception de la dernière partie dans la banlieue.

Depuis l'interrogatoire avec les deux inspecteurs, elle n'avait pas réussi à se calmer. Le grand roux avec le léger accent américain lui avait particulièrement tapé sur les nerfs. Il était plus malin que le maigrichon auquel elle avait parlé en janvier. Il avait quelque chose dans ses yeux bleus et pénétrants qui montrait bien que rien ne lui échappait et qu'il voyait clair dans son jeu. Il savait qu'elle ne disait pas la vérité. Ils n'avaient trouvé aucun lien entre la mort de Gabríel Örn et celle d'Óskar, l'affaire Gabríel Örn était close depuis longtemps, mais ce détective savait qu'il y avait anguille sous roche.

Il reviendrait.

Harpa s'était montrée méchante avec Markús. Elle l'avait grondé parce qu'il n'avait pas rangé son camion. Plus tard, alors qu'elle lisait les poèmes tirés de *Vísnabókin*, ses préférés quand elle était enfant, le petit garçon avait dû lui faire remarquer qu'elle revenait deux fois sur le même passage.

Après l'avoir couché, elle avait fait les cent pas dans la maison, regrettant de ne pouvoir aller se promener sur la plage de Grótta au bout du promontoire de Seljtarnarnes, de peur de laisser Markús seul dans la maison. Elle avait considéré la possibilité d'appeler sa mère pour qu'elle le garde, mais elle n'avait pas le courage de se justifier ; des petits mensonges pour cacher le plus gros.

Alors au bout du compte, elle s'était versé une tasse de café qu'elle avait bue dans la cuisine en regardant par la fenêtre la nuit envelopper la baie de Faxaflói, respirant profondément pour retrouver son calme. Elle se sentait comme en transe. À l'intérieur, elle hurlait. Au-dehors elle était immobile, figée.

La mort de Gabríel Örn ne la quitterait jamais. D'une manière étrange, sa mort, ou plutôt sa responsabilité à elle dans cette mort, s'était logée quelque part en elle. Elle avait patienté là quelques mois avant de croître comme un parasite tropical, la rongeant de l'intérieur.

Ce soir, elle avait été incapable de regarder Markús dans les yeux. Ces grands yeux marron, confiants et honnêtes. Comment lui avouer que sa mère était une menteuse ? Pire encore, une meurtrière ?

Comment pourrait-elle vivre sans plus jamais regarder son fils dans les yeux ?

Elle voulait jeter les chaises de la cuisine et crier. Mais elle ne bougea pas. Aucun muscle chez elle ne remuait. Elle ne levait même pas la tasse de café jusqu'à ses lèvres.

Mais où donc était Björn ?

Elle fixait, dans l'obscurité, le corps de Gabríel Örn allongé par terre dans le parking devant Hverfisgata, du sang sortant de son crâne pour se mêler à la saleté.

Elle entendit sa propre voix hurler.

— Chut, Harpa, chut, ordonnait Björn, d'une voix calme et autoritaire.

Harpa s'arrêta de crier pour se mettre à sangloter.

Il s'agenouilla à côté de Gabríel Örn.

— Il est mort ? chuchota Harpa.

Björn fronçait les sourcils. En même temps, il posait ses doigts sur la gorge de Gabríel Örn à la recherche d'un pouls.

Harpa sortit son portable.

— Je vais appeler une ambulance.

— Non ! s'exclama Björn, toujours aussi ferme. Non, il est mort, une ambulance ne lui sera d'aucun secours. Nous finirions derrière les barreaux.

— Barrons-nous de là ! lança Frikki.

— Non, attendez ! Laissez-moi réfléchir. On a besoin d'une histoire.

— Personne ne saura que c'est nous, contredit Sindri. Partons vite.

— Ils vont savoir que Harpa l'a appelé juste avant qu'il ne vienne ici. Ils vont l'interroger. Peut-être que quelqu'un était chez lui et savait qu'il allait la rejoindre.

— Ne leur dis rien, Harpa, demanda Frikki.

— Oh, mon Dieu ! lança Harpa, sachant qu'elle raconterait tout à la police.

— Silence ! insista Björn. Calme-toi. On va trouver une histoire à leur servir. Un alibi pour chacun d'entre nous.

D'abord, débarrassons-nous de lui. Et essayons de ne pas nous tacher avec son sang.

Sindri, Frikki et Björn portèrent le corps dans le parking et l'étendirent entre deux voitures.

— Harpa doit aller au B5, affirma Ísak.

Les autres se tournèrent vers lui.

— Elle doit y aller tout de suite. Il faut qu'elle fasse un scandale pour que tout le monde se souvienne de l'y avoir vue. Elle peut se disputer avec quelqu'un, moi, peut-être. On ne se connaît pas, la police ne soupçonnera rien.

— Mais elle était où, avant ? demanda Sindri.

— Avec moi, intervint Björn. On s'est rencontrés à la manifestation. Elle est rentrée avec moi chez mon frère. Les choses ne se sont pas passées comme elle voulait, elle a appelé son petit ami, lui a demandé de la retrouver.

— Elle l'a attendu dans le bar, mais il ne s'est jamais pointé, continua Ísak.

— Et on fait quoi du corps ? demanda Sindri.

— Je peux l'emmener quelque part.

— On peut faire passer sa mort pour un suicide, suggéra Ísak. Ou une chute ? On peut aller le pendre quelque part...

— C'est horrible ! s'indigna Harpa. Je vais vomir.

— Je vais l'emmener faire un petit plongeon dans la mer, trancha Björn. Sindri, tu peux m'aider. Maintenant donne-moi ton numéro de téléphone, Harpa. Tu vas au B5 avec Ísak, mais faites attention d'arriver séparément. Tu te disputes avec lui, mais il ne faut pas qu'on te mette à la porte. On a besoin que tu restes là-bas le plus longtemps possible. Je me débarrasse du corps maintenant et je t'appelle dans une heure ou deux. Ensuite tu vas dans l'appart de mon frère me retrouver. On reviendra sur les détails de l'histoire ensemble.

Harpa hocha la tête. Elle se ressaisit et partit pour le bar à Bankastraeti, Ísak empruntant un autre chemin.

Même si le plan avait été conçu sur place et à la hâte, même s'il était truffé de trous, il avait fonctionné. Harpa ne l'aurait jamais cru. Grâce à l'intelligence d'Ísak et au calme de Björn.

Elle s'était bien débrouillée au cours des interrogatoires de police. Sans Björn, elle aurait craqué. Il lui avait transmis sa force et sa détermination pour s'en tenir à leur histoire. Et maintenant elle devrait tout recommencer ! Cette fois, elle ne pouvait garantir qu'elle y parviendrait.

Elle entendit une moto approcher sur la Nordurströnd et s'arrêter à côté de la maison.

Son cœur fit un bond. Elle sortit de la maison en courant et se jeta dans les bras du conducteur avant même qu'il n'ait eu le temps de retirer son casque.

— Oh, Björn, je suis si heureuse que tu sois ici ! s'exclama-t-elle dans un sanglot.

Il enleva son casque et lui caressa les cheveux.

— Du calme, du calme, Harpa. Tout ira bien.

Elle se dégagea.

— Non, ça n'ira pas, Björn. J'ai tué quelqu'un. Je vais aller en enfer. Je suis déjà en enfer !

— L'enfer n'existe pas, Harpa. Tu te sens coupable, mais tu ne devrais pas. Bien sûr que c'est mal de tuer, mais tu n'en avais pas l'intention, n'est-ce pas ? C'était un accident. Les gens meurent dans les accidents.

— Ce n'était pas un accident ! Je l'ai attaqué !

— Rien ne serait arrivé si Sindri et l'autre gamin ne t'avaient pas poussée à l'appeler. Là où on a tous les deux eu tort, c'est qu'on les a suivis. Regarde-moi, Harpa. Tu n'es pas une mauvaise personne.

Mais Harpa ne leva pas les yeux vers lui. Elle se serra contre sa veste en cuir. Elle voulait le croire. Elle voulait tant le croire...

10

Novembre 1934

Hallgrímur regardait la neige en approchant de la grange où les moutons étaient réunis pour l'hiver. Il devait vérifier le foin.

Il était 10 heures, la lumière se levait à peine. La neige, tombée quelques jours plus tôt, scintillait d'un bleu luminescent, sauf au sommet des montagnes au loin, que le soleil naissant peignait en rouge. Hallgrímur voyait encore les formes noires des vagues rocheuses et entortillées de Berserkjahraun. La chaleur de la pierre de lave faisait toujours fondre la neige là-bas en premier.

Un vent froid soufflait depuis le fjord. Hallgrímur vit une petite silhouette marcher d'un pas lourd vers l'église. Benni.

Hallgrímur n'avait pas beaucoup vu son ami ces dernières semaines, mais il avait de la peine pour lui. La disparition de son père avait surpris tout le monde. Sa mère n'avait pas la moindre idée d'où était passé son mari. Des recherches furent menées partout : dans la montagne de Bjarnarhöfn, au cas où il serait parti récupérer un mouton, le long de la côte, au cas où il serait tombé à l'eau, sur Berserkjahraun, dans les villes de Stykkishólmur et de Grundarfjördur. Comme cela ne donnait rien, les recherches avaient été poussées encore plus loin. Au-delà des montagnes vers le sud et le col de Kerlingin, le long de la côte d'Ólafsvík, le shérif de Borgarnes fut même contacté.

Aucun signe de lui nulle part.

Hallgrímur avait rejoint les équipes de recherche, restant tout près de son père où qu'il aille. Il n'en revenait pas de la détermination de son père pour aider, les longues heures qu'il passait dans les montagnes à chercher un corps qu'il savait au fond d'un lac à quelques kilomètres de là.

L'ambiance à Bjarnarhöfn était horrible. Son père et sa mère ne se parlaient plus, la haine était palpable. Les frères et sœur de Hallgrímur pensaient que c'était dû à la tristesse et au choc. Seul Hallgrímur connaissait la vraie raison.

Le garçon détestait sa mère à cause de ce qu'elle avait fait avec le père de Benni. Et même s'il savait que c'était mal, il ne pouvait s'empêcher d'admirer son père.

Bien sûr, la situation à Hraun était bien pire encore. La mère de Benni se faisait un souci terrible, mais c'était une femme forte et elle ne laissa pas tomber la ferme. Les voisins vinrent l'aider de bon cœur.

Où était passé le père de Benedikt ? Les théories se firent de plus en plus extravagantes. Les plus farfelues affirmaient soit qu'il avait émigré aux États-Unis avec une autre femme, soit que la troll de Kerlingin l'avait emporté.

Les plus sages supposaient qu'il était tombé dans Breidafjördur et qu'il avait été emporté par l'océan.

Hallgrímur parcourut le petit pré couvert de neige jusqu'à l'église. Elle n'était pas plus grande qu'une cabane, avec des murs peints en noir et un toit en métal rouge. Elle n'avait pas de flèche, juste une croix au-dessus de l'entrée. Un petit mur de pierre et de gazon l'entourait, ainsi qu'un cimetière rempli de vieilles pierres tombales grises et d'autres plus récentes, en bois blanc. Les ancêtres de Hallgrímur reposaient là. Un jour, dans un futur lointain, au XXIe siècle avec un peu de chance, il les rejoindrait.

Bjarnarhöfn n'avait pas de prêtre. Le prêtre de Helgafell, la toute petite ville un peu plus loin vers la ville de Stykkishólmur, donnait le service ici, une fois par mois.

Hallgrímur ouvrit la porte. Benni était assis sur le banc de devant, les yeux rivés sur l'autel. Il tenait un livre sur les genoux. Hallgrímur le reconnut. C'était l'exemplaire de Benedikt de *La Saga du peuple d'Eyri*.

— Bonjour, le salua Hallgrímur en s'installant à ses côtés. Qu'est-ce que tu fais ?

— J'essaye de prier.

— Pourquoi ? On ne le retrouvera pas...

— Pour son âme.

— Ah, lâcha Hallgrímur qui n'avait jamais bien compris le concept de l'âme. Comment tu vas, Benni ?

— Pas bien. J'ai beaucoup de peine pour ma mère. Elle n'a aucune idée de ce qui est arrivé à notre père et elle n'en saura jamais rien. À moins que je ne le lui dise.

— Tu ne peux pas faire ça !

— Pourquoi pas ? J'y pense tout le temps.

— Ça va nous causer des ennuis.

— Pas à nous. Ce n'est pas nous qui l'avons tué...

— Mais à mon père si, riposta Hallgrímur en fronçant les sourcils.

— Il le mérite peut-être, affirma Benedikt en regardant Hallgrímur.

— Et ton père aussi méritait ce qui lui est arrivé. Je sais qu'il est mort, mais tout le monde pense que c'est un héros. Plus personne n'aura cette opinion de lui, si on leur dit ce qu'il a fait.

— Peut-être...

Les deux garçons tournèrent la tête vers l'autel et la petite croix toute simple.

— Benni ?

— Oui ?

— Si tu parles, je te tuerai.

Hallgrímur ne savait pas pourquoi il avait proféré cette menace, elle lui était venue naturellement. Mais il savait que ce n'étaient pas des paroles en l'air. Et le fait qu'il avait dit cela dans une église rendait la promesse encore plus forte.

Benedikt ne répondit pas.

— Raconte-moi une histoire de ton livre, demanda Hallgrímur, tapotant la saga sur les genoux de son ami.

— D'accord, dit-il, fixant toujours l'autel et pas son ami. Tu te souviens de Björn de Breidavík ?

Benedikt n'avait pas besoin d'ouvrir son livre, il connaissait tout par cœur.

— Celui qui est parti en Amérique et est devenu chef ?

— Oui. Tu veux savoir pourquoi il y était allé ?

— Pourquoi ?

— Il y avait une très belle femme du nom de Thuríd qui vivait à Fródá. C'est à côté d'Ólafsvík.

— Je sais.

— Bien qu'elle fût la femme de quelqu'un d'autre, Björn allait toujours la voir. Il était amoureux d'elle.

— Oh...

Hallgrímur n'était pas sûr qu'il aimerait cette histoire.

— Le frère de Thuríd était un grand chef appelé Snorri et il habitait à Helgafell.

— Oui, tu m'as déjà parlé de lui.

— Eh bien, Snorri était en colère contre Björn et le déclara hors la loi, alors il dut quitter l'Islande.

— C'était à l'époque. Mon père n'aurait pas pu déclarer ton père hors la loi, ça ne se fait plus.

— Quelques années plus tard, Björn retourna à Breidavík pour voir Thuríd, continua Benedikt, ne faisant pas cas de l'interruption de Hallgrímur. Cette fois, Snorri envoya un esclave tuer Björn, mais Björn surprit l'esclave et le fit abattre. Il y eut une grande bataille entre les familles de Björn et de Snorri sur la glace en dessous de Helgafell. Pour finir, Björn quitta l'Islande de son propre chef. Il arriva en Amérique avec les Skraelings.

— Peut-être que ton père aurait dû partir en Amérique...

Benedikt détourna la tête de l'autel pour regarder droit dans les yeux de Hallgrímur.

— Peut-être que Björn aurait dû tuer Snorri...

Vendredi 18 septembre 2009

Magnús emporta les deux tasses de café du comptoir et s'assit en face de Sigurbjörg. Ils se trouvaient dans un bar sur Borgartún. Il l'avait appelée plus tôt, l'attrapant juste à son arrivée au bureau et elle avait accepté de le retrouver quelques minutes avant que la journée ne démarre vraiment.

Il s'était réveillé à quatre heures et demie, avec dans la tête ce que Sigurbjörg lui avait dit la veille et il n'avait plus pu se rendormir. Faire comme si de rien n'était ne marcherait pas. Il avait entendu ce qu'il avait entendu, et maintenant il devait chercher à comprendre. Et le plus vite possible.

Le café grouillait d'employés de bureau qui faisaient le plein de caféine, la plupart sur le départ. Ils trouvèrent donc facilement une place.

— Je suis contente que tu m'aies appelée, dit Sibba en anglais. Je ne pensais pas que tu le ferais.

— Moi non plus. Ça m'a fait bizarre de te voir hier.

— OBG est un bon client de mon cabinet, comme tu peux imaginer. Tu veux me poser des questions sur Óskar Gunnarsson ? Ça risque d'être délicat.

— Non, non, assura Magnús avant de prendre une grande respiration. Je voulais te parler de notre famille.

— Je me demandais si tu les avais revus depuis que tu es là ?

— Seulement toi, cette fois-ci.

— Je comprends que tu aies voulu les éviter, surtout vu la façon dont grand-père t'a traité quand tu lui as rendu visite.

Magnús avait fait le voyage jusqu'en Islande à l'âge de vingt ans, juste après la mort de son père. Il avait essayé d'une certaine façon d'enterrer la hache de guerre avec sa famille maternelle. Ça n'avait pas marché.

— Tu es allée à Bjarnarhöfn récemment ? demanda Magnús.

— Oui, j'ai emmené mon mari et les enfants à Stykkishólmur pour quelques jours en juillet chez oncle Ingvar. Il est médecin à l'hôpital là-bas. Nous avons rendu visite à grand-mère et à grand-père à quelques reprises.

— Comment vont-ils ?

— Très bien, étant donné leur âge. Ils ont tous les deux encore toute leur tête. Et grand-père bricole encore sur la ferme.

— Mais c'est oncle Kolbeinn qui fait la plus grande partie du travail ?

— Oh oui ! Il vit sur la ferme. Grand-père et grand-mère ont emménagé dans l'une des petites maisons.

Bjarnarhöfn était constituée de plusieurs bâtiments : des granges, trois maisons, et bien sûr la petite église, plus bas vers le fjord.

— Il a beaucoup changé ?

— Non. Il est plus ou moins égal à lui-même.

— Le vieux fou ! marmonna Magnús.

— Tu as détesté tes années passées à Bjarnarhöfn, n'est-ce pas ? demanda Sibba, compatissante.

— Oh oui, tu as eu de la chance de passer ton enfance au Canada, loin d'eux.

— Je me souviens d'être venue, enfant. En fait je me souviens d'être restée à la ferme quand toi et Óli y étiez. Vous étiez tous les deux très réservés. Comme si vous aviez peur de grand-père.

— C'était le cas. Surtout Óli. Même maintenant, c'est difficile d'y penser. Tu sais, avec Óli, on n'en a jamais reparlé après notre départ pour l'Amérique : c'est comme si ces quatre années avaient été effacées de notre cerveau.

— Jusqu'à ce que je revienne dans le décor ? Je suis désolée. Je n'aurais jamais dû te parler de ton père et de l'autre femme. Je ne pensais pas que tu l'ignorais, le reste de la famille ne parlait que de ça. Mais bien sûr j'étais plus âgée que toi. Óli et toi, vous n'étiez que des garçons.

— Je suis content que tu me l'aies dit, Sibba. En fait, c'est de ça que je veux te parler.

— Tu en es sûr ?

— Oui. J'ai besoin de découvrir ce qui s'est passé dans la vie de mes parents. Depuis l'assassinat de papa, ça ne m'a plus laissé de répit.

— Mais ça n'a aucun rapport, n'est-ce pas ? s'étonna Sibba.

— J'en doute, en effet. Mais je suis policier, j'aime poser des questions jusqu'à ce que j'obtienne les réponses. Tu es la seule personne dans la famille à qui je puisse m'adresser. Grand-père a monté les autres contre moi.

Hallgrímur, le grand-père de Magnús, avait trois garçons et une fille : Vilhjálmur, l'aîné, qui était parti au Canada à vingt ans, Kolbeinn, Ingvar, et Margrét, la mère de Magnús. Sibba était la fille de Vilhjálmur. Elle avait grandi au Canada et y avait fait ses études. Après l'université, elle était retournée en Islande pour s'inscrire dans une fac de droit et devenir avocate à Reykjavík. C'est elle que Magnús avait toujours préférée dans la famille de sa mère.

— Allez, vas-y, pose tes questions. Je ne suis pas sûre de pouvoir t'être d'une grande aide.

Magnús prit une gorgée de café.

— Tu sais qui était l'autre femme ?

— Je le savais à l'époque, mais... non... j'ai oublié son nom, déclara Sibba, s'efforçant de se souvenir. Non. Ça va me revenir. C'était la meilleure amie de tante Margrét depuis l'école. Elle habitait à Stykkishólmur. Elles ont toutes les deux suivi la formation d'institutrice à Reykjavík.

— Elle enseignait dans la même école que maman ?

— Je ne sais pas.

— Tu as eu l'occasion de la rencontrer ?

— Non, mais j'ai beaucoup entendu parler d'elle. Je pourrais demander à mon père si tu veux.

— Ce serait super. Mais s'il te plaît, ne lui dis pas que ça vient de moi.

— D'accord, acquiesça-t-elle en consultant sa montre. Je dois y aller, j'ai une réunion dans cinq minutes.

Elle se leva et embrassa Magnús sur la joue. Magnús apprécia le geste. Il manquait un peu de famille en Islande : il ne lui en restait plus du côté de son père. Sibba était la plus proche.

— Tu es décidé à connaître toute l'histoire ? demanda-t-elle.

Magnús hocha la tête. Ingileif avait raison.
— Complètement.

Björn parcourut à vélo la courte distance séparant Seltjarnarnes du port. Harpa était partie tôt pour aller à la
boulangerie, déposant en chemin Markús chez sa mère.
Björn avait dit à Harpa qu'il devait retourner à Grundarfjördur pour prendre la mer sur un bateau de pêche pendant
quelques jours. Il lui restait une heure ou deux à tuer, alors il
entra dans son endroit préféré à Reykjavík.

Après avoir posé son vélo, il marcha le long du quai. Très
peu de bateaux s'alignaient dans le port : un gros chalutier
russe, un ou deux autres des îles Vestmann, et encore
quelques navires plus petits. Le vieux port de Reykjavík était
bien plus grand que celui de Grundarfjördur, mais ces derniers jours, il semblait plus calme. De moins en moins de
pêcheurs en étaient venus à posséder la totalité des quotas
au cours des vingt-cinq dernières années, ce qui signifiait
qu'il y avait moins de bateaux et que ces bateaux passaient
plus de temps en mer. C'était beaucoup plus efficace ainsi
et l'Islande était l'un des seuls pays au monde où les
pêcheurs rapportaient vraiment de l'argent plutôt que de
puiser dans les subsides gouvernementaux. Mais cette rentabilité avait un prix : les bateaux détruits, les pêcheurs qui
perdaient leur travail, parfois des communautés entières
éteintes.

Jusqu'au *kreppa*, Björn avait bénéficié de la situation. Son
oncle à Grundarfjördur avait été l'un des pêcheurs à recevoir un quota, attribué à des hommes qui pêchaient entre
1980 et 1983. Le quota représentait le droit de pêcher une
certaine proportion du total de poissons annuel, établi par
l'Institut de recherche marine et le ministère de la Pêche,
selon le niveau des stocks. Les heureux « rois du quota »,
comme on les appelait, avaient soit continué à pêcher, soit
vendu leur part à des compagnies plus grandes pour des
millions et parfois des centaines de millions de couronnes.

C'est ce qu'avait fait Einar, le père de Harpa. L'oncle de Björn lui avait vendu son quota et son bateau, Le Lundi[1], à un prix raisonnable, mais malgré tout, Björn avait dû emprunter beaucoup à la banque.

Björn pêchait avec son oncle depuis l'âge de treize ans. Il avait ça dans le sang. On disait de lui qu'il pouvait penser comme un hareng, et il avait également des facilités pour comprendre et utiliser la technologie moderne maintenant disponible sur les chalutiers destinée à localiser les bancs de poissons dans la mer. Il remboursa sa dette sans tarder et emprunta encore pour acheter plus de quotas d'un autre petit pêcheur de Grundarfjördur. Le quota s'appliquait à la proportion de poissons et pas à un bateau en particulier, par conséquent le secret de la rentabilité résidait dans la somme de quotas qu'on pouvait se permettre. Ensuite, en 2007, il contracta un autre crédit pour acheter encore un troisième petit quota et du matériel électronique de pointe pour le Lundi.

Il se fit conseiller par son ancien camarade d'école de Grundarfjördur, Símon, qui était devenu banquier plutôt que pêcheur et qui venait de quitter une banque islandaise pour rejoindre une compagnie de fonds spéculatifs à Londres. Ce qu'il fallait faire c'était emprunter un mélange de francs suisses et de yen, parce qu'alors les taux d'intérêt étaient bas et la couronne islandaise resterait forte. Símon procédait exactement de cette manière à un niveau bien plus élevé pour son fonds spéculatif et il faisait fortune.

Björn suivit les conseils de son ami et au début cela fonctionna à merveille. Mais la couronne commença à chuter, et même si les taux d'intérêt étaient encore faibles, la valeur de son emprunt augmentait rapidement. Le kreppa frappa de plein fouet, les banques islandaises s'effondrèrent en même temps que la couronne et Björn se trouva devant une somme

---

1. En français dans le texte.

à rembourser bien supérieure à ce qu'il pourrait payer en une vie entière.

Il obtint une offre intéressante pour son bateau et son quota d'une grande compagnie à Akureyri dans le Nord. Il l'accepta et remboursa à la banque tout ce qu'il pouvait. Maintenant il suppliait tout le monde et n'importe qui de l'emmener sur son bateau pour travailler. Sa réputation de pêcheur le précédait, mais il avait du mal à se taire et à recevoir des ordres quand il s'agissait de décider de la zone de pêche. Du coup certains capitaines comme Gústi le considéraient comme une menace. Mais Björn réussissait tout de même à gagner sa vie et à sortir en mer.

Il avait perdu son bateau et ses rêves. Tout ce qu'il avait toujours désiré depuis son enfance, c'était posséder un bateau et chasser le poisson. Et ce ne serait plus possible désormais.

Quand il avait vu Símon un vendredi soir à Reykjavík après la débâcle des banques, son ami s'était étonné de sa malchance. Símon, lui, connaissait tout le contraire. Ses fonds rapportaient des millions.

Connard.

Björn n'avait plus revu Símon depuis.

Maintenant, les hommes politiques parlaient de rejoindre l'Union européenne. Ils promettaient que le poisson islandais resterait la possession exclusive des pêcheurs islandais, mais Björn savait bien que d'ici dix ans, les Espagnols et les Français se serviraient copieusement dans les eaux de son pays, ne laissant rien aux habitants.

Tout cela avait été provoqué par une poignée de spéculateurs assis sur leurs gros derrières dans des bureaux surchauffés à emprunter l'argent qu'ils n'avaient pas pour acheter des choses qu'ils ne comprenaient pas.

Connards.

Le père de Björn, facteur et communiste de longue date, avait raison, après tout. C'étaient tous des connards.

Le vent se renforçait. Des nuages passaient dans le ciel bleu et même dans le port abrité, les petits bateaux de pêche s'agitèrent, craquèrent et s'entrechoquèrent. Björn redescendit le quai vers Kaffivagninn, le café dans lequel se réunissaient les pêcheurs. Il était presque vide. Il chercha du regard Einar qui traînait souvent dans le coin, désireux de discuter avec quelqu'un qui voudrait bien l'écouter, mais il ne le vit nulle part. Il commanda un café et un *kleina* avant de s'asseoir à une table en pensant à Harpa.

Il était content d'être allé la rejoindre, la veille. Elle avait clairement besoin de lui. Il s'occupait bien d'elle, contrairement à Gabríel Örn. Harpa parlait de lui parfois dans son sommeil. Cet homme était une ordure. Il l'avait traitée avec mépris et dédain, comme jamais Björn ne pourrait le faire.

Björn s'inquiétait pour Harpa. Comment supporterait-elle les interrogatoires de la police ? Cela mettrait beaucoup de pression sur ses épaules, alors qu'ils pensaient tous les deux être sortis de leur collimateur. Ils avaient commis plusieurs erreurs en essayant de camoufler les preuves. L'envoi du texto suicide depuis le téléphone de Gabríel Örn était la plus grosse : Björn l'avait regretté au moment même d'appuyer sur « envoyer ». Cela avait inutilement attiré l'attention sur Harpa.

Il avait tout fait pour lui donner du courage, l'aider à croire en elle. Il en voulait aux autres, à Sindri, à l'étudiant, au gosse. C'étaient eux qui avaient voulu s'en prendre à Gabríel Örn. Ils s'étaient servis d'elle, l'avaient poussée à tendre un piège au banquier. Ce n'était pas sa faute à elle.

Leur histoire avait tenu la route lors de la première enquête. Pas de raison que ça capote cette fois. Ce qu'il fallait maintenant, c'était un peu de chance, et aider Harpa à ne pas baisser les bras.

Magnús, Vigdís et Árni s'étaient réunis dans la petite salle de conférences de la brigade des crimes avec violence, le dossier de Gabríel Örn Bergsson étalé sur la table devant eux.

Árni s'était occupé de l'enquête initiale, mais pas Vigdís, et Magnús voulait profiter de son point de vue neutre.

— Alors, tu en penses quoi ? demanda-t-il.

— Je n'aime pas le lit. Il était défait quand l'appartement de Gabríel Örn a été fouillé le lendemain. Il dormait déjà dedans quand Harpa a appelé. Elle l'a réveillé, il s'est habillé pour la rejoindre.

— Sauf qu'il n'est pas allé la retrouver. Il est parti vers la mer à deux kilomètres de là et s'est noyé.

— Pourquoi aurait-il fait une chose pareille ? Selon moi, deux cas de figure sont à envisager. Soit Harpa lui a dit quelque chose au téléphone qui l'a tellement chamboulé qu'il a ressenti le désir impérieux d'aller se suicider, soit il ne s'est pas tué du tout, c'est quelqu'un d'autre qui l'a mis dans l'eau.

— Le rapport de l'autopsie ne nous apporte rien, affirma Magnús. On ne lui a pas tiré dessus, on ne l'a pas poignardé non plus et apparemment il n'a pas été étranglé. Mais il aurait pu être frappé quelque part, le corps était en si mauvais état après son séjour dans l'eau que le médecin légiste ne peut pas le savoir.

— Et il n'est pas dit s'il respirait au moment de la noyade.

— À vrai dire, ça n'est pas facile à prouver.

— Et si Harpa avait dit quelque chose à Gabríel Örn au sujet d'Ódinsbanki ? intervint Árni. Peut-être qu'elle le menaçait de coopérer avec les autorités. Il avait peut-être peur de se retrouver en prison.

Magnús jeta un œil en direction de Vigdís. Elle semblait dubitative. Magnús aussi.

— Rien dans ce que nous ont raconté ses parents ou sa petite amie ne laissent entendre qu'il se faisait du souci pour ce qui se passait avec la banque. Il n'avait que quelques mauvais emprunts à se reprocher. Aucune fraude. Pas de dettes de jeu. Petite consommation de drogue, mais rien d'excessif. Pourquoi lui ? Pourquoi pas n'importe quel autre banquier de la ville ?

Árni haussa les épaules.

— Et supposons que soudain, à minuit, il décide d'aller se supprimer. Il existe beaucoup d'autres moyens plus rapides et plus simples de parvenir à ses fins.

— Peut-être qu'il est juste parti se balader, suggéra Árni. Plus il marchait, plus il se sentait déprimé. Il s'est retrouvé au bord de la mer et a décidé de mettre fin à ses jours.

— Possible, ponctua Vigdís.

— Mais peu probable, ajouta Magnús.

— Les témoignages confirment la version de Harpa, ajouta Árni. Ísak Samúelsson, l'étudiant qui a giflé Harpa dans le bar. Et Björn Helgason, le pêcheur.

— Qui a un casier judiciaire...

— Deux bagarres quand il avait dix-neuf et vingt ans, nuança Vigdís. Lors de virées dans les rues de Reykjavík, le soir. Rien de plus ordinaire qu'un pêcheur qui se soûle et se bat.

— Et le gang de motards auquel il appartient ? Les Escargots ? demanda Magnús en souriant. Ce sont les Hell's Angels islandais ?

— Certains le voudraient bien, mais ils sont beaucoup plus doux. La plupart sont des pêcheurs, même si on compte aussi des avocats ou des banquiers parmi les membres. Ils s'habillent juste en cuir et traversent le pays sur leurs motos.

— Et son frère ? Il était avec qui à ce moment-là ?

— Il nous a paru crédible. Il s'appelle Gulli, il dirige une petite boîte de décoration. Il a passé la nuit dehors. Il est rentré le matin et a croisé Harpa qui partait. Il dit que Björn dort régulièrement chez lui quand il vient à Reykjavík pour le week-end, mais ils sortent chacun de leur côté.

— Cela nous laisse seulement Harpa. Le maillon faible.

Baldur passa la tête dans la salle de conférences.

— À quelle heure elle arrive la British ? s'enquit-il.

— Son avion atterrit à 13 h 30. Je vais la chercher à l'aéroport, affirma Magnús.

— Je voudrais la voir quand elle débarquera, annonça Baldur. Et Thorkell aussi.

— Je l'amènerai ici.

— Excellent, lâcha Baldur en ramassant quelques pages du dossier sur la table. C'est quoi ça ? C'est l'affaire Gabríel Örn qui date du mois de janvier ?

— En effet.

— Quel est le rapport avec Óskar Gunnarsson ?

— Ils étaient tous les deux à des postes à responsabilités dans la même banque.

— Et vous pensez que le meurtre d'Óskar pourrait être lié au suicide de Gabríel Örn ? Comment serait-ce possible ?

— Nous ne pensons pas que Gabríel se soit suicidé, répondit Magnús, après avoir pris une grande respiration.

— C'est absurde, rétorqua Baldur en fronçant les sourcils.

— Vraiment ?

— Mais bien sûr ! Une enquête a été menée. Nous avons examiné toutes les preuves. L'affaire est classée.

— Vous-même, vous pensez vraiment qu'il s'agit d'un suicide ?

— J'ai dit affaire classée.

Magnús observa Baldur attentivement. De la colère irradiait de ses yeux. Malgré leurs désaccords, Magnús ne sous-estimait pas Baldur. C'était un flic assez intelligent pour savoir que cette histoire de suicide ne tenait pas la route. Alors pourquoi voulait-il s'asseoir dessus ? Magnús devait le découvrir.

— Vous avez des preuves ? interrogea Baldur.

— Pas encore.

— Et vous avez établi un lien solide entre ça et Óskar, à part le fait qu'ils travaillaient dans la même banque ?

— Non.

— Alors laissez tomber.

— Pourquoi ?

— Parce que je vous le dis.

Baldur fixait Magnús dans les yeux. Vigdís et Árni restaient assis sans bouger.

— J'ai besoin d'une meilleure raison pour abandonner une affaire qui ne demande qu'à être révisée. Surtout s'il s'agit d'un meurtre en puissance.

— Vous sous-entendez quelque chose ? demanda Baldur dans un murmure.

— Je crois bien, oui. Selon moi, on a tenté d'étouffer l'affaire. D'où je viens, ce genre de pratique a cours de temps en temps. Disons que je ne m'attendais pas à voir ça en Islande...

— Vous ne comprenez rien du tout à ce pays, à ce que je vois, répliqua Baldur, une pointe de mépris dans la voix.

— Je crois bien que si, au contraire, contredit Magnús, pas très sûr de lui.

— Avez-vous la moindre idée de ce qui se passait ici en janvier dernier ?

— J'imagine que ça devait être assez animé...

— Animé ? s'écria Baldur. Vous êtes très loin de la vérité.

Il secoua la tête et s'assit en face de Magnús, se penchant vers lui, et crispant les muscles de son long cou. La colère se diffusait par tous les pores de sa peau.

— Eh bien, laissez-moi vous expliquer...

— Je vous écoute, lança Magnús, choqué par l'émotion dans la voix de Baldur, d'ordinaire d'une froideur absolue, mais essayant de n'en rien laisser paraître.

— En janvier, la police islandaise a subi la plus grande épreuve de sa carrière. De loin. Nous enchaînions les heures de service, chaque homme et chaque femme sur lequel nous pouvions mettre la main était affublé d'une tenue de protection anti-émeute, nous défendions notre Parlement, notre démocratie. Et nous étions en colère aussi, ajouta-t-il en jetant un œil vers Vigdís. Nous sommes des citoyens et des contribuables. Nous ne sommes pas très bien payés et nous n'avons pas fait fortune pendant les années de faste, hormis un ou deux d'entre nous qui ont trop dépensé et se sont endettés jusqu'au cou. Beaucoup d'entre nous compatissions avec les manifestants. Mais nous avions un travail à faire et nous l'avons fait du mieux que nous avons pu.

Magnús l'écoutait avec attention.

— Nous avons utilisé les tactiques les plus douces et les plus conciliatoires. Nous n'avons pas regroupé les manifestants pour les tabasser comme l'avait fait la police britannique quelques mois avant cela lors des défilés anticapitalistes à Londres. Personne n'a été tué. Puis un jour tout est allé de mal en pis : les anarchistes ont pris le dessus et ont commencé à s'attaquer à nous. Ils nous ont menacés, ils ont menacé nos familles. Et ensuite vous savez ce qui s'est passé ?

Magnús secoua la tête.

— Une ligue a été formée. Le peuple a formé une ligue pour défendre sa police contre les anarchistes. Vous ne verrez ça dans aucun autre pays que l'Islande. Quelques jours plus tard, le gouvernement a démissionné. Tout cela s'est produit sans violence. Et pourquoi ? Grâce à la manière dont nous avons pris en charge les manifestations. Je suis fier de cela. Le Premier ministre m'a écrit personnellement pour remercier chaque officier.

Magnús était impressionné. Tout le monde savait combien la gestion des émeutes était difficile. Il était si facile pour un officier d'aller trop loin, de commettre une erreur de jugement dans le feu de l'action, de paniquer. Il n'avait jamais eu à affronter une telle situation et n'avait aucune idée de la manière dont il réagirait devant des contestataires furieux qui jetteraient toutes sortes de saletés sur lui. Sans doute qu'il les frapperait en retour.

— Vous voyez, si au milieu de tout ce chaos, un jeune banquier avait été assassiné, cela aurait pu être l'étincelle qui aurait mis le feu aux poudres.

— Nous ne savons pas encore si Gabríel Örn a été assassiné, mais c'est fort probable. Sa famille, ses parents, sa sœur ont le droit de savoir. C'est notre devoir de le leur dire.

— Ne me faites pas la leçon sur ce qu'est mon devoir. Vous ne vivez pas ici, ce n'est pas votre pays. C'est moi qui décide ce qu'est mon devoir. Et je vous demande de lâcher l'affaire Gabríel Örn. Oubliez-le. Et surtout n'en parlez pas à la police britannique, c'est compris ?

Les mots de Baldur frappèrent Magnús en plein visage comme une gifle. Bien sûr que l'Islande était son pays, bon sang ! Cette idée, il l'avait conservée et chérie toutes les années où il avait vécu en Amérique. Et pourtant. Pourtant il n'avait pas été présent lors des manifestations de janvier. Il n'avait pas pris part à la « révolution des casseroles », ni comme participant, ni du côté des forces de l'ordre, ni même comme observateur. En fait, il l'avait suivie d'une oreille distraite, plongé dans une enquête de corruption de policiers. Et ce que les Islandais avaient accompli, le renversement du gouvernement par des protestations pacifiques était exemplaire et typiquement islandais. Quel droit avait-il de venir y mettre son grain de sel ?

Il hocha la tête.

— Je comprends.

11

María Halldórsdóttir habitait dans une rue calme de Thingholt, de l'autre côté de la colline par rapport à l'endroit où vivait Magnús, et en face de l'aéroport. Les maisons ici étaient plus grandes et plus luxueuses, selon les critères islandais. Des Mercedes, des BMW et des Land Rover occupaient tout le quartier et devant la maison de María, stationnait une Porsche Cayenne. Le Range Rover de Magnús y trouva parfaitement sa place.

Le vent s'était levé, Magnús et Vigdís durent lutter contre pour se rendre de la voiture à la porte d'entrée. Magnús appuya sur la sonnette, et María vint ouvrir après quelques secondes seulement. Grande et mince, avec de longs cheveux noirs, elle portait un jean serré et des chaussures montantes.

— Entrez, invita-t-elle. Ingileif est déjà arrivée.

— Ingileif ? s'étonna Magnús.

— Bonjour, Magnús, salua Ingileif en venant l'embrasser. Oh, salut, Vigdís. Ça ne te dérange pas que je sois présente, hein, Magnús ? María est une amie.

— En fait, ça aurait été plus approprié que tu ne sois pas là pendant que je l'interroge.

— Plus approprié ? Je me souviens comment s'est terminé ton interrogatoire avec moi. Je ne voudrais pas que tu utilises les mêmes techniques sur María...

Elle échangea un regard avec son amie et les deux femmes éclatèrent de rire.

Comme toujours, Magnús ne sut où se mettre. Même si la première fois qu'il avait questionné Ingileif, il était resté très professionnel, et en fait, Vigdís avait été avec lui à cette occasion, il était vrai qu'ensuite il avait sympathisé plus qu'il n'était permis avec un témoin...

Il jeta un œil vers Vigdís. Elle s'efforçait de ne pas rire.

— D'accord, mais ne nous interromps pas.

En prononçant ces mots, il savait que cela ne servirait à rien.

María les conduisit dans le salon, grand, élégant, aux goûts islandais minimalistes, avec des murs blancs et un plancher en bois blond poli et des meubles tous en bois et verre. Des sculptures abstraites s'entortillaient, prenant la pose devant les visiteurs, les tableaux aux murs attiraient l'attention par leurs couleurs vives et originales, des fleurs tropicales se dressaient fièrement dans leurs vases.

Une bonne cliente pour Ingileif, à l'évidence.

Magnús balaya rapidement du regard les photos de famille. Il y en avait deux de María avec un homme émacié aux tempes grisonnantes, vêtu d'un costume bien taillé. Son mari. Sûrement brillant, vu le prix de la maison.

Magnús, Ingileif et Vigdís s'installèrent pendant que María servait le café. Un catalogue sur la table basse était ouvert à la page des meubles de puériculture. María et Ingileif l'avaient apparemment consulté avant l'arrivée des policiers. Magnús baissa les yeux vers le ventre d'Ingileif.

— Ne t'inquiète pas, lança cette dernière en faisant un signe de tête vers le catalogue. Ce n'est pas pour nous, Magnús.

— Mais oui, je sais bien.

— Tu parles ! contredit Ingileif, avec un sourire amusé.

— C'est pour moi, intervint María. Je suis dans mon quatrième mois.

— Félicitations, complimenta Magnús, se raclant la gorge pour reprendre le contrôle de la situation. Donc María, racontez-nous comment vous avez connu Óskar.

— Óskar, répéta María avant de prendre une grande inspiration. Il avait quelques années de plus que moi. Je ne me souviens pas bien où nous nous sommes rencontrés, mais je me souviens que je me suis intéressée à lui pour la première fois lors d'un dîner organisé par des amis – Birta, tu la connais, Ingileif ?

Ingileif hocha la tête.

— C'était en 2003, il y a six ans. Nous sommes tous sortis ensuite pour danser. Je voyais bien que je lui plaisais.

— Il était encore marié à l'époque ?

— Oh oui. Mais ça n'aurait jamais marché entre lui et sa femme.

Magnús ouvrit de grands yeux.

— Óskar et Kamilla se connaissaient depuis le lycée, intervint Ingileif. Ce genre de mariage ne dure jamais. Ce n'est qu'une question de temps.

Magnús lança un regard de reproche en direction d'Ingileif.

— Désolée.

— Ingileif a raison, renchérit María. On voyait qu'il était ouvert à une relation. On a fini par coucher ensemble. Ça a duré deux ans entre nous.

— Sa femme savait ?

— Je ne pense pas. Óskar était sûr que non.

— Alors votre relation était sérieuse ?

— Oui, elle l'était, affirma María, mais hésitant pour la première fois. Je l'aimais vraiment. C'était un homme séduisant. Et il était drôle et plein de vie. Il affichait cet air de succès, vous savez ? Tout ce qu'il touchait se transformait en or, raconta-t-elle en souriant. Je me souviens qu'il m'a emmenée dans le sud de la France pour un week-end. Nous avons dormi dans ce merveilleux hôtel sur la corniche, avec une vue incroyable sur la mer Méditerranée. Nous sommes allés jouer dans un casino à Monte-Carlo. Je faisais des petits paris sur le rouge et je perdais pratiquement à tous les coups. Il a partagé mes jetons en trois et a misé un tiers sur le quatorze, mon anniversaire. Il a perdu. Ensuite, il a poussé le deuxième tiers sur un autre numéro et a encore perdu. Il m'a demandé la permission de jouer le reste d'un haussement de sourcils et j'ai accepté. J'avais confiance en lui. Et il a gagné ! Plus de mille euros. Ça ne me serait jamais arrivé à moi, mais pour lui, c'était inévitable. C'était un gagnant, vous voyez.

— Bon parti...

— C'est ce que je croyais. Je suppose que je suis tombée dans le piège classique de la maîtresse éternelle. J'espérais qu'il divorcerait et me demanderait ma main. Et j'ai entendu qu'il avait couché avec une pétasse de sa banque de Londres, lors d'une des soirées. Je l'ai interrogé, il a avoué, mais a promis que cela ne se produirait plus et bien sûr cela s'est de nouveau produit.

— Avec la même femme ?

— Non, une autre. Je pense que la première, c'était une histoire d'un soir. L'autre était aussi à Londres. C'était avant qu'il n'achète sa maison à Kensington, mais il partait très souvent à Londres. J'ai compris que c'était là qu'il se payait du bon temps. Avec deux femmes à éviter à Reykjavík, son épouse et sa maîtresse, c'était logique.

— Quand tout cela s'est-il passé ?

— Il y a quatre ans environ.

— Et alors vous l'avez quitté ?

— En effet. Six mois plus tard, j'ai rencontré Hinrik, expliqua-t-elle en regardant la photo de l'homme émacié derrière son épaule.

— Bien meilleur parti, remarqua Ingileif.

— Depuis, vous n'avez pas revu Óskar ?

— Non, enfin, je l'ai croisé à un ou deux événements mondains, mais jamais seul.

Sa lèvre inférieure se mit à trembler. Cela prit Magnús par surprise. Jusque-là, elle s'était montrée assez froide et détachée au sujet de son ancien amant.

— C'était un homme bien. Je ne sais pas s'il a commis des erreurs pour la banque, mais je suis sûre qu'il n'a rien fait de mal. Il était honnête, vous savez, on pouvait lui faire confiance.

Elle fixa Magnús, le défiant de la contredire. Magnús se dit qu'un homme qui avait trompé à la fois sa femme et sa maîtresse tout en donnant toujours l'impression d'être digne de confiance, devait être doté d'un sacré charisme.

Il y a une chose étrange avec les victimes de meurtre. Vous n'avez jamais l'occasion de les rencontrer, bien sûr, mais vous apprenez à les connaître de mieux en mieux au cours de l'enquête. Plus Magnús en découvrait sur Óskar, plus il l'intriguait. Était-il vraiment le banquier machiavélique et sans scrupule que la presse décrivait ?

En tout cas, il n'avait pas mérité de mourir.

— Vous connaissez le nom de cette femme ? demanda Vigdís qui avait pris des notes.

— Non. Il ne me l'a jamais dit.

— Elle était russe ?

— Non, anglaise. Avocate, je crois.

— D'accord. Et la première ? Le coup d'un soir ?

— La traînée ? Oh, elle était islandaise, elle. Elle travaillait pour la succursale d'Ódinsbanki à Londres. Elle est rentrée à Reykjavík, maintenant.

— Et vous connaissez son nom ? demanda Magnús.

— Oui. Harpa. Harpa Einarsdóttir.

Frikki se tenait dans le hall d'arrivée de l'aéroport de Reykjavík, les yeux rivés sur l'écran, passant d'un pied sur l'autre, au comble de l'impatience. Mais où était-elle ? L'avion de Varsovie avait atterri depuis plus de vingt minutes, cela ne pouvait pas prendre autant de temps pour récupérer ses affaires et passer la douane, tout de même ! Frikki n'avait jamais pris l'avion, en fait c'était la première fois qu'il se trouvait dans un aéroport, par conséquent il n'avait aucune idée de ce qui se passait de l'autre côté des portes battantes. Peut-être que les douaniers l'avaient arrêtée. Oh mon Dieu ! L'immigration ne l'autorisait peut-être pas à entrer dans le pays.

Il ne supportait pas cette idée. Il se rongea l'ongle du pouce. Mais où était-elle ?

Frikki avait bondi de joie en lisant son message sur Facebook l'informant qu'elle avait acheté les billets pour venir lui rendre visite. Elle faisait le ménage dans l'Hôtel 101 où il avait été apprenti cuisinier. Il avait été anéanti quand, tout comme lui, elle avait perdu son emploi, mais pour elle cela signifiait qu'elle devait retourner en Pologne. C'était en janvier, juste après le Nouvel An. Depuis, ils avaient réussi à maintenir leur relation grâce aux miracles de Skype et de Facebook. Elle avait un an de plus que lui et était bien plus raisonnable. Il n'était plus le même avec elle, plus calme et heureux. Un homme meilleur.

Dans quelques minutes, il allait la revoir. Si les gars de l'immigration la laissaient passer.

En même temps, il était nerveux. Depuis qu'il avait perdu son boulot, il s'était laissé aller. Il avait toujours été un peu voyou, se fourrant dans toutes sortes de pétrin, jusqu'à ce qu'il s'inscrive à ce cours de cuisine. Il avait un don pour ça. Et surtout, cuisiner l'apaisait, canalisait son énergie, l'éloignant de l'alcool et des soucis. Il avait été si fier de dénicher ce boulot au 101, l'hôtel le plus tendance de Reykjavík. Et il réussissait vraiment bien là-bas. C'était un garçon séduisant qui n'avait aucun mal à attirer les filles, mais il savait que c'était sa nouvelle confiance en lui qui avait plu à Magda.

Conséquence inévitable du *kreppa*, un endroit branché où il faisait bon sortir ne pouvait que péricliter. Ce n'était pas de la faute de ses employeurs s'ils avaient dû se débarrasser de lui et de Magda, il le savait bien.

La vie depuis n'avait pas été facile. Il vivait chez sa mère, une femme de ménage dans des bureaux à Breidholt, une banlieue pauvre de Reykjavík. Son existence était devenue d'un ennui mortel. Il avait recommencé à se droguer, à voler. La première fois, c'était parce que son ordinateur était tombé en panne. Sans lui, il ne pouvait plus communiquer avec Magda. Malgré tous ses efforts et sa débrouillardise dans le domaine, il n'avait pas réussi à le réparer. Alors il avait chapardé un portable qu'un idiot avait laissé à l'arrière de sa voiture.

Mais aussi, les images de cette horrible nuit de janvier lui revenaient constamment en mémoire. Elles le harcelaient.

Ça, il ne devait surtout pas le raconter à Magda. Elle ne comprendrait pas.

— Frikki !

Il tourna la tête et la vit. Comment avait-il pu la rater ?

— Oh, Frikki !

Elle se jeta dans ses bras, l'embrassa et le serra de toutes ses forces.

D'un seul coup, il ne pensa plus du tout à cette nuit de janvier.

Magnús passa à côté des deux jeunes enlacés dans le hall des arrivées et partit à la recherche d'une femme qui pouvait être inspectrice de la police britannique. Il n'avait aucune idée de ce à quoi elle ressemblait et n'avait pas pris de pancarte avec son nom écrit dessus. Mais il devrait être capable d'identifier une policière, même anglaise.

Son téléphone sonna. C'était sa cousine, Sibba.

— J'ai appelé oncle Ingvar. Je sais maintenant comment s'appelle l'« autre femme ».

— Dis-moi alors, demanda Magnús en respirant profondément.

— Unnur. Unnur Ágúsdóttir. Comme je pensais, c'était une amie d'enfance de Margrét. Elles ont suivi ensemble une formation d'institutrice à Reykjavík et elles ont toutes les deux décroché un poste dans la capitale.

Ce nom disait quelque chose à Magnús. Une présence lui revint en mémoire, une gentille blonde qui venait parfois chez eux. Elle s'appelait Unnur, il était prêt à le parier.

— Donc papa l'a rencontrée par maman.

— J'imagine.

— Oncle Ingvar t'a dit où elle habite maintenant ?

— Apparemment, elle est retournée à Stykkishólmur il y a dix ans. Elle enseigne dans l'école primaire de la ville. Son mari est un des collègues d'oncle Ingvar à l'hôpital.

— Merci, Sibba. Merci beaucoup.

— Tu comptes aller la voir ? Ce n'est peut-être pas une si bonne idée que ça.

— Je ne sais pas. Je ne sais vraiment pas...

La boîte était ouverte. La boîte dans laquelle il avait rangé tous les mauvais souvenirs. Les quatre années à Bjarnarhöfn, l'infidélité de son père... Tout refaisait surface.

Il ne pourrait plus la refermer.

Pendant la plus grande partie de sa vie d'adulte, Magnús avait été obsédé par des événements anciens qui s'étaient produits après son arrivée aux États-Unis. Son père, Ragnar, avait été assassiné quand Magnús avait vingt ans, dans une maison que Ragnar louait pour l'été à un collègue du MIT. La maison se situait à Duxbury, une petite ville sur la côte au sud de Boston. La nouvelle femme de Ragnar, Kathleen, était partie régler un problème de plomberie dans leur maison de Boston. Ollie, comme le frère de Magnús avait orthographié son nom en Amérique, bronzait sur la plage avec sa petite amie, et Magnús se trouvait à Providence pour les vacances.

Quelqu'un s'était introduit dans la maison qui n'était pas fermée à clé, avait poignardé Ragnar et l'avait achevé avec plusieurs coups de pied dans le torse.

La police n'avait pas réussi à trouver le coupable. La seule pièce à conviction dont elle disposait était une mèche de cheveux blonds qui n'avait pu fournir qu'une séquence ADN partielle. Magnús s'était persuadé que sa belle-mère était responsable, mais à ce moment-là, elle couchait avec le réparateur de l'air conditionné. Après l'abandon de la police, Magnús avait essayé de résoudre le meurtre lui-même. Il avait mis la main au bout d'un moment sur un mystérieux ornithologue amateur barbu qu'on avait aperçu dans les bois devant la maison. Mais ce nouveau témoin potentiel n'avait rien vu ni rien entendu et il n'était en rien relié à Ragnar.

Une autre voie sans issue.

Magnús n'avait jamais vraiment renoncé. Il s'était toutefois toujours concentré sur les États-Unis où Ragnar n'avait pas d'ennemis.

Et c'est pour cela qu'il se devait d'aller parler à Unnur Ágústsdóttir, quitte à ouvrir la boîte encore un peu plus grand.

— Magnús ?

— C'est moi, affirma-t-il en baissant la tête vers une petite bonne femme, le visage éprouvé, mais un gentil sourire aux lèvres.

— Sharon Piper.

— Le voyage s'est bien passé ?

— L'atterrissage a été assez mouvementé à cause du vent. Vous avez des arbres en Islande ? J'avais l'impression qu'on allait se poser sur la Lune.

— Autrefois, on promettait aux GI avant de les envoyer en poste ici, qu'à chaque arbre était attachée une Viking blonde et vierge.

— C'est ce qui vous a convaincu de venir ?

— En fait, je suis islandais. J'ai vécu aux États-Unis à partir de douze ans. Mais même moi, il me faut un petit moment pour m'habituer. Ça vous va si on part directement au poste, ou vous préférez passer à votre hôtel avant ?

— Mettons-nous directement au travail.

Alors que Magnús conduisait sur les trente kilomètres en ligne droite de Keflavík à Reykjavík, il gardait ses deux mains fermement sur le volant pour contrôler son Range Rover secoué par les violentes rafales de vent.

— Tout le pays est comme ça ? interrogea Piper en observant par la fenêtre les gravats volcaniques marron.

— Pas tout, non. La région a connu une éruption il y a de cela quelques milliers d'années. On peut voir par endroits la mousse qui commence à dévorer la lave. Dans quelques milliers d'années, tout finira par devenir de la terre et de l'herbe.

— Vous ne pensez pas que l'être humain aura détruit pour de bon la planète, dans quelques milliers d'années ?

— Euh... non.

Une policière écolo. C'était une nouvelle espèce pour Magnús, même s'il se doutait bien qu'en Islande il devait y en avoir quelques-unes.

— Vous dites que l'éruption a eu lieu il y a si longtemps ? Moi j'ai l'impression que ça fait dix ans. Ou peut-être même l'année dernière. Comment peut-on vivre ici ?

— Les Islandais sont des durs à cuire. Au XVIIe siècle, après une éruption volcanique, tout le pays a été recouvert d'un nuage pendant plusieurs années. Les cultures ont fané, les bêtes sont mortes, la population est descendue en dessous des trente mille habitants. Ils ont même pensé à partir, mais ils sont restés.

— Ils ? Vous avez dit « ils », remarqua Piper.

— Vous avez raison, j'aurais dû dire « nous », je suppose, sourit Magnús. Je me sens un peu comme un étranger dans mon propre pays.

— Vous habitiez où en Amérique ?

— À Boston. J'étais inspecteur dans la brigade criminelle là-bas. Le même genre de truc que ce que vous faites. Un peu plus d'armes à feu, sans doute.

— Sans doute, oui, acquiesça Piper. Même si on en trouve un nombre incroyable à Londres, maintenant.

— Vous ne vous sentez pas vulnérable de ne pas en porter sur vous ?

Cela l'avait toujours intrigué chez les policiers britanniques.

— En général, non. Mais nous avons de plus en plus d'officiers entraînés au tir. Je n'ai encore jamais été menacée avec un pistolet. Et vous ?

— Quelques fois. C'est une des choses que je trouve difficile, ici. Les flics n'ont pas d'arme sur eux.

— Et les criminels ? C'est toute la question, j'imagine.

— Pas jusqu'à ce que je débarque...

Il n'était pas vraiment fier d'avoir attiré un tueur à gages du gang des Dominicains, d'autant que c'était Árni qui avait pris la balle pour lui. Le vrai problème avec les armes à feu, c'est quand on finit par abattre les méchants. Cela lui était arrivé à deux reprises : la première fois, au début de sa carrière, quand il portait encore l'uniforme, et plus tôt dans l'année quand deux types avaient essayé de lui faire la peau.

Il en rêvait encore. Un gros mec chauve dans une rue sur Roxbury qui lui affirmait avoir des informations concernant un meurtre. Il l'avait bêtement suivi dans une petite allée et s'était aperçu trop tard que le gamin dans le coin avait le tatouage d'un gang extérieur au quartier. Il avait plongé, s'était retourné puis avait tiré. Le gosse s'était écroulé. Nouveau demi-tour, il avait collé une balle en plein dans le crâne chauve du gros. Et il le faisait encore et encore, la nuit, dans son sommeil...

Pourtant Magnús se sentait toujours nu, sans arme.

Le camion devant eux vacilla, agité par une nouvelle rafale.

— Bon sang ! se crispa Piper en s'agrippant au tableau de bord devant elle.

Magnús empoigna le volant encore plus fort. De l'écume blanche se souleva du haut des vagues dans l'océan à leur gauche.

— Des nouvelles de l'enquête ? demanda Magnús.

— Rien de concluant. Nous creusons toujours la piste russe, même si ça paraît de moins en moins convaincant. Un expert en graphologie a examiné le Post-it qu'on avait retrouvé à côté de la grille de la maison d'Óskar Gunnarsson. Selon lui, celui qui a écrit cela n'était pas un Russe de souche.

— Vous voulez dire que c'était un leurre ?

— On dirait, oui.

— Vous avez essayé de faire écouter un accent islandais à votre témoin ?

— Oui. On l'a emmenée à l'ambassade d'Islande et elle a écouté plusieurs personnes parler. Elle pense que c'était bien l'accent du coursier. Mais il parlait un anglais excellent.

— Intéressant.

— Oui. Bien sûr, il aurait pu être un vrai coursier islandais de Gunnarsson basé à Londres, mais nous n'avons trouvé personne qui devait lui livrer quelque chose chez lui.

— Et le tueur ? Il parlait islandais ?

— On a aussi emmené sa petite amie à l'ambassade. Selon elle, ce qu'elle a entendu pourrait être de l'islandais, mais je crois qu'elle ne savait pas vraiment.

— Et les motos ?

— Rien. Mais nous avons retrouvé le pistolet : il a servi dans une fusillade entre gangs rivaux à Lewisham, il y a deux mois. C'est dans le sud de Londres. Personne n'a été tué, ni même blessé. Ça veut juste dire que le pistolet était d'occasion. J'ai amené une liste de citoyens islandais que Gunnarsson fréquentait à Londres. Vous pourrez y jeter un œil ?

— Bien sûr. Et je vous ai obtenu un rendez-vous avec le procureur spécial de la brigade financière. Cela pourra vous donner une idée de la situation d'Óskar et d'Óðinsbanki dans la crise de l'année dernière.

— Super, merci. Avez-vous découvert autre chose ?

— Rien sur la piste russe.

Magnús se demanda s'il devait parler à Piper de Harpa, mais Baldur s'était montré très clair. Le fait que Harpa avait couché une fois avec Óskar il y a quatre ans ne prouvait rien. Reykjavík n'est pas bien grand, et même si cela ne voulait pas dire que tout le monde couchait avec tout le monde, ce genre de coïncidence arrivait.

Quatre ans ? Harpa avait un fils de trois ans. Intéressant...

— Magnús ?

— Pardon. Ce n'est rien, affirma Magnús en secouant la tête.

12

— Bienvenue en Islande, Sharon, salua le sergent-chef. Je m'appelle Thorkell. Et voici l'inspecteur Baldur qui s'occupe de l'enquête de notre côté.

Thorkell adressait un sourire radieux à Piper, qui tomba tout de suite sous le charme. Ils se trouvaient dans les bureaux des supérieurs, en haut du bâtiment, avec vue sur la baie et le mont Esja qui résistait de toute sa puissance aux bourrasques de vent. Alors que le visage rond de Thorkell respirait la jovialité, Baldur toisait Piper d'un mauvais œil.

— Merci.

— Combien de temps comptez-vous rester ? demanda Thorkell.

— Je n'ai encore rien décidé. Sans doute pas plus d'un jour ou deux, mais je pourrais rester davantage s'il le faut.

— Ça m'étonnerait. Nous n'avons pas trouvé de piste islandaise de notre côté, pas vrai, Magnús ?

— Non, répondit Magnús qui avait très bien compris quelle réponse s'imposait.

— Et de votre côté, vous avez découvert quelque chose ?

— Pas encore, admit Piper. Mais nous ne pouvons pas encore écarter l'éventualité d'un tueur islandais.

— M. Julian Lister a tort, affirma Baldur dans un anglais approximatif. Nous ne sommes pas tous des terroristes.

Julian Lister était le chancelier de l'Échiquier britannique.

— Je ne savais pas qu'il y avait des terroristes en Islande, s'étonna Piper. Nous n'avons aucune idée des motifs de l'assassinat d'Óskar Gunnarsson, mais il n'y a aucune trace de réseau terroriste.

— Bien, bien, ponctua Thorkell. Sharon, je voudrais que vous veniez rencontrer la famille d'Óskar Gunnarsson avec moi. C'était un homme important en Islande, et il serait bon qu'ils voient tout ce qui est entrepris pour retrouver son meurtrier.

— Volontiers.

— C'était quoi cette remarque au sujet du terrorisme ? interrogea Piper alors qu'ils quittaient le bureau de Thorkell.

— Oui, les Islandais sont un peu sensibles sur ce sujet, ces derniers temps, expliqua Magnús. Quand toutes les banques se sont écroulées l'année dernière, les Anglais ont saisi les avoirs britanniques d'une des banques grâce à une loi anti-terroriste. Certains ici pensent que cela a engendré l'effondrement de deux autres. Le gouvernement britannique a sorti une liste d'organisations terroristes avec les banques islandaises arrivant en bonne position juste derrière Al-Qaïda, les Talibans et la Corée du Nord. Beaucoup d'Islandais l'ont très mal pris. Une pétition est passée sur le Web avec la photo de citoyens ordinaires affirmant qu'ils n'étaient pas des terroristes. Le pays est toujours très en colère contre votre Premier ministre et contre Julian Lister.

— Ça se comprend. Lister a été remplacé pendant l'été, mais le Premier ministre est toujours là.

— Bref, voyons un peu votre liste.

De retour dans la brigade des crimes avec violence, Magnús présenta Piper à Árni et Vigdís qui daigna dire « good afternoon ».

— Alors Sharon, ça vous plaît l'Islande ? demanda Árni, attendant la réponse avec impatience.

— Euh, il y a du vent. Je n'ai pas vraiment eu l'occasion de me faire une idée. J'aimerais bien voir un arbre...

Vigdís leva les yeux au ciel. Une célèbre anecdote islandaise racontait comment un journaliste avait posé la même question à Ringo Starr après qu'il avait posé un pied à l'aéroport de Reykjavík.

Árni aurait pu être ce journaliste.

— Je ne pense pas qu'on aura le temps de vous en trouver un, plaisanta Árni, désolé.

— Alors, où est cette liste de noms ? s'enquit Magnús.

Ils passèrent une ou deux heures dessus. L'équipe de Magnús fut loin de briller. Lui-même n'avait jamais entendu parler de la plupart des gens qu'elle mentionnait. Árni insistait pour formuler des hypothèses et des affirmations qui s'avérèrent toutes fausses. Et Vigdís, qui connaissait bien les fichiers et semblait identifier toutes les personnes citées, exigeait qu'on lui traduise en islandais le moindre mot prononcé.

Rien ne ressortit de leur réunion, si ce n'est qu'Óskar connaissait tous les Islandais les plus influents de Londres, ce qui n'était pas surprenant. Piper ne cacha pas sa déception.

— Nous montrerons cette liste au procureur spécial, déclara Magnús. Quelque chose va peut-être quand même en sortir.

Le procureur spécial des fraudes financières avait son bureau juste à l'angle de la rue du commissariat. Solidement charpenté, il devait avoir la quarantaine. Magnús avait lu des articles sur lui. C'était l'ancien chef de la police d'une petite ville à côté de Reykjavík. Aucun des avocats de la capitale ne pouvait se charger de l'affaire, comme ils étaient soit mariés avec les suspects, soit en contact avec eux, par conséquent le gouvernement était allé chercher ailleurs. L'homme qu'ils avaient désigné n'avait aucune expérience des fraudes internationales, mais il avait la réputation d'être un homme intègre et travailleur.

Il lisait un des dossiers de la pile qui recouvrait son bureau. Plusieurs autres piles s'étaient formées derrière lui. Des câbles électriques couraient entre les papiers au sol, reliant un enchevêtrement improbable d'équipements informatiques. Le bureau trahissait un désordre profond.

La discussion se déroula en anglais.

— Pourriez-vous nous parler de vos enquêtes concernant Óskar Gunnarsson ?

— Bien sûr. Nous ne nous concentrons pas spécifiquement sur lui, mais nous regardons de près Ódinsbanki, comme les autres banques d'ailleurs.

— Fraude ? Blanchiment d'argent ?

— Rien d'aussi précis, malheureusement. C'est plus une question de manipulation du marché : prêt d'argent à des compagnies associées ou à des individus pour qu'ils achètent des parts de la banque.

— C'est illégal ? demanda Piper.

— Voilà la grande question, acquiesça le procureur en haussant les épaules. Ce n'est certainement pas quelque chose de bien et dans certains pays, c'est contre la loi. Mais l'Islande n'a pas de législation très sophistiquée dans ce domaine. Cela dépend en partie du nombre de ces transactions qui étaient publiques.

Le procureur se mit à pianoter sur son bureau avec un stylo.

— C'est aussi comme cela que les banques islandaises ont réussi à se développer si vite. Une compagnie d'investissement empruntait de l'argent pour investir dans une autre qui empruntait encore plus d'argent pour investir dans une troisième, qui empruntait encore plus pour investir dans les banques qui leur prêtaient l'argent au départ. Avant de dire « ouf », cent millions de couronnes devenaient dix milliards.

— Ça a l'air compliqué.

— Ça l'est. Surtout quand tout passe par des compagnies de holding dans les îles Vierges. Cela va nous prendre des années pour y voir clair.

— Des années ? Donc Óskar Gunnarson ne risquait pas de se faire condamner dans un avenir proche ? demanda Piper.

— Non, certainement pas. Peut-être après tous les autres. Nous ne disposons pas de beaucoup de temps. Le public réclame vengeance, mais si nous condamnons quelqu'un, je veux le faire sans précipitation.

Le procureur portait un costume noir dans lequel il n'avait pas l'air de se sentir à l'aise. Ça ne lui correspondait pas vraiment. Magnús repensa à Colby et à ses amis banquiers et avocats à Boston. Il ne leur arrivait pas à la cheville. Mais il ne fallait pas sous-estimer le travail d'un policier patient et tenace. Il serait intéressant de suivre le cours de l'enquête.

Et il admirait les Islandais qui osaient sortir de l'establishment pour désigner leur procureur.

— Nous avons dressé une liste d'Islandais qui, d'après nos sources, avaient vu Gunnarsson au cours des derniers mois à Londres. Certains de ces noms vous sont-ils familiers ?

Le procureur examina la liste à travers ses lunettes.

— Oui, pratiquement tous. Des hommes d'affaires, des banquiers, des avocats. C'est l'élite de l'Islande dans le domaine des affaires.

— Comment opère cette élite ? Font-ils bloc pour ménager leurs arrières, ou existe-t-il des rivalités ?

— « Rivalités » est un peu faible, déclara le procureur spécial en riant. Certains de ces hommes ont la rancune tenace. Écoutez, je ne fais pas partie de ce monde, et c'est pour cela que j'ai eu le poste, mais je commence à le comprendre. D'un côté vous avez les vieilles familles de l'establishment qu'on appelle aussi « les pieuvres » à cause des tentacules qu'ils ont enroulés autour des hommes d'affaires islandais au cours du XXe siècle. Ils possédaient les compagnies de navigation, les importateurs et les distributeurs. Ils étaient puissants, mais discrets. D'un autre côté, vous avez les jeunes, les Vikings qui ont constitué les grands réseaux de compagnies au cours des dix dernières années. Ce sont les types qui ont acheté toutes ces boîtes dans votre pays : Hamleys, House of Fraser, Mothercare, la chaîne de supermarchés Iceland, Moss Bros et même West Ham United. Ils se divisent en trois groupes et ont fini par posséder des parts dans les grandes banques. Et enfin, vous avez notre ancien Premier ministre Ólafur Tómasson. Certains de ces hommes d'affaires étaient ses amis, d'autres ses ennemis, il en voulait beaucoup à certains, accordait à d'autres des traitements préférentiels pendant la privatisation.

— Et où Óskar Gunnarsson se situe dans tout ça ? interrogea Magnús.

— Il a plutôt réussi à ce que pratiquement tout le monde l'apprécie. Ódinsbanki n'était pas l'alliée d'un groupe ou d'un autre, mais traitait avec tout le monde.

— Donc il n'avait pas d'ennemi en particulier ?

— Vous savez, parfois on parle de la mafia islandaise. Et c'est vrai que toutes les grandes familles en Islande se connaissent. Mais il n'y a absolument aucune violence. Il n'est pas question de mafia italienne ou russe ici. Je suppose qu'un individu isolé peut toujours se montrer violent ou même se révéler être un assassin, c'est possible dans toutes les sociétés. Mais en tant que groupe, ces gars-là ne tuent personne.

— Et les Russes ? Des rumeurs courent à Londres que les Islandais utilisaient de l'argent russe.

— Quelques-uns de ces nouveaux Vikings avaient fait fortune avec une usine de mise en bouteilles de Saint-Pétersbourg pendant les années quatre-vingt-dix. C'est peut-être ce qui a engendré ces rumeurs. Ils ont sans doute toujours des contacts en Russie. Mais les autres, non.

— Merci beaucoup, lança Piper dans un soupir. Tenez-nous au courant si certains de ces noms ressortent.

— Nous surveillons de près Ódinsbanki. Et si quelque chose comme un motif pour le meurtre d'Óskar nous apparaît, je vous en informe aussitôt, assura Magnús. Mais pour l'instant, il n'y a rien.

— Óskar était-il un escroc ? demanda Piper.

Le procureur tourna une tête intriguée dans sa direction.

— Il n'a volé personne. Il n'a blessé personne physiquement, du moins pas que je sache. Mais si lui et ses amis ont mis au point en secret un réseau de compagnies à l'étranger, il a enfreint les règles. Et c'est plus qu'un simple point de détail, c'est grave. Cela veut dire que tout l'édifice du boom islandais était basé sur une grande supercherie.

Il adressa un sourire contrit aux policiers.

— Mais les banquiers ne sont pas les seuls coupables. Nous tous Islandais pouvons nous demander ce qui nous a pris d'emprunter de l'argent que nous ne pourrions jamais rembourser...

Magnús se retira de la discussion qui animait la table. Il se sentait agréablement ivre. Ils buvaient tous depuis des heures, commençant par deux bouteilles de vin chez Ingileif avant de dîner et d'enchaîner dans un bar sur Laugavegur. La soirée lui coûterait une petite fortune, mais il convenait de sortir avec la flic invitée, surtout un vendredi soir. Dans le contexte des réductions budgétaires, pas question qu'il se fasse rembourser la facture.

Cet après-midi, avec Thorkell, ils avaient rendu visite aux parents d'Óskar dans leur maison à Gardabaer. Ils étaient d'une simplicité étonnante. Alors qu'Emilía avait tout l'air de la riche sœur d'un nouveau Viking, leurs parents formaient un couple respectable et modeste. Le père d'Óskar travaillait toujours comme ingénieur du génie civil pour le gouvernement et sa mère était retraitée des impôts. Ils étaient tous deux effondrés. Leur fils représentait tout pour eux, ils le vénéraient depuis sa petite enfance, lui donnant la confiance en lui pour réussir.

Ils se réjouissaient de la visite de l'officier de police britannique. Sharon s'était montrée très convaincante en leur assurant que les Anglais feraient tout ce qui était en leur pouvoir pour trouver le coupable. Elle réussit dans le même temps à poser certaines de ses questions au sujet des problèmes qu'aurait pu rencontrer Óskar, des ennemis potentiels, mais rien ne ressortit. Les parents avaient rencontré ses deux petites amies. La Russe les intimidait, mais ils trouvaient la Vénézuélienne incroyablement exotique. Bien qu'un peu inquiets, ils étaient très fiers du style de vie jet-set de leur fils. Leur inquiétude s'était transformée en culpabilité : s'ils avaient réussi à retenir leur cher Óskar en Islande, il serait encore vivant.

C'était frustrant. Magnús sentait qu'il s'investissait toujours plus dans cette enquête. Il voulait trouver le meurtrier de leur fils. Il aurait aimé partir à Londres avec Sharon pour avoir tous les détails directement, mais il savait que Thorkell et le commissaire principal ne l'y autoriseraient jamais. Et pourquoi le feraient-ils ?

Il tenait à identifier le lien islandais pour se retrouver clairement impliqué. Peut-être que ce lien, c'était Harpa. Son intuition lui soufflait qu'il y avait plus qu'une nuit de passion vieille de quatre ans qui liait Harpa, Óskar et Gabríel Örn. Mais peut-être qu'il voulait simplement le croire.

Quel dommage qu'il ne puisse pas en parler à Sharon !

Ils étaient cinq autour de la table dans le bar bondé : Magnús, Sharon Piper, Ingileif, Árni et Vigdís. Ingileif avait abandonné sa soirée avec ses clients branchés pour se joindre à eux, ce que Magnús avait beaucoup apprécié, même s'il soupçonnait que seule sa curiosité l'avait attirée.

Comme toujours les Islandais s'habillaient bien mieux que les étrangers. Pour le coup, dans ce domaine-là, Magnús avait tout de l'étranger. Árni en imposait par son allure dégingandée avec son pull noir sous une veste en lin. Dans leur jean, Vigdís et Ingileif étaient toutes les deux éblouissantes avec leur maquillage discret et leurs bijoux, alors que Sharon avait gardé le pantalon gris et le chemisier rose qu'elle avait arborés toute la journée. Magnús, lui, avait opté pour une chemise à carreaux sur un tee-shirt et un vieux jean.

La conversation, bien qu'enjouée, devenait indistincte. Les hommes étaient passés au whisky et les femmes s'en tenaient au vin. Combien de bouteilles ? Cela faisait longtemps que Magnús avait perdu le compte. Vigdís questionnait Sharon sur ce que cela faisait d'être une femme dans la police britannique, pendant qu'Árni traduisait frénétiquement mais avec une précision discutable.

— Ça fait du bien de s'évader pour un ou deux soirs, reconnut Sharon.

— Vous avez des enfants ? demanda Ingileif.

— Deux. Ma fille est à l'université et mon fils a quitté le lycée. Il n'a pas de boulot. Il dit qu'il ne pourra jamais en trouver un avec la crise, ce qui est peut-être vrai. Mais il n'arrête pas de s'attirer des ennuis. Il sait que je vais toujours l'en sortir, j'en ai ma claque. Je ne sais pas ce que j'ai fait de mal. C'était un bon gars jusqu'il y a trois ans.

— Et votre mari ?

— Oh, il ne peut rien lui dire. Il reste vautré sur le canapé à regarder le golf à la télé toute la journée.

— Il est à la retraite ?

— Il travaillait comme employé de banque, il n'a jamais été très bien payé. Ils se sont débarrassés de lui en mars. Il a essayé de trouver un autre boulot, mais il est trop vieux à ce qu'ils disent. Cinquante et un ans. Et donc c'est à moi... (Elle cligna des yeux et se trémoussa sur sa chaise.) C'est à moi de tout assumer.

— Les policiers aussi se font virer ? demanda Vigdís en anglais. À Reykjavík, c'est monnaie courante.

Sans sourciller, Árni traduisit dans un islandais approximatif.

— Non, mais ils vont nous entuber sur nos retraites. J'en suis convaincue. Attends, tu parles anglais ?

Vigdís jeta un œil en direction de Magnús et d'Árni. Elle gloussa.

— Seulement quand je suis soûle.

Árni traduisit en excellent islandais.

— Attends une seconde, lança-t-il en anglais, perplexe.

— Pourquoi ne parles-tu pas en anglais quand tu es sobre ? questionna Sharon.

— Parce que tout le monde attend de moi que je parle anglais, expliqua Vigdís avec un fort accent islandais. Parce que je suis noire, personne ne croit que je suis islandaise.

— J'avais remarqué que tu n'étais pas tout à fait comme les autres, remarqua Sharon. Mais je ne voulais rien dire.

— Les étrangers, je n'ai aucun problème avec eux, affirma Vigdís en souriant. C'est les Islandais qui m'agacent. Pour certains, peu importe où tu es né et quelle langue tu parles du moment que tes ancêtres, tous tes ancêtres sont arrivés ici dans un grand bateau, sinon tu es une étrangère.

— Laisse-moi deviner. Ce n'était pas le cas pour un de tes ancêtres ?

— Mon père était un soldat américain à la base aérienne de Keflavík. Je ne l'ai jamais rencontré. Ma mère ne parle jamais de lui. Mais à cause de lui, les gens ne me voient pas comme ce que je suis.

— Moi, je te trouve cent pour cent islandaise, Vigdís, déclara Sharon. Une très belle Islandaise. Et une excellente flic. C'est important, tu sais.

— Tu es déjà allée aux États-Unis ? demanda Ingileif.

Ils parlaient tous parfaitement anglais désormais.

— Pas encore, répondit Vigdís, ne réussissant pas à réprimer un sourire.

— Mais ? insista Ingileif qui avait remarqué.

— J'y vais la semaine prochaine. Mardi. À *Nýja Jórvík*. New York.

— Tu comptes voir quoi ? demanda Árni.

— Tu comptes voir *qui* ? corrigea Ingileif.

— Un mec.

— Pas un Américain, en tout cas ? s'enquit Magnús.

— Non, un Islandais, répondit Vigdís, son sourire s'élargissant encore. C'est le frère d'un vieil ami de Keflavík. Il travaille pour une chaîne de télé. Je l'ai rencontré quand il est venu rendre visite à sa famille ici pendant l'été.

— Génial ! commenta Piper.

— Comment tu vas faire avec la langue ? interrogea Magnús.

— Elle va s'en sortir, assura Árni. Il suffit qu'elle reste soûle tout le temps.

— Faudra que j'y réfléchisse. Tu as raison, c'est un de mes principes fédérateurs.

Un téléphone sonna quelque part. Tout le monde échangea des regards interrogateurs, puis Sharon ramassa son sac à main.

— Allô ?

Elle écouta et se redressa d'un bond.

— Ici l'inspectrice Sharon Piper.

Magnús compatit. Ce n'était jamais facile de recevoir un coup de fil du poste quand on venait de s'enfiler quelques verres.

— Oui, Charlie est mon fils... Vous le retenez en garde à vue pour quoi ?... Il est au commissariat de Tooting ?... Il a fait quoi à un officier ?... Mais le problème, c'est que je suis en Islande... À votre place, je l'enfermerais et je jetterais la clé.

Elle raccrocha.

— Des soucis ? demanda Ingileif.

— Charlie a de nouveau des ennuis. Il pense qu'il peut toujours compter sur moi pour que je le tire d'affaire. Mais pas cette fois. Cette fois, il va devoir assumer les conséquences de ses actes.

Elle s'adossa contre la banquette et ferma les yeux.

Son téléphone sonna de nouveau. Elle ne répondit pas.

— Elle dort ? s'étonna Ingileif.

— Allô, répondit Magnús dans le téléphone de Sharon.

— Je peux parler à ma mère ? demanda une voix d'adolescent.

— Elle est occupée, répondit Magnús en jetant un œil à la femme, qui somnolait en face de lui.

— Mais qui êtes-vous, putain de merde ? hurla le jeune homme. Vous couchez avec ma mère ? J'exige de lui parler !

— Un instant.

Il posa sa main sur le micro.

— Sharon ? C'est votre fils.

Sharon ouvrit les yeux.

— Vous savez quoi ? Dites-lui que je lui parlerai demain matin.

Elle referma les yeux.

— Bonne nuit, Charlie, lança Magnús. Dormez bien.

13

Mai 1940

L e soleil brillait sur Ólafsvík alors que Benedikt rentrait de la ville sur le dos de Skjona en direction de Hraun. Il avait représenté sa famille pour la confirmation de son cousin Thorgils, sa mère ne pouvant se permettre de rester trop longtemps éloignée de la ferme.

À Ólafsvík, tout le monde n'avait fait que parler de l'invasion de l'Islande par les troupes britanniques. Les opinions étaient divisées. Certains pensaient qu'il valait mieux être envahi par les Anglais que par les Allemands. D'autres ne comprenaient pas pourquoi l'Islande ne pouvait pas rester en dehors de tout ça, ils n'avaient rien à faire dans une guerre menée sur un autre continent à un millier de kilomètres d'eux. Mais chacun espérait une période de faste économique pareille à celle qui avait suivi la Première Guerre mondiale.

Bien sûr, personne n'avait encore vu de ses yeux un soldat britannique. Ils étaient tous à deux cents kilomètres de là, à Reykjavík. Benedikt esquissa un sourire. Il s'imagina Hallgrímur prêt à combattre tout envahisseur anglais qui tenterait de traverser le champ de lave vers Bjarnarhöfn.

Hallgrímur et Benedikt, maintenant âgés de seize et quatorze ans, ne se côtoyaient presque plus. Ils se montraient polis l'un envers l'autre, surtout devant leurs familles respectives, mais ils avaient arrêté de jouer ensemble cet hiver-là. Gunnar, le père de Hallgrímur, venait souvent à Hraun. Il s'illustrait par ses rapports de bon voisinage avec la mère de Benedikt, l'aidant pour toutes les réparations dont la ferme avait besoin. Et il veillait à tout bien expliquer à Benedikt. Benedikt détestait ça. Il savait bien qu'il pouvait en apprendre beaucoup de Gunnar, pourtant il ne supportait pas de s'adresser à son voisin comme à un bon vieil oncle serviable.

Il préférait parler à la mère de Hallgrímur, mais elle venait bien moins souvent à Hraun.

Benedikt descendit avec Skjona sur la plage et continua sa route au galop. Le cheval et son cavalier s'amusèrent à s'éclabousser dans les vagues et le sable noir. Quelques kilomètres devant eux s'élevait Búland's Head, un impressionnant contrefort de pierres et d'herbe qui avançait vers la mer. Un large nuage voilait le sommet de la montagne et semblait descendre vers l'eau.

Benedikt remonta vers la route et le pont sur la rivière Fródá. C'est là que Thúrid avait vécu, la belle femme que Björn de Breidavík avait courtisée mille ans auparavant. Le même Björn qui avait défié le grand chef Snorri, et qui avait fini en Amérique parmi les Skraelings.

Mais le père de Benedikt ne s'était pas enfui. Il reposait toujours au fond du lac Swine, ou du moins ce qui restait de lui.

Et ni Benedikt ni Hallgrímur n'avaient raconté ce qu'ils avaient entendu ce jour-là.

Benedikt savait que son père avait eu tort de tromper sa mère, mais il ne lui en voulait pas pour cela. On avait volé à sa mère son mari et ça, c'était bien pire. C'était une femme forte et elle avait réussi à gérer la situation. Ce n'était pas la seule veuve en Islande, beaucoup de maris mouraient en mer, quelques-uns dans la montagne. Elle avait quatre enfants. Benedikt et sa grande sœur, Hildur, avaient tout fait pour l'aider. Mais il n'était pas un fermier-né, comme Hallgrímur ou comme son père.

Tout cela, c'était de la faute de Gunnar.

Bizarrement, pendant les quelques jours qu'il avait passés chez sa tante et son oncle à Ólafsvík, il n'avait plus repensé à Gunnar. La rage qui grondait sans interruption dans sa poitrine semblait s'être évanouie.

Mais maintenant qu'il revoyait la rivière Fródá, le lieu où tout s'était joué, la colère était revenue.

Il sentit une pointe d'appréhension en remontant le chemin vers Búland's Head. Le soleil était désormais dans son dos et le nuage à seulement quelques mètres au-dessus de lui.

Il se rappela la première fois qu'il avait franchi ce passage à cheval. C'était avec son père, l'été avant qu'il meure. Ils avaient rendu visite à la famille de sa tante à Ólafsvík. Benedikt avait eu une peur bleue. Un tas d'histoires circulaient au sujet de Búland's Head. Les trolls qui jetaient les voyageurs dans la mer, les criminels, pendus là-bas, les sorcières qu'on avait lapidées. Mais ce qui faisait le plus peur, ce n'étaient pas les histoires, c'était le chemin lui-même. Un rebord incroyablement étroit taillé dans le flanc de la montagne, à des centaines de mètres au-dessus de la mer.

On racontait une histoire au sujet d'un fils et de son père qui habitaient de chaque côté de Búland's Head. Après une dispute, ils étaient devenus les pires ennemis. Un jour, ils s'étaient croisés sur le chemin. Aucun des deux ne laissa l'autre passer et ils continuèrent leur route au trot. Par miracle aucun des deux n'avait glissé. Après cela, ils découvrirent que le bouton argenté qu'ils portaient tous les deux sur le côté de leur pantalon avait été arraché.

À l'aller, Benedikt avait tapé sur une pierre pour qu'elle lui porte bonheur. Il espérait en trouver une sur laquelle taper maintenant qu'il rentrait à la maison.

Le chemin serpentait encore et encore vers le sommet. Le brouillard enveloppait cheval et cavalier dans une étreinte silencieuse. Il était monté si haut qu'il n'entendait plus le claquement des vagues sur les falaises. Juste le pas des sabots sur les pierres et le clapotis de l'eau tout autour de lui. Il pria pour ne pas croiser quelqu'un qui viendrait de l'autre direction.

Il devait se concentrer pour maintenir son équilibre. Tout dépendait de Skjona qui avait emprunté cette route à plusieurs reprises.

Le chemin montait inexorablement. Ils arrivèrent sur une partie accidentée. Le sabot de Skjona libéra une pierre qui dégringola vers la mer. La jument s'arrêta, s'ébrouant, réfléchissant comment avancer.

Et soudain, Benedikt entendit un son. Des sabots. Un rocher s'avançait dix mètres devant eux et dans quelques secondes, ils seraient face à face avec un autre cavalier.

— Bonjour ! salua l'homme sur son cheval.

Benedikt reconnut sa voix. Gunnar.

— C'est toi, Benni ?

— Oui, c'est moi.

Gunnar donna un petit coup à son cheval pour qu'il continue à avancer. Il s'arrêta à quelques mètres de Skjona.

— Que fais-tu ici ? demanda Gunnar, aimable.

— Je reviens de la confirmation de mon cousin à Ólafsvík.

— Ah oui, ta mère me l'a dit. Thorgils, c'est bien ça ?

— C'est ça, oui.

— Très bien, fiston. Ça ne va pas être facile.

Benedikt fit la grimace. Il détestait que Gunnar l'appelle « fiston ». La peur alimenta sa rage.

— Fais reculer Skjona. Pas très loin, juste quelques mètres, et nous pourrons passer tous les deux.

— Mais elle ne pourra rien voir, elle va tomber.

— Mais non, assura Gunnar, elle y arrivera. Vas-y doucement, ne l'effraye pas.

Benedikt était figé de peur.

— Je ne peux pas ! C'est à toi de reculer !

— Ça ne marchera pas. J'ai beaucoup plus à reculer que toi. Allons, tu n'as que cinq mètres. Si on essaye de passer ici, l'un de nous tombera.

Soudain Benedikt sut ce qu'il avait à faire. Il rassembla son courage et tira doucement sur les rênes. Skjona pointa ses oreilles en arrière, mais recula au ralenti. Une autre pierre se libéra sous son sabot et se perdit dans le nuage.

— Très bien, encourageait Gunnar d'une voix calme. C'est bien, Benni. Elle s'en sort très bien, tu y es presque.

Et en effet, Skjona et Benedikt étaient de retour sur le chemin un rien plus large, juste assez pour deux cavaliers.

— Très bien. Ne bouge plus.

Gunnar donna l'ordre à son cheval d'avancer tout douce-ment. Sans se presser, il passa à côté de Benedikt.

L'espace d'un instant, Benedikt hésita. Il savait que ce qu'il ferait ou ne ferait pas dans les quelques secondes à venir changerait sa vie pour toujours.

Il sortit son pied gauche de l'étrier. Il le plaça sur le flanc du cheval de Gunnar.

Et poussa.

Samedi 19 septembre 2009

Il gara son véhicule sur la lisière du chemin, juste là où il commençait à se perdre dans la nature, souleva la toile sans forme qui recouvrait le siège passager et s'engagea sur la montagne le long de la piste à moutons.

Il était à trois kilomètres de la plus petite route, à quatre kilomètres de la première ferme, et d'ici, il ne voyait ni l'une ni l'autre. Il se trouvait loin de tout être humain, loin des yeux et loin des oreilles.

Il leva les yeux vers les flancs verts et luxuriants de la mon-tagne. Il faisait encore nuit, mais les bords des nuages rassemblés sur les versants supérieurs se teintaient de gris-bleu. Une petite brise soufflait, bien moins forte que la veille. Il espérait que ce serait plus calme là où il irait et qu'il aurait une bonne vue.

Dix minutes plus tard, il était dans les nuages. Encore vingt minutes et il en sortit. Il redescendait vers la vallée sur une pente raide, mais une bande plate d'herbe mouillée courait le long d'un ruisseau. Isolée. Calme. Et protégée du vent. Parfait.

L'aube gagnait du terrain, même si le soleil se cachait encore derrière des couches de nuages moutonneux. Il s'arrêta, fit glisser le sac sur son épaule. Un pluvier doré invi-sible produisait des sons flûtés non loin de lui.

Il ouvrit le sac et en sortit la carabine, une Remington 700. Cela faisait trois ans qu'il n'avait plus tiré, il manquait de pratique. Il repéra une touffe d'herbe asséchée à côté d'une pierre et y déposa l'arme. Puis il prit dans le sac le bidon d'essence vide et compta cent vingt-cinq mètres le long du ruisseau. Le chemin descendait légèrement, alors il chercha un rocher pour asseoir le bidon de sorte qu'il soit au même niveau que la pierre. Puis il repartit vers la carabine.

Le lendemain, il n'aurait qu'une chance. Il utiliserait le même type d'arme, même modèle, mais pas cette carabine-là. Les munitions seraient les mêmes, il avait vérifié, 7 mm Remington. Ils avaient estimé la distance grâce à Google Earth, environ cent, cent cinquante mètres. À cent mètres, la balle ne devait pas manquer sa cible. À cent vingt-cinq mètres, elle s'élèverait de six centimètres à peu près, ce qui signifiait qu'il devrait viser un peu en dessous, mais un peu seulement. Six centimètres, ce n'est pas grand-chose sur un torse humain.

Comme il allait utiliser une arme qu'il ne connaissait pas, et qu'il n'aurait pas le temps de vérifier qu'elle était correctement réglée, il avait décidé de ne pas utiliser de viseur. Surtout qu'un viseur peut s'abîmer quand on cache la carabine. Donc, il tirerait à vue. Plus simple, moins de risque que quelque chose ne tourne pas rond.

Le pistolet ne lui avait pas posé de problème, même s'il n'en avait jamais utilisé avant ce soir-là. À deux mètres, impossible de rater le banquier. Tout avait été préparé à la perfection, le plan, l'arme, la moto. Il espérait que cette fois, ça se passerait aussi bien. Pas de raison de penser le contraire.

Il s'allongea sur l'herbe, posa la carabine sur la pierre et visa le bidon. Ensuite, il baissa le canon juste un tout petit peu pour prévoir l'élévation. Il appuya doucement sur la détente. Il sentit la pression bien connue sur son épaule, entendit l'écho dans la vallée, mais ne vit que des cailloux

voler sous le bidon. Un couple de pluviers dorés prit son
envol, se plaignant avec grand bruit.

Il lâcha un juron. Il avait trop compensé. Il actionna le
verrou, visa et tira de nouveau. Cette fois le réservoir tomba
du rocher. Il recommença tout le processus et le réservoir
sauta dans l'herbe. Et une nouvelle fois, et une fois encore.

Il sourit. Il y arriverait.

— Quelle nuit ! s'exclama Sharon.

Elle était installée avec Magnús dans la salle de conférences,
une tasse de café fort devant eux. Elle avait une mine terrible.

— Ça fait un moment que je n'ai plus bu comme ça.

— Un vendredi soir islandais typique. Ou du moins, la
moitié.

— La moitié ?

— Oui, on est rentrés vers 1 heure. La plupart des gens ne
finissent pas la soirée avant 4 ou 5 heures.

— Les jeunes ! protesta Sharon. Bonjour Vigdís, vous avez
l'air plutôt en forme.

— *Gódan daginn*, répondit cette dernière en souriant, elle
aussi une tasse de café à la main.

Elle s'assit en face d'eux.

— *Og takk fyrir sídast.*

— Je comprends tout, éclata de rire Sharon. On va dire que
la nuit dernière n'a jamais existé, c'est ça ?

— *Já*, répondit Vigdís en lançant un coup d'œil à Magnús.

— Ça veut dire « oui ». Où est Árni ?

— Il n'est pas de service ce week-end, répondit Vigdís.

— C'est mon imagination, ou bien mon fils s'est vraiment
fait arrêter hier soir ? demanda Sharon.

— Je crois bien que c'est le cas, marmonna Magnús.

— Vous vous souvenez dans quel commissariat il était ? Je
vous l'ai dit.

Magnús secoua la tête.

— Toot, répondit Vigdís.

— Tooting ? Mais qu'est-ce qu'il pouvait bien faire à Tooting ?

Baldur fit irruption dans la salle de conférences.

— Sharon ? Magnús ? Suivez-moi dans mon bureau.

Baldur insista sur le fait que Sharon avait découvert tout ce qu'il y avait à découvrir en Islande et elle ne put rien objecter à cela. Par conséquent, Magnús accepta de la raccompagner à son hôtel et ensuite de la ramener à l'aéroport.

Baldur prit alors Magnús à part pour lui stipuler de retourner dès lundi à l'académie de police à moins d'avoir du nouveau de Londres. Vigdís pouvait se charger du reste de la liste de Sharon sur Óskar. Magnús protesta, en vain.

Le quartier général de la police était tout près de l'hôtel. Sharon aurait facilement pu s'y rendre à pied. En arrivant devant les portes de l'hôtel, Magnús prit une décision.

— Sharon, dépêchez-vous de faire votre valise et de la descendre, on va partir tôt. Je voudrais que vous rencontriez quelqu'un avant votre départ.

— D'accord, acquiesça Sharon, curieuse. J'en ai pour dix minutes. Je dois appeler mon mari pour m'assurer que Charlie va bien.

Un quart d'heure plus tard, Magnús roulait sur le périphérique qui faisait le tour du centre-ville en direction de Seltjarnarnes. Il parla à Sharon de Harpa et de Gabríel Örn et la mit au courant de ses doutes au sujet du suicide du banquier. Il lui raconta également la nuit entre Harpa et Óskar à Londres.

— Pourquoi ne pas m'en avoir parlé avant ?

Sharon semblait vexée que Magnús ne lui ait pas fait confiance.

— Baldur me l'a interdit. Il pense qu'il n'y a aucun lien. Il veut s'assurer qu'on ne trouve aucun lien. Et la mort de Gabríel Örn Bergsson est classée dans la catégorie des suicides, c'est une question politique. Même dans ce pays, la politique se met dans les pattes des enquêtes policières.

Il lui expliqua le contexte, la « révolution des casseroles », la peur d'une flambée de violence, le soulagement qu'ils n'en étaient pas arrivés là, le refus de réécrire l'histoire et d'admettre qu'il y en avait bien eu.

— Je comprends, ponctua Sharon. Donc la question, c'est pourquoi m'en parlez-vous ?

— Ce n'est peut-être rien du tout, auquel cas, oubliez. Mais s'il existe vraiment un lien, il est important que vous soyez au courant au cas où vous tomberiez sur quelque chose à Londres qui colle avec cette histoire. Je veux épingler celui qui a tué Óskar.

— D'accord. Allons parler à Harpa.

La boulangerie dans laquelle Harpa travaillait se situait au coin de Nordurströnd, la route qui longeait la côte. Le vent était retombé, mais l'air restait glacial et ils furent ravis de se retrouver dans la chaleur de la boulangerie. Il y avait deux femmes derrière le comptoir qui portaient un tablier et avaient attaché leurs cheveux sous des chapeaux blancs.

Harpa était l'une d'elles et se raidit quand Magnús entra.

— Vous auriez un moment à nous accorder, Harpa ?

— Je suis occupée, lança-t-elle en jetant un œil dans la direction de la femme à ses côtés. Vous ne voyez pas que je travaille ?

— Vous voudriez que je parle à votre patron ?

— Dísa ? appela Harpa en se tournant vers l'autre femme. Ça ne vous dérange pas que j'aille parler à ces deux personnes une minute ? Je n'en ai pas pour longtemps.

Elle prononça ces dernières paroles en regardant Magnús. Il hocha la tête.

— Allez-y, répondit Dísa, très intéressée.

Harpa conduisit les policiers vers une table, au fond de la boulangerie.

— On peut parler anglais ? demanda Magnús. L'inspectrice Sharon Piper vient de Scotland Yard.

En fait, il ne pensait pas qu'elle appartenait à cette brigade,
mais ça sonnait bien.

— Pas de problème.

Magnús fut surpris de voir qu'elle se détendait légèrement.

— Je vous ai déjà expliqué que je ne savais rien sur la mort
d'Óskar.

Son accent en anglais était bon, un accent britannique.

— Oui, c'est ce que vous m'avez dit. Mais en fait, nous
savons que vous avez vu Óskar au cours d'une soirée à
Londres, il y a quatre ans.

— Oui, eh bien, c'est évident. Je travaillais dans les bureaux
de Londres. Le directeur là-bas organisait souvent des petites
fêtes. Ça n'a rien d'étonnant qu'Óskar y ait assisté à une ou
deux reprises.

— J'ai parlé à María Halldórsdóttir. Elle nous a dit qu'Óskar
et vous aviez bien sympathisé au cours d'une de ces fêtes.

— Ce n'était qu'une rumeur. Sans aucun fondement.
María était jalouse, c'est tout. Elle imaginait des choses.

Magnús ne dit rien.

— Quoi ? demanda Harpa. Qu'est-ce qui vous arrive ?
Vous ne me croyez pas ? Je ne serais pas assez stupide pour
avoir une liaison avec mon patron !

Magnús esquissa un franc sourire.

— Non, bien sûr que non. Vous auriez une photo de votre
fils, au fait ?

— Mon fils ? Oui, sur mon portable.

Elle s'empara de son téléphone, entreprenant de chercher
la photo, mais s'arrêta net et repoussa l'appareil.

— En fait, je ne crois pas. Je me suis trompée. Je n'ai pas
de photo de lui.

— Allons, Harpa, vous ne pouvez pas nous cacher à quoi il
ressemble. Il s'appelle Markús, c'est ça ? Montrez-nous la
photo.

Harpa se débattit avec les boutons de son portable et leur tendit la photo d'un petit gamin tout sourire à côté d'une balle de football sur une plage de sable.

Magnús sortit de sa poche une photo qu'il posa à côté du téléphone pour comparer. Malgré la différence d'âge, il semblait clair qu'Óskar Gunnarsson et Markús Hörpuson étaient de la même famille. Même menton fendu, grands yeux bruns identiques.

Les épaules de Harpa s'effondrèrent.

— Óskar savait ?

— Je ne lui ai jamais dit. J'ai fait en sorte qu'il ne rencontre jamais Markús. Je ne voulais pas qu'il le connaisse...

— Pourquoi pas ?

— C'était une histoire d'une nuit, vraiment. J'étais ivre et lui aussi. Je ne dis pas qu'il m'a forcée, ni rien de ce genre, mais c'était une erreur. Nous n'en avons jamais reparlé. Les deux, trois premières fois qu'on s'est croisés au travail après ça, on était un peu gênés, mais ensuite on a tous les deux appris à ignorer ce qui était arrivé et les choses sont devenues bien plus simples. Jusqu'à ce que je découvre que j'étais enceinte, bien sûr.

— Il se doutait qu'il était le père ?

— Peut-être. Nous n'en avons jamais discuté. Nous ne nous connaissions vraiment pas bien. Il ne savait pas à quoi ressemblait ma vie sexuelle. En fait, il n'y avait rien de spécial, mais il n'en avait aucune idée.

— Mais quand vous avez perdu votre boulot, vous n'avez pas été tentée de demander à Óskar de l'argent ?

— Non. Je ne voulais pas que Markús ait Óskar comme père, même s'il était richissime. Nous n'avions aucun contact. Et je suppose que je n'étais pas prête à partager mon fils avec un homme que je connaissais à peine.

Elle se pencha vers les policiers.

— S'il vous plaît, n'en parlez à personne. Je ne veux pas que les parents d'Óskar apprennent qu'ils ont un petit-fils. Ça peut paraître horrible, mais je ne tiens pas à introduire dans la vie de mon fils des gens que je ne connais pas.

— Je ne leur dirai rien pour le moment, assura Magnús. Mais je ne peux rien promettre pour l'avenir. Ça dépendra d'où cette enquête nous mènera.

— Elle ne mènera nulle part, lâcha Harpa, un air de défi dans les yeux.

— Dans ce cas, vous n'avez rien à craindre.

— Vous avez été renvoyée d'Ódinsbanki, n'est-ce pas ? interrogea Sharon.

— Oui.

— En vouliez-vous à Óskar ?

— Non, pas directement.

— Qu'entendez-vous par « pas directement » ?

— Eh bien, c'est lui qui est à l'origine de l'expansion de la banque. Il l'a développée trop vite, a emprunté trop d'argent aux marchés obligataires. C'est pour cela qu'au bout du compte, tout s'est écroulé et que j'ai perdu mon travail.

— Alors à qui en voulez-vous directement ?

— Mon Dieu ! s'écria Harpa en fermant les yeux. Nous y revoilà !

— À Gabríel Örn ?

— Je vous l'ai déjà dit.

Magnús jeta un œil en direction de Sharon. Il était trop tôt pour procéder à un interrogatoire complet. En outre, ces interrogatoires devaient être faits en islandais pour fournir des pièces à conviction recevables. Mais il avait une dernière question à poser.

— Harpa, où étiez-vous la nuit où Óskar a été assassiné ?

— Il a été tué à Londres, non ?

Magnús hocha la tête.

— Eh bien, j'étais en Islande.

— Vous pouvez le prouver ?

— Oui, bien sûr. Euh, je suis venue travailler ici, tôt le lendemain. Vous pouvez demander à Dísa si ça vous chante.

Trois quarts d'heure plus tard, Magnús se gara devant l'aéroport.

— Merci de m'avoir présenté Harpa. Je comprends la difficulté que ça représente pour vous.

— Son alibi tient la route pour la nuit du meurtre, mais je crois tout de même qu'il existe un lien. Je voulais que vous connaissiez son histoire. Si vous entendez parler de quelque chose à Londres.

— Óskar était un homme intéressant, remarqua Sharon.

— La presse le déteste, ici. Ainsi que ses amis banquiers.

— Je les comprends. Mais les gens qui le connaissaient vraiment semblent très impressionnés par lui.

— Je suppose que c'est ainsi qu'il a convaincu les gens de le suivre, il respirait le succès. Mais je pense que c'est aussi la raison de sa mort.

— Vous voulez dire qu'il méritait de mourir ?

— Non, pas du tout, ce n'est pas à moi d'en juger. Et j'ai déjà enquêté sur la mort de gens bien plus antipathiques qu'Óskar. Vous aussi, j'en suis sûr. Il n'a jamais tué personne.

— Non, mais il a causé la faillite de tout un pays. Lui et ses comparses.

— En effet.

Bien sûr, Óskar et ses amis n'avaient pas détruit à dessein l'économie islandaise. C'était un accident. Homicide involontaire, et pas meurtre. Mais on finit en prison pour homicide involontaire.

— Vous allez faire quoi, maintenant ? demanda Sharon. Laisser tomber l'affaire ?

— C'est ce que veut Baldur. Mais le suicide de Gabríel Örn sonne faux. Je ne suis pas de service ce week-end, je pense que je vais fureter à droite et à gauche, peut-être reparler à certaines personnes que nous avons interrogées après sa mort.

— Tenez-moi au courant.

— Je n'y manquerai pas. Et bon courage avec Charlie.

14

Hafnarfjördur était un port de pêche au bord du champ de lave juste à la sortie de Reykjavík, vers l'aéroport. Magnús passa devant les énormes hauts-fourneaux d'aluminium à Straumsvík, où le corps de Gabríel Örn était remonté en janvier. Un terrain de golf suivait la route, s'enroulant autour du champ de lave, chaque green comme un cratère coloré. Magnús sortit de l'autoroute.

Le port était entouré par un réseau de petites collines. La ville était devenue très prisée des riches Islandais d'une cinquantaine d'années et certaines maisons s'étaient vendues à des prix astronomiques deux années auparavant. Mais plus maintenant, bien sûr.

Magnús roula sur la crête jusqu'à un chantier encore en travaux. Une grue dominait une maison à moitié construite. Magnús se dit que personne ne se presserait dorénavant pour la finir.

Certaines des habitations du chantier étaient occupées, et c'est devant l'une d'elles que Magnús relut la déclaration d'Ísak Samúelsson qu'Árni avait relevée après la mort de Gabríel Örn. Une fois de plus, ses notes étaient incomplètes. Ísak y était décrit comme un étudiant, sans précision sur où il étudiait, et il vivait chez ses parents. Son père, Samúel Davídsson, était un ministre du gouvernement, ou du moins c'était le cas en janvier quand l'interrogatoire avait été mené. Sans doute avait-il perdu son poste avec la « révolution des casseroles ».

Magnús sortit de sa voiture et avança vers la maison blanche de plain-pied. Elle bénéficiait d'une architecture remarquable, avec une belle vue sur le port. Sans le chantier à cent mètres de là, elle aurait été très agréable à vivre.

Il sonna à la porte. Pas de réponse. Il attendit une minute avant d'essayer de nouveau.

La porte s'ouvrit sur une petite bonne femme qui portait un foulard sur la tête. D'abord, Magnús crut que c'était une vieille dame, mais en la regardant de plus près, il comprit qu'elle ne devait pas avoir plus de cinquante ans.

Elle sourit, allumant une étincelle de vie sur un visage épuisé.

Le cancer.

— Je m'appelle Magnús, je travaille pour la police, se présenta Magnús, restant assez vague sur son statut au sein des forces de l'ordre.

Heureusement les Islandais n'étaient pas aussi tatillons que les Américains sur la façon dont devaient se présenter leurs policiers.

— Puis-je parler à Ísak ?

— Oh, il n'est pas ici, il est à l'université.

— Un samedi ? Il étudie à la bibliothèque ?

Magnús espérait que c'était le cas, ce ne serait pas un souci alors de le retrouver.

— Oh, non, lança la femme en souriant de nouveau.

Magnús tomba sous le charme de ce sourire chaleureux. Il espérait que son état résultait de la chimiothérapie plutôt que du cancer lui-même. Bien sûr, il ne pouvait pas le lui demander.

— Il est à Londres.

— À Londres ? Il étudie à l'université, à Londres ?

— Oui. À la London School of Economics. Il vient de commencer sa dernière année.

Magnús insulta Árni en silence. Il se demanda comment l'un des meilleurs inspecteurs de Reykjavík avait fait pour ne pas découvrir où étudiait Ísak. Ou peut-être l'avait-il découvert, mais il n'avait pas jugé utile de l'indiquer dans ses notes. Dans les deux cas ce n'était pas glorieux. Idiot !

— J'imagine que vous êtes sa mère ?

La femme hocha la tête.

— Ça vous ennuierait que je vous pose quelques questions ? C'est en rapport avec la mort de Gabríel Örn en janvier dernier.

— Bien sûr, entrez. Je m'appelle Aníta. Laissez-moi vous servir un café.

— Non, ne vous dérangez pas.

— Voyons, ce n'est rien. C'est une des rares choses que je suis encore capable de faire. Mon mari est parti jouer au golf : il ne sera pas de retour avant des heures.

Magnús retira ses chaussures pour suivre Aníta dans la cuisine où une cafetière fumante les attendait. Avec une lenteur douloureuse, elle lui servit une tasse. Ils prirent place autour de la table.

La femme semblait déjà fatiguée. Magnús se promit de ne pas traîner.

— Donc Ísak étudiait déjà à Londres l'année dernière ?

— Oui, il est rentré à la maison pour Noël. Et il s'est beaucoup impliqué dans les manifestations. Bien que le semestre ait déjà débuté à l'université, il est revenu pour l'ouverture du Parlement. Il a dit que c'était un moment historique et qu'il tenait à y assister. J'imagine qu'il avait raison...

— Donc il est allé à la manifestation le jour où Gabríel Örn a été tué ?

— Oui, son père était furieux, bien sûr. Il a perdu son poste à cause des protestations. Vous avez dit « a été tué ». Je croyais que le pauvre homme s'était suicidé ?

— Eh bien, c'est ce qu'on pensait. Donc votre fils et votre mari sont en désaccord en ce qui concerne la politique ?

— On peut dire ça. Samúel est membre du parti indépendantiste depuis ses dix-huit ans, et Ísak est un socialiste convaincu. Ils sont en désaccord sur tout : les changements climatiques, les hauts-fourneaux d'aluminium, l'Europe, tout ce qui vous vient à l'esprit. C'est ironique vraiment, quand on pense qu'ils sont tous les deux tellement férus de politique.

— Vous diriez qu'Ísak est radical ?

— C'est une question intéressante. Selon les critères actuels, je suppose qu'on peut le trouver radical. Je veux dire, la plupart de ses amis veulent devenir banquiers ou entrer dans des facultés de droit. Du moins, jusqu'à l'année dernière. Ísak, lui, lit toujours Marx et Lénine, même si je ne pense pas qu'il soit communiste ou quelque chose du genre. Comparé à ma génération, il est légèrement à gauche. L'Islande a changé, vous ne trouvez pas ?

— Absolument, acquiesça Magnús.

— Peut-être que tout redeviendra comme avant. J'espère que j'aurai le temps de voir ça, avant que...

Magnús se retint de demander à quel stade en était son cancer. Elle devenait plus grise de minute en minute, il devait enchaîner sans tarder.

— Ísak connaissait-il une femme nommée Harpa Einarsdóttir ? Elle travaillait à Ódinsbanki.

— Non, je ne crois pas. Peut-être que oui, mais la plupart de ses amis sont encore à l'université. C'est la femme avec laquelle il s'est disputé dans le bar ?

Magnús hocha la tête.

— Non, c'était la première fois qu'il la rencontrait. Je ne sais pas ce qui lui a pris. Il n'a jamais fait une chose pareille avant. Il lui arrive de boire quand il est avec ses amis le week-end, mais il ne se bat jamais. Ça devait être à cause de l'excitation due à la manifestation.

— Et Björn Helgason, un pêcheur de Grundarfjördur ?

— J'en doute, répondit Aníta. Un ou deux de ses amis du lycée ont dû devenir pêcheurs, mais il ne m'a jamais parlé de quelqu'un qui serait allé à Grundarfjördur.

Et Björn Helgason devait avoir une bonne dizaine d'années de plus qu'Ísak, se dit Magnús.

— Et Óskar Gunnarsson ? L'ancien P.-D.G. d'Ódinsbanki. Il a vécu à Londres ces quelques dernières années.

— Le banquier qui a été assassiné cette semaine ?

Magnús hocha la tête.

— Mais je croyais que vous étiez venu me poser des questions au sujet du suicide de l'autre banquier. Vous ne pensez tout de même pas qu'Ísak aurait quelque chose à voir avec le meurtre de cet homme, n'est-ce pas ?

Une profonde inquiétude plomba sa voix.

— Non, assura Magnús. Pas du tout. J'essaye juste d'établir des relations.

— Eh bien la réponse est non. Mon fils n'a jamais parlé d'Óskar Gunnarsson.

Magnús décida qu'il était temps de prendre congé. Alors qu'il partait, Aníta qui avait froncé les sourcils pendant tout l'interrogatoire, s'éclaira soudain.

— Oh, il y a une chose. Ísak était ici cette semaine. Il est arrivé lundi et est reparti hier. Óskar Gunnarsson a été tué au début de la semaine, n'est-ce pas ?

— Mardi soir.

— Alors ça veut dire que mon Ísak n'a rien à voir là-dedans.

— Je ne l'avais jamais laissé entendre, affirma Magnús, confus.

— Peut-être pas, mais c'est ce que vous aviez en tête.

Alors que Magnús quittait Hafnarfjördur, il réfléchit à Ísak. Drôle de coïncidence qu'il fût étudiant à Londres. Magnús croyait sa mère quand elle disait que, selon elle, Ísak n'avait aucun rapport avec Óskar et que son fils était en Islande quand Óskar avait été abattu. Mais cela ne prouvait pas qu'il n'avait rien à voir avec cet assassinat. Cela signifiait seulement que ce n'était pas lui qui avait pressé la gâchette, il pouvait en revanche connaître celui qui l'avait fait.

Harpa était à l'évidence liée aux deux banquiers morts. Dans le cas d'Ísak, les rapports étaient moins évidents, mais assez consistants pour éveiller l'intérêt de Magnús. Maintenant au tour de Björn Helgason.

Magnús avait le compte rendu d'Árni avec lui dans la voiture. Il lui faudrait sans doute rouler trois heures de Hafnarfjördur à Grundarfjördur, mais ce samedi-là, Magnús n'avait rien de spécial à faire. Tout d'abord, il ferait un saut chez le frère de Björn, Gulli, chez qui Harpa et Björn étaient restés la nuit de la mort de Gabríel Örn.

Une fois de plus, Magnús consulta les notes de son collègue pour se rendre à l'adresse indiquée sur Vesturbaer, juste derrière l'église catholique. Il stationna devant un immeuble gris à trois étages et appuya sur la sonnette de Gulli. Pas de réponse.

Il venait de réessayer, quand une jeune femme en jogging sortit sa clé pour entrer dans l'immeuble.

Il l'arrêta et se présenta.

— Vous connaissez Gulli Helgason, qui habite dans l'appartement 3 ?

— Oui, je connais Gulli, qu'a-t-il fait ?

— Rien, répondit Magnús, ses soupçons grandissant. Il reçoit souvent la visite de la police ?

— Oh non, répliqua la jeune femme, confuse. Jamais. C'est un type gentil, excellent bricoleur, il aide toujours ses voisins, surtout la vieille dame du rez-de-chaussée.

— Vous avez une idée de quand il devrait rentrer ?

— Non. Je pense qu'il est en vacances. Je ne l'ai pas revu depuis quelques jours et son camion n'a pas bougé depuis un moment. Il n'a pas déménagé.

Elle indiqua d'un signe de tête une Volkswagen Transporter bleue sur laquelle étaient inscrits le nom de Gulli et un numéro de téléphone.

— Il est décorateur, n'est-ce pas ?

— Oui. Avant il était toujours super occupé. Mais plus maintenant, depuis le *kreppa*.

— Non, bien sûr.

Les peintres et les décorateurs avaient dû être sévèrement touchés.

— Merci pour votre aide.

Selon les notes d'Árni, l'interrogatoire avec Gulli avait confirmé que Björn était resté chez lui et que Harpa y avait également été vue le matin de la mort de Gabríel Örn. Il n'imaginait pas qu'un nouvel interrogatoire lui en apprendrait davantage, mais sait-on jamais. Il reviendrait.

Après avoir noté le numéro de téléphone de Gulli, Magnús retourna dans sa voiture pour entamer la longue route vers Grundarfjördur.

La tête baissée, Harpa marchait d'un pas rapide sur le bord de la baie. Le soleil avait fait son apparition et les nuages avaient quitté le mont Esja. Pourtant elle le remarqua à peine. Le retour de l'inspecteur avec la policière de Scotland Yard l'avait remuée. Maintenant que la police savait pour Óskar et Markús, ils ne la lâcheraient plus.

Elle s'était montrée distraite toute la matinée, et Dísa avait fini par lui accorder une heure de pause. Harpa lui avait expliqué que la police posait des questions au sujet du suicide de Gabríel Örn, parce qu'elle avait été la petite amie du banquier. Dísa l'écouta, compatissante, mais Harpa détecta chez sa patronne une pointe de soupçon. Dísa devait se demander clairement pourquoi dans ce cas la police l'avait interrogée sur la nuit de mardi à mercredi.

C'était déjà assez pénible d'avoir à mentir à Dísa. Mais c'était avec Markús que Harpa avait le plus gros problème, elle ne pouvait plus le regarder dans les yeux. Elle ne pouvait plus regarder son propre fils dans les yeux !

Il avait commencé à se rendre compte que quelque chose ne tournait pas rond. D'ordinaire si sage, il s'était mis à faire des bêtises. Ça n'irait qu'en empirant.

Et maintenant que la police savait qu'Óskar était le père de son fils, cela deviendrait impossible de le cacher plus longtemps. Markús le découvrirait, tout comme la famille d'Óskar. Peut-être même la presse. Et pour finir, il découvrirait que sa mère était une meurtrière.

Harpa avait une relation très forte avec son fils. L'idée que leur lien pourrait être brisé la terrorisait.

Elle voulait désespérément appeler Björn. Mais il était quelque part au milieu de l'océan Atlantique.

Elle ne pouvait plus continuer ainsi. Il fallait qu'elle en finisse. Qu'elle aille au commissariat faire ses aveux. Qu'elle affronte enfin les conséquences de ses actes. Elle n'avait pas prémédité de tuer Gabríel Örn, le juge se montrerait indulgent. Peut-être qu'elle serait accusée d'homicide involontaire plutôt que de meurtre. Elle irait en prison, mais pas pour le restant de ses jours. On était en Islande, après tout, avec son célèbre système judiciaire clément.

Mais ils arrêteraient aussi Björn. Il serait sans doute enfermé pour non-assistance à personne en danger, ou complicité, ou peu importe quoi encore, ainsi que les autres qui l'avaient aidée, l'étudiant, Ísak, qui l'avait regardée de travers au début. Ils avaient tant fait pour elle, elle ne pouvait pas les trahir maintenant.

Et Markús dans tout ça ? Bien sûr, sa mère pourrait s'occuper de lui, très bien même, mais Harpa ne supportait pas l'idée de ne pas le voir grandir.

Elle inspira profondément. Elle devait prendre sur elle, s'en tenir à son histoire, rester calme et loin de la prison. Il fallait qu'elle trouve la force de le faire.

Elle renifla. L'humidité sur ses joues se glaça dans l'air froid. Elle n'avait même pas senti qu'elle pleurait. Elle s'effondrait.

Étrange. Elle se pensait forte, intelligente et dure. C'était un prérequis pour entrer à Ódinsbanki. Même si les femmes occupaient tous les postes de la société en Islande, la banque avait conservé une culture très masculine. Il fallait travailler dur et se montrer rusé. Les banquiers remportaient leurs contrats parce qu'ils étaient plus rapides que leurs concurrents et qu'ils étaient prêts à prendre des risques que d'autres ne prenaient pas. Óskar avait insisté pour que tous ses employés lisent son livre préféré, *La Force de l'intuition* de Malcolm Gladwell, avec sa thèse selon laquelle les meilleures décisions sont dictées par l'instinct en quelques secondes. Harpa avait bien résisté, aidée – elle devait le reconnaître – par Gabríel Örn. Ils formaient une équipe, Harpa lui fournissait le pouvoir d'analyse et lui avait l'agressivité et le caractère impitoyable pour conclure des marchés.

Et ils s'étaient bien amusés durant cette période, elle ne pouvait pas le nier. Les voyages au Grand Prix de Monaco, les yachts en Méditerranée, les fêtes d'anniversaire à la Barbade, suivre l'équipe des Manchester United dans des villes exotiques d'Europe. Ce n'était qu'après être sortie trois mois avec Gabríel Örn qu'elle s'était rendu compte qu'il avait été fan de Liverpool toute sa vie, jusqu'à ce qu'il entre à Ódinsbanki et découvre qu'Óskar suivait Manchester United.

Mais elle ne valait pas mieux. Elle détestait le foot. Elle se contentait de le cacher à tout le monde au travail.

Et il y avait eu aussi les voyages pour pêcher le saumon en Islande. Du divertissement d'entreprise poussé à l'extrême. Payer aux clients de Reykjavík le vol dans des jets privés et ensuite de l'aéroport à la rivière en hélicoptère. Chaque client bénéficiait de son propre accompagnateur et même les plus gauches pouvaient attraper leur saumon. Son père avait été si jaloux – elle sourit – et fier...

Mais ça ne pouvait pas durer. Au fond d'elle, elle l'avait toujours su. Elle s'était disputée violemment avec Gabríel Örn au sujet du contrat avec le concessionnaire auto, et les magasins de chaussures, tous les deux en Angleterre, tous les deux en faillite à présent. Et il y en avait tant d'autres sur lesquels elle avait eu de sérieux doutes. Ils marchaient bien quand l'économie était en pleine expansion, mais en cas de récession, ils ne seraient jamais capables de rembourser leur crédit. C'était le cas pour tous les marchés passés par Ódinsbanki.

Ils avaient poussé trop loin la manœuvre. Et quand la crise arriva, tout s'était effondré en même temps.

Elle savait que ça leur pendait au nez. Alors que les autres débordaient d'optimisme, croyant en leur pouvoir tellement fort qu'ils en défiaient les lois du marché, elle n'y avait jamais vraiment cru. Elle avait juste suivi.

Encore une raison de se sentir coupable.

Elle approcha du port, vit Kaffivagninn et sourit. Elle avait travaillé là à mi-temps comme serveuse pendant quelques années quand elle était au lycée. Elle adorait traîner dans le port. Ce qu'elle avait toujours préféré, c'était nettoyer le *Helgi*, le bateau de son père. Parfois elle trouvait de la monnaie qu'il lui permettait de garder. Ironiquement, à l'école, elle était vue comme la « princesse » de son papa, alors qu'elle devait travailler pour gagner le moindre sou.

Bien sûr, c'était pour cela qu'elle avait tant aimé rester dans le port. Pour être à ses côtés. Elle ne le voyait pas pendant plusieurs jours de suite. Il arrivait souvent à la maison après l'heure de son coucher et repartait le matin avant qu'elle ne soit réveillée. Son amour pour elle avait toujours été inconditionnel. C'était pour lui faire plaisir qu'elle avait travaillé si dur à l'école, qu'elle avait décroché un poste dans la banque, qu'elle avait gagné tant d'argent.

Elle n'en revenait pas qu'il lui ait pardonné de lui avoir fait perdre toutes ses économies. Il n'avait pas un caractère facile et était rancunier. Son argent comptait beaucoup pour lui. Elle avait eu tellement peur qu'il ne le lui pardonne jamais...

Mais il ne lui en avait pas tenu rigueur. Avec le temps, elle comprit qu'il s'était toujours dit qu'elle aussi avait été bernée, qu'elle n'était qu'une victime au même titre que lui.

Elle consulta sa montre. Il ne lui restait plus que dix minutes de pause. Elle ne voulait pas abuser de la gentillesse de Dísa. Elle se pressa vers l'arrêt du bus et s'engouffra dans le 13 à destination de Seltjarnarnes.

15

L 'humeur de Magnús s'améliora alors qu'il quittait Reykjavík en direction du nord. Les nuages avaient laissé la
place à un soleil radieux dans un ciel bleu pâle. Cela faisait
du bien de rouler sur la route dégagée, loin des gens et du
bruit des grandes villes, la mer grise scintillant à sa gauche,
les montagnes dominant sa vue à sa droite.

La route plongea sous Hvalfjördur, le « fjord des
baleines », l'un des fjords les plus profonds d'Islande, tourna
à travers une vallée entre deux montagnes et traversa Borgar-
fjördur, dont la surface était froissée par de nombreux
courants. Juste après la petite ville de Borgarnes, la route
bifurquait à gauche. Quelques kilomètres plus loin on trouvait la petite église de Borg, où Egill avait vécu, le héros d'une
des sagas préférées de Magnús.

Les sagas ressemblaient aux grands monuments architec-
turaux des autres pays. Dans un pays sans importantes
colonisations et avec très peu de prestigieux bâtiments, les
Islandais trouvaient dans leur littérature leur identité, leur
passé. Durant son adolescence aux États-Unis, et ensuite à
l'âge adulte, Magnús avait lu et relu ces contes médiévaux de
façon obsessionnelle, s'imaginant les landes et les fjords
d'Islande au Xᵉ siècle.

Ils étaient devenus le refuge d'un gamin islandais solitaire
qui se sentait noyé dans son grand lycée américain. Egill était
l'un des personnages les plus extraordinaires de la saga : un
guerrier brave et cruel, qui combattait vaillamment les Nor-
végiens et les Anglais, avant de rentrer dans sa ferme à Borg.
Mais c'était également un poète, dont Magnús connaissait
par cœur les élégies à son fils noyé. Passer à côté de sa ferme
aujourd'hui avait quelque chose d'exaltant.

La route était agréable, pratiquement déserte. Les flancs de
la montagne flamboyaient d'orange et d'or dans le soleil bas

d'automne et les moutons formaient des boules de laine, prêts à supporter les affres de l'hiver à venir. La péninsule de Snaefells approchait à grands pas, épine dorsale des montagnes irrégulières et du glacier Snaefells, dôme blanc couronné à son extrémité ouest d'un volcan endormi. L'entrée du centre de la Terre de Jules Verne. Magnús prit le virage à Vegamót. La route s'enroulait vers le sommet, jusqu'à ce qu'il atteigne le col et que Breidafjördur s'ouvre devant lui.

Il se rangea sur le bas-côté.

Sous lui s'étendait le Berserkjahraun, un ruisseau glacé de rocailles qui se jetait vers la mer en replis spectaculaires de gris et de vert. Au premier plan, le lac Swine ondulait autour de la bordure de la lave, son niveau d'eau au minimum à cette période de l'année. Plus bas, vers la côte se trouvaient la ferme de Hraun, et de l'autre côté de la petite crique, niché sous son immense montagne, Bjarnarhöfn.

La bonne humeur de Magnús s'évapora en sentant des doigts de glace enserrer son cœur. Les peurs de son enfance ne l'avaient jamais quitté. Dans les montagnes à sa droite, il voyait le col parallèle où se tenait la troll de Kerlingin, son sac rempli de bébés sur son épaule. Plus bas, dans le champ de lave, les Vikings suédois assassinés erraient. Dans la lande, vers l'est, marchait à grands pas le fantôme de Thorolf le Boiteux, tué par son voisin Arnkel mille ans plus tôt.

Et dans cette ferme, à cet instant précis, au XXIe siècle, vivait Hallgrímur, le grand-père de Magnús.

Magnús secoua la tête. Comment à trente-trois ans, après avoir affronté des dangers inimaginables, pouvait-il encore se sentir terrorisé par ce vieil homme de quatre-vingts ans ?

Mais ce n'était pas que l'homme. Il y avait aussi les souvenirs.

Magnús tourna la tête vers sa droite, au-delà de la digue que formait Helgafell, vers Stykkishólmur, crépitement de points blancs au bord de la mer. Parmi ces points se trouvait Unnur Ágústsdóttir, avec d'autres réponses à ses questions.

Pour l'instant, il devait aller parler à Björn.

Grundarfjördur était encore à vingt kilomètres de Berserk-jahraun à l'ouest sur la côte. C'était un petit village de pêche ramassé, avec des maisons blanches, une église et de grandes remises pour la conservation du poisson, serrées autour du port en forme de croissant. Derrière, une lande d'herbe brune et de chutes d'eau conduisait vers les montagnes. D'un côté, pointant vers la mer, s'érigeait une tour de pierre verte et grise connue sous le nom de Kirkjufell ou « montagne-église ».

La maison de Björn était un petit bâtiment d'un étage à l'ouest de la ville, sur la côte, dans l'ombre du rocher.

Il n'y avait personne. Sa voisine expliqua qu'elle n'avait pas vu Björn depuis deux jours.

Magnús retourna au bureau du responsable du port, un grand homme aux cheveux grisonnants et à lunettes, qui connaissait bien Björn Helgason. Autour d'une tasse de café, il raconta à Magnús que Björn avait vendu son bateau quelques mois plus tôt pour rembourser ses dettes, et qu'il travaillait désormais sur les bateaux d'autres capitaines, que ce soit à Grundarfjördur, Stykkishólmur ou tous les autres ports le long de la côte nord de la péninsule. Magnús ferait bien de se renseigner auprès de trois compagnies de pêche en ville.

Il le fit, sans succès. Selon eux, Björn n'était dans aucun de leurs bateaux.

Bon sang ! Il prenait toujours un risque à débarquer à l'improviste pour interroger des suspects. Mais il aimait les prendre par surprise. Le visage d'un coupable en disait long quand il ouvrait la porte à un policier sans avoir été prévenu à l'avance.

Magnús s'arrêta au commissariat de la ville, un petit bâtiment en bois brun derrière le port. Il y rencontra un officier sympathique d'une quarantaine d'années qui arborait une épaisse moustache et se dénommait Páll. Nouvelle tasse de café. Páll était clairement emballé par la visite d'un inspecteur de la brigade des crimes avec violence de Reykjavík, même s'il faisait comme si de rien n'était. Il connaissait Björn, évidemment, bien qu'il ne vienne pas de Grundarfjördur à l'origine, on l'y avait posté dix ans auparavant et il aimait beaucoup l'endroit.

Les temps étaient durs pour les pêcheurs, aussi bien pour les indépendants que pour les compagnies avec leurs usines de poisson en ville. Trop de crédits. Même ici, à deux cents kilomètres de Reykjavík, les gens avaient beaucoup trop emprunté. Tout ça à cause de ces satanés banquiers et de ce salopard d'Ólafur Tómasson.

Magnús écouta l'officier déblatérer la litanie habituelle sur le *kreppa*, et lui demanda de garder pendant quelques jours un œil sur Björn. Il laissa à Páll son numéro de téléphone, en lui expliquant qu'il recherchait Björn pour lui poser des questions en rapport avec l'assassinat d'Óskar Gunnarsson.

Puis, après s'être arrêté en ville pour un déjeuner tardif, Magnús décida de faire un petit détour par Stykkishólmur. Peut-être que Björn travaillait sur un bateau là-bas. Sinon, il pourrait toujours rendre une petite visite à Unnur.

Il fonça à travers Berserkjahraun sans regarder à sa gauche en direction de la ferme de son grand-père, vers le monticule droit devant lui, à seulement soixante mètres de hauteur, qui constituait Helgafell ou « montagne sacrée ». C'était une vue habituelle depuis la ferme de Bjarnarhöfn. Un des premiers colons dans la région, Thorolf Barbe-de-Moster, avait décidé que sa petite colline était sacrée et que ses parents y seraient engloutis à leur mort. Pour préserver la sainteté du lieu, personne ne devait jouer les « effrayeurs d'elfes » sur la montagne sous peine de mort. Bien évidemment, ce fut exactement ce que firent ses voisins, déféquant devant les hommes de Thorolf, ce qui déclencha la première des nombreuses querelles.

Dans l'église sous la colline, Magnús se rappelait qu'était inhumée Gudrún Ósvifsdóttir, l'héroïne d'une autre grande saga, *Laxdaela*[2].

---

2. *Laxdaela* ou *Saga des gens du Val-au-Saumon*, textes traduits, présentés et annotés par Régis Boyer, NRF Gallimard, Bibliothèque de la Pléiade, 1987.

Un aigle s'éleva dans les airs, à partir du bord d'un petit lac à côté de la route, et s'envola vers la montagne, sa queue blanche reconnaissable entre toutes derrière lui.

Ce paysage, qui avait si peu changé au cours des mille dernières années, raviva chez Magnús les souvenirs des sagas qu'il avait lues et relues. Toutes les fermes citées dans les sagas existaient toujours. Bjarnarhöfn, la ferme de son grand-père, avait reçu son nom de Björn l'Homme de l'Est, Styr avait vécu à Hraun, Snorri le grand chef à Helgafell et Arnkel à Bolstad, juste de l'autre côté de la montagne. À l'époque, les fermes abritaient plus de gens que maintenant. En général, ils emmenaient leurs moutons dans les montagnes, s'occupaient de leurs chevaux, cultivaient du foin sur leur pré. Seulement en ces temps-là, les fermiers traversaient les plaines de lave avec leurs épées et leurs haches pour aller se battre.

Les grands-parents de Magnús leur avaient raconté à Óli et à lui certaines de ces histoires. Mais ils y avaient ajouté un vernis sombre qui avait à la fois fasciné et terrorisé les garçons.

Magnús entra dans Stykkishólmur, dépassa son ancienne école et continua vers le port, entouré d'un bric-à-brac de maisons colorées faites de tôle ondulée, certaines assez vieilles. À première vue, la ville n'avait pas beaucoup changé. Le grand hôpital blanc et un couvent franciscain dominaient un côté du port. Cela faisait bizarre de voir les bonnes sœurs, pour la plupart venues de pays d'Europe du Sud, arpenter les rues de la ville. L'Islande ne se voulait pas du tout un pays catholique et la présence des nonnes avec leurs drôles d'habitudes semblait exotique à de jeunes enfants.

L'hôpital s'appelait Saint-Francis et l'oncle de Magnús, Ingvar, était médecin là-bas. Encore des souvenirs. Ses visites à Óli. Le bref séjour de Magnús pour un bras cassé, parce qu'il était tombé d'une botte de foin. Les mensonges. L'infirmière qui ne l'avait pas cru. La peur d'être découvert...

Se forçant à revenir au présent, Magnús chercha à savoir où se trouvait la compagnie de pêche locale. Ils connaissaient Björn Helgason, mais ne l'avaient pas vu depuis une semaine ou deux. Ils ne pensaient pas qu'il était à bord d'un bateau de Stykkishólmur.

Alors qu'il marchait sur le quai, Magnús se demanda ce qu'il devait faire maintenant. Il pouvait continuer à rouler sur la péninsule vers Ólafsvík et Rif à la recherche de Björn. Ou il pouvait rentrer chez lui. Ou...

Ou il pouvait aller rendre une petite visite à Unnur.

Il savait que sa décision était prise. C'était une des raisons qui l'avaient poussé à faire toute cette route à la recherche de Björn. C'était pour cela qu'il avait opté pour Stykkishólmur plutôt qu'Ólafsvík. Il n'aurait pu duper personne. Il était ici pour voir la maîtresse de son père.

Ce n'était pas difficile de suivre la trace de quelqu'un dans une petite ville. Il retourna à la compagnie de pêche, emprunta un annuaire et chercha à U pour Unnur ; les Islandais classent leurs habitants par leur prénom.

Elle habitait dans une jolie maison blanche au sommet d'une colline qui dominait le port. Juste à côté de l'église moderne de Stykkishólmur, incroyable édifice, croisement entre une église mexicaine et un vaisseau spatial. Elle avait été en construction tout le temps que Magnús avait vécu ici. C'était une autre sorte de fusée que Hallgrímskirkja à Reykjavík, mais Magnús se demanda s'il ne se cachait pas une sorte de théologie intergalactique derrière l'architecture des églises islandaises.

Bizarre.

Magnús attendit quelques instants devant la maison. Peut-être qu'enfin il allait comprendre pourquoi ses parents s'étaient séparés. Et peut-être aussi pourquoi son père avait été assassiné. Il prit une grande inspiration et sonna à la porte.

Une femme aux cheveux gris et aux yeux bleus lui ouvrit. Elle avait de jolies pommettes et une peau blanche, presque translucide. Magnús avait fait le calcul que comme sa mère, Unnur devait avoir cinquante-huit ans et c'était bien l'âge que Magnús lui aurait donné. Une sorte de beauté gracieuse irradiait d'elle. Magnús ne parvint pas à voir en elle la vague image de la femme dont il se souvenait de son enfance. À l'époque, elle avait dû être renversante. À l'époque où le père de Magnús vivait encore.

— Oui ? s'enquit-elle avec un sourire hésitant.

— Unnur ?

— C'est bien moi.

— Pourrais-je vous parler quelques minutes ? Je m'appelle Magnús Ragnarsson.

Magnús attendit un instant qu'elle enregistre le nom.

— Je suis le fils de Ragnar Jónsson.

Un instant Unnur sembla confuse. Ses lèvres se pincèrent.

— Je ne crois pas, non. Je n'ai aucune envie de vous parler, moi.

— Je voudrais vous parler de mon père.

— Et moi, je ne veux pas. Ça remonte à très longtemps maintenant, et cela ne vous regarde pas.

— Bien sûr que ça me regarde ! Je viens de découvrir votre liaison. Cela explique beaucoup de choses sur mon enfance, ma mère, mon père. Mais il reste encore tant de choses que je ne comprends pas...

La femme hésita.

— Je sais que ce sera pénible pour vous et pour moi. Mais vous êtes la seule à pouvoir m'aider. Je ne parle plus à la famille de ma mère, ou plutôt ce sont eux qui ne me parlent plus.

— Cela ne m'étonne pas, dit-elle dans un profond soupir. Très bien. Mais mon mari ne va pas tarder. Il travaille à l'hôpital. Quand il rentrera, nous changerons de sujet, d'accord ?

— D'accord, acquiesça Magnús.

Unnur le conduisit dans le salon et partit préparer du café. Malgré son hostilité, elle ne pouvait pas déroger à cette règle incontournable de l'hospitalité islandaise. Magnús balaya la pièce du regard. Confortable, elle avait comme tous les salons du pays sa traditionnelle exposition de photos de famille. Sur un mur, une bibliothèque ployait sous les livres en islandais, danois et anglais. À travers une large fenêtre panoramique, les eaux grises de Breidafjördur s'étendaient majestueuses, parsemées de petites îles, et la silhouette des montagnes des fjords de l'Ouest se détachait au loin sur le côté.

Unnur déplaça une pile de cahiers d'exercices du canapé pour laisser un peu de place à Magnús.

— Désolée, j'étais en train de corriger.

Il s'assit.

— Je vous reconnais presque, affirma Unnur. Vos cheveux sont devenus un peu plus foncés, ils étaient roux. Vous deviez avoir sept ou huit ans à l'époque.

— Moi, je ne me souviens pas vraiment de vous. Je regrette de ne pas me rappeler davantage de cette époque de ma vie à Reykjavík.

— Avant que tout n'aille mal ?

Magnús hocha la tête.

— Alors, que voulez-vous que je vous raconte ? demanda-t-elle en versant à Magnús une tasse de café.

Elle avait le visage ferme et sévère, presque provocant.

— Pourriez-vous me parler de ma mère ? Comment était-elle ? J'ai deux images complètement différentes d'elle. Je me souviens de sa chaleur, de son rire et de sa joie de vivre dans notre maison de Reykjavík. Et ensuite, la distance. Avec mon frère, on ne la voyait pas souvent quand on est allés habiter chez mon grand-père. Elle passait la plus grande partie de son temps à Reykjavík. À l'époque je pensais qu'elle était fatiguée, maintenant je me dis qu'elle devait être constamment ivre.

— Elle était drôle, affirma Unnur en souriant. Vraiment on s'amusait bien ensemble. Nous étions dans la même école, ici à Stykkishólmur.

— Moi aussi, je suis allé à l'école ici.

— C'était une bonne école. Et ça l'est toujours. J'y enseigne maintenant, l'anglais et le danois. Bref, nous sommes devenues les meilleures amies du monde à l'âge de treize ans. Margrét était très intelligente. Elle adorait lire, tout comme moi. Et les garçons l'adoraient. Nous avons passé un été ensemble au Danemark pour un séjour linguistique et nous avons fait la fête tout le temps. Là, nous avons décidé que nous voulions vivre à Reykjavík et devenir profs.

Unnur était tout à son histoire.

— Quelle époque ! Nous partagions un appartement au centre-ville et nous nous amusions bien. Nous avons toutes les deux reçu notre diplôme et nous avons commencé à enseigner dans des écoles à Reykjavík. Des écoles différentes. Margrét a rencontré ton père, ils sont tombés amoureux, se sont mariés et j'ai déménagé pour lui laisser la place. On s'entendait très bien, tous les trois. On était bons amis.

Unnur s'interrompit.

— Tu es sûr de vouloir entendre ça ?

— Oui et s'il vous plaît, dites-moi la vérité sans essayer de me ménager. Maintenant que je suis ici, je veux savoir.

— D'accord. C'est à ce moment-là que ta mère s'est mise à boire. Bien sûr, on buvait tous beaucoup, de l'alcool fort, à l'époque il était interdit de vendre de la bière en Islande, et le vin, on ne savait même pas ce que c'était. Mais Margrét s'est mise à boire plus que nous. Je ne savais pas pourquoi. Elle n'avait pas l'air malheureuse, ni dans sa vie en général ni, jusque-là, dans sa relation avec Ragnar.

— Jusque-là ?

— Oui. J'y ai beaucoup repensé depuis et peut-être que je comprends la raison maintenant. Son père était une brute. J'avais peur de lui quand j'étais à l'école. En fait, j'ai toujours eu peur de lui. Et il avait une relation étrange avec Margrét. Il l'adorait, était fou d'elle, mais en même temps il était d'une sévérité incroyable. Il avait une très forte emprise psychologique sur elle. Je suis sûre que c'est pour cela qu'elle avait voulu aller vivre à Reykjavík. Il lui embrouillait le cerveau.

Cela ne surprit pas Magnús.

Unnur prit une gorgée de café.

— Bref, ensuite tu es arrivé et après toi Óli. Ta mère allait en général plutôt bien, mais soudain elle sombrait dans la dépression pour une raison ou une autre, se mettait à boire et donnait du fil à retordre à Ragnar. Il en a vraiment bavé. Et là commence la partie pénible. Ragnar se confiait à moi au sujet de ta mère. Une fois, ils s'étaient violemment disputés à propos de son poste en Amérique. Il avait travaillé au MIT pendant quelques années avant de rencontrer ta mère et ils lui ont demandé de revenir enseigner chez eux. Il faisait des maths assez pointues, de la topologie ou quelque chose comme ça.

— Les surfaces de Riemann.

— Elle avait changé d'avis et ne voulait plus l'accompagner. Ils se sont déchirés. Il est venu boire un verre chez moi après leur bagarre et... hésita-t-elle. Eh bien, il m'avait plu dès le début... J'ai toujours regretté qu'il ait choisi Margrét plutôt que moi. J'avais tort, vraiment. Et lui aussi. Nous n'avons aucune excuse... (Elle regarda Magnús dans les yeux.) Je ne vais surtout pas essayer de prétendre le contraire devant toi.

— Merci d'accepter de m'en parler.

Le cerveau de Magnús était en ébullition, des jugements confus se bousculant contre son père, contre sa mère, contre la femme devant lui. Mais il voulait découvrir la vérité, alors il parvint à les garder en lui pour l'instant.

— Et là, Margrét a commencé à avoir des soupçons. Ton père a pensé que ce serait mieux de se montrer honnête et de tout lui dire. Je ne trouvais pas que c'était une bonne idée, mais il ne m'a pas écoutée, affirma Unnur en remuant la tête. Alors il lui a dit. Cela l'a fait complètement basculer dans l'alcoolisme. Elle a jeté Ragnar de la maison, Ragnar m'a quittée et il est parti aux États-Unis. Tout cela a été affreux.

— J'imagine.

— Margrét ne voulait plus me parler, c'était compréhensible. Je ne l'ai plus jamais revue. Bien sûr, j'ai entendu parler d'elle, de sa dépendance à l'alcool, de ses parents qui sont venus vous chercher Óli et toi. Et ensuite de sa mort.

Magnús serra les dents. Il savait que sa mère avait bu la moitié d'une bouteille de vodka avant de foncer dans un rocher au volant de sa voiture.

— Vous pensez que c'était un suicide ? demanda-t-il, formulant tout haut la question qu'il n'avait eu de cesse de se poser.

— Je crois, oui. Ce n'est que mon avis. Tes grands-parents clament qu'elle ne l'a pas fait intentionnellement. Mais dans Stykkishólmur, le bruit courait qu'elle avait voulu en finir. Personne ne sait vraiment. Quand quelqu'un se soûle à ce point-là, on ne peut pas savoir ce qu'il est capable de faire.

— Non, en effet.

Ils restèrent un instant silencieux.

— Et mon père ? Comment était-il ?

— C'était un homme bien. Gentil, attentionné et très intelligent. Très séduisant.

Soudain, les critiques que Magnús avait tenté de réprimer jaillirent de sa bouche.

— Il ne devait pas être si merveilleux que ça pour baiser avec la meilleure amie de sa femme !

— Non, peut-être pas, acquiesça Unnur, qui se crispait maintenant. Je crois que tu devrais partir. Tu as raison, c'est trop dur pour tous les deux.

— Je suis désolé, s'excusa Magnús, essayant de se contrôler. Mais je pensais que c'était un homme exceptionnel, moi aussi, avant d'apprendre ce qu'il avait fait à maman. Mais je vous suis reconnaissant de m'en parler.

— Ça doit être difficile à supporter pour toi. Et en effet, ce n'est pas ce qu'il a fait de mieux.

— Et vous, qu'avez-vous fait ?

— J'ai rencontré un médecin à Reykjavík. Nous nous sommes mariés, nous avons eu des enfants. On est revenus ici, et il travaille à l'hôpital. Je vais bien. Mieux, même, je suis heureuse.

— Contrairement à mes parents...

— Contrairement à tes parents, oui, confirma Unnur. Ce n'est pas juste, je sais. Je veux dire, c'est moi qui ai causé tous ces problèmes. Je me souviens qu'ils étaient très amoureux, avant que la situation ne pourrisse. Avant que je gâche tout.

Magnús ne dit rien. Qui était-il pour jeter la pierre ? Le sentiment de culpabilité d'Unnur lui semblait toutefois justifié. Il n'allait pas non plus l'absoudre.

— J'ai appris pour Ragnar. On n'a jamais retrouvé qui l'a poignardé ?

— Non, jamais. Ils ont penché pour la thèse d'un inconnu qui serait arrivé en ville, aurait poignardé mon père avant de partir sans laisser de trace.

— J'imagine que c'est le genre de chose qui arrive, aux États-Unis.

— Pas vraiment, contredit Magnús. Je suis inspecteur de la criminelle, maintenant. Et je sais qu'en général, on ne tue pas sans raison. Parfois la raison est stupide, mais il y a toujours une raison.

— Mais pas dans cette affaire.

Tout à coup, les soupçons que Magnús avait nourris depuis qu'il avait appris les infidélités de son père refirent surface. Il ne pouvait ignorer les liens que son cerveau de détective repérait, pas plus qu'il ne pouvait pas lui demander d'arrêter de faire ce qu'on lui avait appris.

Mais contrairement à l'excitation qui le traversait quand les pièces du puzzle trouvaient leur place, il sentit soudain une vague de froid. Sa gorge était sèche et quand il parla, sa voix sembla enrouée.

— Je me demandais...

Unnur remarqua que quelque chose n'allait pas. Elle observa Magnús attentivement.

— Dis-moi.

— Si grand-père aurait pu être responsable d'une façon ou d'une autre...

Unnur fronça les sourcils avant de sourire.

Cela agaça Magnús.

— Qu'y a-t-il de drôle ?

— Impossible. Bien sûr, c'est un méchant vieux bonhomme. Il avait une emprise incroyable sur ta mère. Et il n'aimait pas Ragnar. Mais justement, il était ravi qu'il parte en Amérique et abandonne Margrét ici. En fait, c'est ce qu'il avait voulu depuis le départ.

— Comment ça ?

— En fait, au début, Margrét était enchantée à l'idée de partir au MIT. Elle avait toujours désiré vivre à l'étranger et cela semblait être l'occasion idéale pour tous les deux.

— Alors elle voulait partir avec papa ?

— Tout à fait. Mais quand elle en a parlé à ses parents, ils sont devenus fous, tous les deux. Je ne sais pas exactement pourquoi, ça a pris des proportions démesurées. Hallgrímur a exigé que Margrét reste en Islande, alors qu'elle insistait pour partir avec Ragnar. C'est devenu une partie de bras de fer. Ses parents ont utilisé toutes les armes psychologiques dont ils disposaient. Ils l'ont fait se sentir coupable, ont refusé de lui adresser la parole, ce genre de chose. Ce n'était pas facile de s'opposer à ces gens-là.

— Je m'en souviens.

— Au début, Margrét a réussi à résister. Mais cela la rongeait. Elle s'est mise à boire encore plus. Elle se disputait avec Ragnar et était impossible à raisonner. Au bout du compte, elle a changé d'avis. Elle a dit à Ragnar de partir seul et qu'elle resterait en Islande avec les enfants. Ragnar était furieux. Et c'est là que... enfin... je t'ai raconté. (Unnur s'interrompit une nouvelle fois pour laisser échapper un soupir.) Et donc, quand Margrét l'a appris, ses parents étaient fous de joie. Ils avaient gagné, Ragnar avait perdu, leur fille et leurs petits-enfants restaient en Islande.

— Je vois.

Mais l'idée que son grand-père était responsable de la mort de son père ne quitta pas aussi facilement son esprit.

— Ce n'est pas du tout ce que ma cousine m'a raconté. Selon sa version à elle, c'est l'infidélité de mon père qui a poussé ma mère à boire. Et a entraîné sa mort.

— C'est faux. Comme je te l'ai dit, elle buvait déjà beaucoup depuis plusieurs mois. Je suis sûre que c'est l'histoire que Hallgrímur colporte. Il ne va sûrement pas reconnaître qu'il a provoqué le suicide de sa fille.

— En effet. Mais ne pensez-vous pas qu'après la mort de ma mère et après que mon père nous a emmenés avec lui aux États-Unis, mon grand-père a cherché à se venger ?

— Peut-être. C'est évident qu'il n'aimait pas ton père, mais j'ai l'impression qu'il y a beaucoup de personnes que ton grand-père n'aime pas. Et je ne pense pas qu'il les ait toutes tuées. De toute façon, pourquoi aurait-il attendu ? Ta mère était morte depuis dix ans.

— Huit, corrigea Magnús. Mais vous avez raison, je ne sais pas. Pourtant je l'imagine tout à fait capable d'une chose pareille.

— C'est vrai.

Unnur s'arrêta, et Magnús eut le sentiment qu'elle hésitait à continuer. Il attendit. Elle finit par reprendre la parole.

— Tu savais que le père de Hallgrímur avait tué quelqu'un ?

— Quoi ? Je n'en ai jamais entendu parler !

— Ça ne m'étonne pas. C'était son voisin de Hraun. Jóhannes.

— Comment le savez-vous ?

Unnur se leva pour se tourner vers la bibliothèque. Elle tendit à Magnús un vieux poche. *La Lande et l'Homme* de Benedikt Jóhannesson.

— Qu'est-ce que c'est ?

— Lis le chapitre trois.

Le grondement d'une voiture qui se garait devant la maison les interrompit.

— Tu devrais partir maintenant, c'est mon mari.

Essayant de mettre de l'ordre dans son esprit, Magnús fixa le livre, le regard vide. Un autre meurtre dans sa famille ?

— Magnús ?

— Très bien, j'y vais. Merci pour le café. Et pour votre honnêteté.

— De rien, vraiment. Garde le livre. Et lis le chapitre trois.

16

A lors que Frikki roulait sur la Miklabraut, comme toujours très chargée, son cœur dansait. Avec Magda, ils étaient rentrés de l'aéroport à Reykjavík en bus, en changeant à Breidholt, et avaient passé l'après-midi au lit à faire l'amour. Voyant le beau soleil par la fenêtre, Magda avait suggéré qu'ils aillent à la plage Grótta sur Seltjarnarnes pour marcher et admirer le coucher du soleil. Ils le faisaient souvent après leur service à l'hôtel. Frikki accepta, d'autant que son copain Gunni lui avait prêté sa voiture.

Frikki lança un regard à Magda. Elle rayonnait. Comme d'habitude. Elle avait toujours eu cette incroyable bonté en elle, comme si elle voyait toujours le bon côté des choses. Pour elle, tout était merveilleux, il n'y avait que des gens bien et Frikki était quelqu'un de bien. Aujourd'hui, elle était particulièrement heureuse, c'était évident. Elle avait un peu grossi, elle avait toujours été douce, ronde et enveloppante, et là, elle l'était encore un peu plus. Il s'en fichait. Elle s'était déniché un boulot dans un hôtel à Varsovie, sacré miracle avec tous ces Polonais qui revenaient d'Europe de l'Ouest après y avoir été renvoyés d'un hôtel. Sauf que ce n'était pas un miracle du tout. N'importe quel directeur d'hôtel pouvait constater au premier abord que c'était une fille épatante.

Frikki se sentait déjà un homme meilleur, et il n'était avec elle que depuis quelques heures. Si seulement elle pouvait rester ! Sa force à elle s'imprégnerait en lui. C'était un chef remarquable, bon sang ! Aucun des patrons qu'il avait eus ne pouvait prétendre le contraire et si Magda était à ses côtés, les employeurs lui donneraient une nouvelle chance de faire ses preuves. Mais elle ne restait qu'une semaine. Il se promit d'en savourer chaque seconde.

Magda sourit en s'apercevant qu'il la regardait et elle posa la main sur la cuisse de Frikki alors qu'il conduisait.

— Tu te souviens de cette boulangerie à Seltjarnarnes ? Celle qui vendait ces délicieuses tartes à la fraise ?

— Ouais.

— On peut s'y arrêter en chemin ? On devrait y être avant la fermeture.

Encore une fois, Frikki accepta. Dix minutes plus tard, il s'arrêta sur Norduströnd et ils entrèrent tous les deux dans la boutique accueillante. Magda poussa un petit cri de joie en voyant les deux tartelettes à la fraise qui leur restaient et Frikki demanda à la dame derrière le comptoir combien elles coûtaient.

Il se figea. Et la femme aussi.

— Bonjour, dit-elle.

— Bonjour, répondit Frikki.

— Vous vous souvenez de moi ?

— Oui.

La femme souriait nerveusement.

— Comment allez-vous ?

— Très bien. Je n'ai toujours pas trouvé de travail.

— Moi si, comme vous pouvez le voir. Mais ça m'a pris un moment. Vous avez revu certains de nos amis ?

— Non, répondit Frikki. Et vous ?

— Je vois Björn de temps en temps. On est venu me poser des questions récemment.

— La police ? demanda Frikki à voix basse, après avoir jeté un petit regard vers Magda qui semblait occupée avec les gâteaux.

— Oui. Ne vous en faites pas, je ne leur ai rien dit. Ils ne savent rien sur vous, n'est-ce pas ?

— Non, je ne crois pas. Je ne leur ai jamais parlé.

— Parfait, déclara la femme en souriant. Espérons que ça reste comme ça. Ça fera quatre cent cinquante couronnes.

— Ravi de vous avoir revue, affirma Frikki en lui tendant l'argent.

— Moi aussi.

— C'était qui ? demanda Magda alors qu'ils quittaient la boulangerie.

Frikki et elle avaient parlé un mélange d'anglais et d'islandais et Magda comprenait assez bien l'islandais.

— Vous autres, Islandais, vous ne faites jamais les présentations.

— Désolé. C'est une femme que j'ai rencontrée au cours des manifestations de janvier dernier. Je ne l'avais pas revue depuis. Elle s'appelle Harpa.

— Pourquoi parliez-vous de la police ?

— Pour rien.

— Comment ça « rien » ? J'ai bien vu qu'il y avait quelque chose.

Frikki hésita. Une dizaine d'histoires différentes se bousculèrent dans son esprit, mais il ne voulait pas mentir à Magda. Cependant il ne pouvait pas non plus lui dire la vérité.

— Il y a eu quelques embrouilles pendant une manif. La police a posé des questions.

— Quel genre de question ?

— Je ne veux pas parler de ça, Magda.

— D'accord, lâcha cette dernière avec un haussement d'épaules, visiblement mécontente.

Ils montèrent dans la voiture.

— Allons-y. Je vais essayer de réserver cette tarte pour quand on sera sur la plage.

En rentrant à Reykjavík, Magnús eut tout le temps de repenser à ce qu'Unnur lui avait dit. Elle l'avait convaincu que son grand-père avait été ravi que Ragnar ait une maîtresse. Pourtant, il était certain qu'il détestait profondément son gendre, assez pour le tuer ?

Hallgrímur devait avoir dans les soixante ans quand Ragnar s'était fait poignarder à Duxbury. Magnús savait qu'il s'occupait encore activement de sa ferme à cet âge, et il aurait été largement assez fort pour tuer Ragnar. Surtout pour lui mettre un coup de couteau dans le dos. Le rapport du médecin légiste était gravé dans le cerveau de Magnús. Le premier coup avait été sans doute donné dans le dos, puis Ragnar avait été achevé avec deux coups dans la poitrine. Cela, d'une part, et le manque de signe d'effraction, d'autre part, prouvaient que Ragnar ne s'était pas senti menacé par l'homme qui l'avait abordé. Et cela supposait également que le meurtrier n'avait pas eu besoin d'être particulièrement grand et fort.

Poignardé dans le dos. Oui, Magnús imaginait bien Hallgrímur poignarder quelqu'un dans le dos.

Mais Hallgrímur était-il aux États-Unis à cette date ? Magnús n'avait jamais vérifié ce détail. Son grand-père semblait incrusté dans Bjarnarhöfn comme s'il faisait partie de la terre. Magnús l'imaginait à peine se rendre à Reykjavík, alors faire le voyage jusqu'à Boston... Quand il était lui-même venu en Islande après la mort de son père, personne ne lui avait dit que son grand-père était parti aux États-Unis. Il faudrait qu'il vérifie cela sur les listes d'embarquement. Depuis 2001, il était sûr que les douanes américaines avaient gardé une trace de toutes les personnes qui avaient foulé leur sol. Mais Ragnar avait été tué en 1996.

Il devait exister un moyen de le découvrir.

Cependant tout ceci ne sonnait pas tout à fait juste. Magnús savait bien que Hallgrímur était un homme cruel et belliqueux. Voilà pourquoi il imaginait bien le plaisir du vieil homme quand il avait découvert la liaison de son gendre avec une autre femme, même si cela devait faire souffrir sa fille. Il se souvenait des disputes légendaires entre les deux hommes quand Ragnar était venu récupérer ses garçons. Dans le feu de l'action, Magnús aurait bien pu imaginer Hallgrímur poignarder son père.

Mais huit années plus tard ? Cela ne sonnait pas juste.

La clé serait de découvrir si Hallgrímur se trouvait aux États-Unis à ce moment-là. Si c'était le cas, le doute ne serait plus permis.

Magnús avait toutefois le sentiment qu'il se dirigeait encore droit vers une impasse. Une impasse avec son grand-père au bout.

Son humeur s'améliora alors qu'il roulait vers le sud. Le soleil se couchait désormais, irradiant l'immensité grise de l'océan. Les montagnes rayonnaient. Alors qu'il sortait du tunnel sous Hvalfjördur, avec le mont Esja qui le dominait, son téléphone sonna.

— Magnús ?

— Oui ?

— C'est Sharon Piper.

Magnús sentit l'excitation dans sa voix.

— Bonjour Sharon, bien rentrée ?

— Je suis allée directement au commissariat. J'ai relu les notes des interrogatoires. Vous vous souvenez, Óskar avait une petite amie vénézuélienne, Claudia Pamplona-Rodríguez ?

— Oui.

— Quand elle a été interrogée, elle a parlé d'une femme qui est venue chez lui dans sa maison de Kensington une fois, pendant l'été. En juillet, d'après ce qu'elle se rappelle. Une Islandaise. Elle voulait parler à Óskar seul à seul, alors ils sont allés dans le salon et ils ont fermé la porte. Ça n'a pris qu'un quart d'heure, ensuite la femme est sortie fâchée. Óskar ne semblait pas très ému.

— Laissez-moi deviner. Elle était grande, mince, avec des cheveux noirs bouclés ?

— Bien vu. La trentaine. Assez séduisante. Enfin, suffisamment pour susciter la jalousie de Claudia.

— Vous n'avez pas de photo de Harpa sur vous, n'est-ce pas ?

— Non, mais si vous m'en envoyez une, je pourrai demander à Claudia de l'identifier.

17

Harpa semblait nerveuse en prenant place dans la salle d'interrogatoire. D'une main, elle enroulait et déroulait ses boucles brunes.

Magnús avait appelé Vigdís, toujours en service, pour lui demander d'emmener Harpa au poste et de prendre une photo d'elle. Une copie avait déjà été envoyée par mail à Piper, à Londres.

Magnús et Vigdís avaient préparé ensemble leur interrogatoire.

— Bonjour Harpa, merci d'être venue, salua Magnús. On vous a offert du café ?

Harpa secoua la tête.

— Vous en voudriez un ?

— Non merci, refusa Harpa en regardant les deux inspecteurs, perplexe. Pourquoi suis-je ici ?

— Nous avons une ou deux autres questions à vous poser. On découvre des détails au cours d'une enquête et pour les vérifier, on doit de nouveau interroger les témoins. Désolé, mais c'est comme ça que ça marche.

— D'accord, qu'est-ce que vous voulez savoir ? s'enquit Harpa, se détendant légèrement.

— Avez-vous pris l'avion ces derniers mois pour partir à l'étranger ?

Harpa ne répondit pas tout de suite. À cet instant, Magnús sut qu'elle était bien la femme que Claudia avait vue. Magnús et Vigdís attendirent la réponse.

— Oui, je suis allée à Londres en juillet. Pour quelques jours seulement.

— Je vois. Et qu'est-ce que vous y avez fait ?

— Oh, vous savez, du shopping...

— Du shopping ? répéta Magnús, les sourcils levés. Il y a un an, j'aurais compris. Mais maintenant ? Tout est si cher à l'étranger, non ? Et vous ne devez pas avoir tant d'argent, sinon, vous ne travailleriez pas dans une boulangerie. En fait, le voyage vous a coûté combien de semaines de salaire ?

— C'est vrai, c'est cher, acquiesça Harpa. Mais j'avais besoin de prendre un peu de vacances.

— J'imagine, ponctua Magnús.

— Qu'avez-vous acheté ? demanda Vigdís.

— Oh, rien, finalement, répondit Harpa, essayant de paraître calme. Vous avez raison. Je me suis vraiment rendu compte du prix des choses une fois dans les magasins.

— Vous avez rendu visite à des amis ? s'enquit Magnús.

— Euh, non...

— Donc vous n'avez rencontré aucun autre Islandais ?

Harpa regarda tour à tour les deux inspecteurs. Magnús vit qu'elle avait compris le piège. Elle ne savait pas ce qu'ils savaient. Ni jusqu'où elle devrait se confier pour éviter de se faire coincer.

— J'ai rencontré un ami islandais, en effet, admit-elle, prudente.

— Qui ça ?

— Óskar. Óskar Gunnarsson.

— Ah oui, ponctua Magnús, sans rappeler, encore, qu'elle avait oublié de le mentionner lors de leur précédent interrogatoire. Et de quoi avez-vous parlé ?

— Oh, eh bien, je ne m'en souviens plus. Je me sentais un peu seule à Londres et je voulais voir une vieille connaissance...

— Combien de temps avez-vous passé ensemble ?

— Vingt minutes. Une demi-heure. Il était occupé, il devait aller quelque part.

Elle avait dû comprendre que Claudia avait parlé.

— Combien d'argent lui avez-vous réclamé ? demanda Magnús en se penchant vers elle.

— Quoi ? Je, euh... je ne lui ai pas demandé d'argent.

— Bien sûr que si, Harpa. Combien ? Un million de couronnes ? Dix millions ? Peut-être une petite somme tous les mois ?

— Je ne sais pas de quoi vous parlez. Pourquoi lui aurais-je réclamé de l'argent ?

— Pour votre fils, Harpa. Qui est aussi le sien.

— Non, non, ce n'est pas vrai, protesta Harpa en haussant le ton. Il n'a jamais su que Markús était son fils. Il ne l'a jamais su, je vous l'ai déjà dit.

— Mais vous nous avez dit beaucoup de choses, Harpa. Et franchement je n'en crois pas la moitié. Alors, combien lui avez-vous demandé ?

— Suis-je en état d'arrestation ? demanda Harpa, sa respiration plus rapide désormais.

— Pas encore. Mais je peux arranger ça.

— Je ne vous dirai plus rien sans la présence de mon avocat. J'ai le droit de parler à un avocat, n'est-ce pas ?

— En effet, confirma Vigdís, hochant la tête en direction du magnétophone.

Magnús comprit. Tout devait être fait dans les règles, s'ils voulaient que les pièces à conviction soient recevables par une cour. Les règles n'étaient pas tout à fait les mêmes que celles qu'il connaissait.

— Vous en connaissez un ou voudriez-vous qu'on vous en commette un d'office ?

— Euh, j'ai une amie avocate. Puis-je l'appeler ?

— Attendez un instant.

Vigdís éteignit le magnéto et indiqua à Magnús qu'ils devaient quitter la pièce.

— Alors on la laisse prendre un avocat, c'est ça ? demanda Magnús, une fois dehors.

— On voit d'abord avec Baldur.

— Mais tu sais bien ce qu'il va dire, protesta Magnús en poussant un soupir de frustration. Qu'on la relâche.

— En fait, je n'en sais rien. Ce que je sais, en revanche, c'est que si l'on poursuit cet interrogatoire sans lui en parler, il va piquer une sacrée crise.

— Et alors, qu'il pique sa crise ! s'exclama Magnús, parvenant avec difficulté à garder sa voix basse. Quelqu'un doit bien résoudre cette affaire, et si ce n'est pas nous, personne ne le fera.

— Magnús, interpella Vigdís en le regardant droit dans les yeux.

— D'accord, acquiesça Magnús, au comble de la frustration maintenant, tu as raison, allons lui parler.

Baldur était dans son bureau. Il écouta attentivement le rapport de ses deux inspecteurs. C'était un bon policier, il comprit tout de suite ce qui se tramait.

— Comment Sharon savait-elle l'importance de la jeune Islandaise bouclée qui a rendu visite à Óskar ?

Magnús aurait pu essayer d'embrouiller son chef, mais ce n'était pas une bonne stratégie à long terme.

— Je lui avais parlé de Harpa. En fait, Sharon était avec moi quand Harpa a reconnu qu'Óskar était le père de son fils.

— Je vous avais pourtant clairement demandé de laisser Harpa en dehors de tout ça ! gronda Baldur.

— Je sais. Je lui ai demandé de le garder pour elle. Et Sharon ne l'a pas mentionné à ses supérieurs. Mais elle devait être au courant, juste au cas où elle découvrirait un lien de son côté. Et c'est ce qui s'est passé.

Baldur passa une main sur son avant-bras nu, où autrefois des poils avaient poussé.

— D'accord, d'accord, je comprends vos arguments. Mais nous savons que ce n'est pas Harpa qui a tué Óskar, n'est-ce pas ? Elle était en Islande au moment du meurtre, non ?

— Oui, on dirait bien. Sa patronne nous a affirmé qu'elle s'est présentée très tôt à son travail le lendemain matin. Nous pouvons vérifier son alibi avec plus de soin, mais je pense qu'il tient la route.

— Et son petit ami ?

— Nous ne savons pas où il est. J'ai essayé de le rencontrer aujourd'hui à Grundarfjördur, mais il était en mer quelque part.

— Je ne savais pas que vous travailliez aujourd'hui, commenta Baldur.

Magnús haussa les épaules.

— Bien. Il va falloir qu'on l'interroge, conclut Baldur.

— Et Harpa, qu'est-ce qu'on fait d'elle ? demanda Vigdís.

— Laissez-la parler à son avocate. Et ensuite interrogez-la au sujet d'Óskar, mais seulement d'Óskar. Je ne veux pas que vous fassiez de lien avec le suicide de Gabríel Örn, c'est bien compris ?

— Et si le lien existe ? demanda Magnús.

— Il n'y en a pas ! Aucune preuve ne l'atteste. Et je ne veux pas que vous alliez m'en inventer un.

— Mais l'avocate lui dira de ne rien dire...

— Sans doute. Dans ce cas, laissez-la partir.

Installés sur un rocher à Grótta, Frikki et Magda admiraient le coucher du soleil. Malgré le vent qui venait de se lever, la mer était calme et tranquille, léchant doucement le sable noir. Des canards se baignaient non loin, alors que des petits oiseaux gris et blancs s'accordaient avec les vagues pour trottiner gentiment sur la plage.

Le soleil, une balle d'un jaune laiteux, se dirigeait vers l'horizon devant eux. Couche après couche, des nuages crémeux réfléchissaient leur lumière en orange et en or. Au loin, dans la mer, il n'y avait rien. Juste l'Atlantique.

Frikki et Magda avaient parlé tout le long de leur promenade, et c'est surtout Frikki qui avait alimenté la conversation. Étrange : avant qu'elle ne vienne, il s'était promis de lui cacher l'ennui et la tristesse de sa vie, sa difficulté à se lever le matin, le fait que toute sa semaine était consacrée à attendre avec impatience de se cuiter le week-end. Mais en fait, il lui raconta et elle l'écouta.

Bien sûr, il ne lui parla pas de tout. Rien sur les drogues ni sur les petits vols.

À présent, ils étaient assis en silence à regarder la mer accueillir le soleil.

— Je sais que tu l'as volé, ce portable, lança Magda.

— Quoi ? s'écria Frikki qu'elle venait de sortir de sa rêverie. Je l'ai racheté à Gunni ! Pas cher, je te l'ai déjà dit.

Magda le regarda intensément sans le juger.

— Honnêtement, assura-t-il.

— D'accord, abandonna-t-elle, en tournant la tête vers l'immensité devant elle.

Le soleil descendait de plus en plus bas.

— Tu as raison, admit enfin Frikki. Je l'ai volé. Un abruti l'avait laissé sur le siège de sa voiture. Le mien était pété et j'avais besoin d'un ordinateur... Il fallait que je puisse te parler, tu comprends ?

— Je comprends, assura Magda.

Elle n'ajouta pas : « Mais tout de même, c'est mal. » Ce n'était pas la peine.

— Je suis désolé, s'excusa Frikki. Tu peux me pardonner ?

— Bien sûr, je te pardonne. Mais ce que je veux surtout, c'est t'aider.

— Comment ça ?

Magda lui prit la main.

— Je t'aime, Frikki. Je suis sûre que cette année a été très difficile pour toi. Tu essayes de le cacher, mais je vois bien que tu te laisses aller. Que tu fais des choses que tu ne devrais pas.

— Tu as raison, avoua Frikki en serrant la main de sa bien-aimée.

Il sortit une cigarette de son paquet et l'alluma. Magda ne fumait pas.

— Pourquoi la police voulait te voir ?

— Je ne te le dirai pas.

— C'était à propos d'un vol ?

Frikki ne répondit pas. Magda retira sa main. Ils restèrent assis en silence.

— C'est pire que ça... Bien pire...

— Raconte-moi...

Frikki prit une profonde inspiration. Et il lui dit tout.

Magnús alla chez Ingileif ce soir-là. Toute la journée, elle avait travaillé dans sa galerie d'art. Elle prépara le dîner et l'interrogea sur l'affaire. Il lui raconta qu'il n'avait pas trouvé Björn à Grundarfjördur et lui parla du voyage de Harpa à Londres pour voir Óskar. Pas un mot sur Unnur.

Après le dîner, il appela Sharon Piper à Londres pour lui rapporter l'interrogatoire de Harpa. Comme il s'y était attendu, Harpa n'avait plus rien dit une fois que son avocate était arrivée et il l'avait laissée partir conformément aux instructions de Baldur. Magnús parla également à Sharon d'Ísak, l'étudiant en économie à Londres qui s'était disputé avec Harpa la nuit de la mort de Gabríel Örn. Sharon accepta d'aller l'interroger.

Quand il eut fini sa conversation téléphonique, Ingileif prit son violoncelle. C'était une excellente virtuose qui pratiquait un peu tous les jours. Magnús aimait l'écouter, ou lire pendant qu'elle jouait. Elle commença par l'un de ses morceaux préférés, une sonate de Brahms. Magnús savait que lorsqu'il entendrait cet air à l'avenir, il penserait toujours à Ingileif.

Ils semblaient former le parfait couple traditionnel. Et pourtant il restait encore beaucoup de choses que Magnús ne comprenait pas chez Ingileif. Ils n'étaient pas « en couple » dans le sens américain du terme. Ingileif venait et partait selon son bon vouloir, s'arrangeait comme elle le voulait. Magnús ne savait pas exactement quel rôle il jouait dans sa vie. Fallait-il qu'ils passent du temps ensemble le week-end ? Devrait-il lui demander ses projets ? Mais quels étaient vraiment ses projets ?

Parfois Magnús se demandait si elle voyait d'autres hommes. Il lui avait posé la question une fois, et elle avait dit que non, se fâchant contre lui pour l'avoir soupçonnée. Mais il avait tout de même des doutes. Peut-être parce qu'il était flic, toujours sur le qui-vive.

Il chassa ses pensées négatives de son esprit et ouvrit le livre qu'Unnur lui avait donné, *La Lande et l'Homme*. Il décida de commencer par les chapitres un et deux, avant de se lancer dans le trois.

Il s'agissait d'une famille récemment arrivée à Reykjavík en 1944. La guerre, avec l'occupation britannique et américaine de l'Islande avait enrichi le pays. L'homme du titre était un jeune fermier du nom d'Árnor, d'une région non spécifiée dans la campagne, et qui avait emménagé à Reykjavík pour trouver du travail. Le roman était bien écrit et l'histoire avait capté l'attention de Magnús alors qu'il entamait le chapitre trois, un flash-back sur l'enfance d'Árnor.

C'était le printemps, Árnor et son meilleur ami, Jói, d'une ferme voisine, s'étaient glissés dans la grange pour jouer dans le foin, ce qui leur était formellement interdit. Ils entendirent des froissements et des grognements. D'abord, ils imaginèrent qu'un gros animal avait trouvé refuge là, ou peut-être un clochard. En s'approchant de la source du bruit, ils reconnurent qu'il venait de leurs parents. Le père d'Árnor faisait l'amour à la mère de Jói, la femme du fermier, juste là dans le foin.

Les deux garçons s'enfuirent sans se faire voir.

Un mois plus tard, ils jouaient au bord d'un lac isolé, assez loin de la ferme. Ils étaient en train de rentrer chez eux quand Árnor se rendit compte qu'il avait oublié son couteau et repartit vers le lac. Il vit le père de Jói, le fermier, s'éloigner à la rame, un énorme sac à l'avant de la barque. Arrivé au milieu du lac, il s'arrêta, et remonta les rames. Avec beaucoup d'effort et force jurons, il tira le sac pour le jeter à l'eau.

Árnor retourna chez lui. Son père devait rentrer tard d'un voyage dans la ville la plus proche. Quand sa mère ne le vit pas revenir, elle donna l'alerte. On ne revit plus jamais le père d'Árnor. Selon certaines théories, il était parti en Amérique, mais si c'était le cas, il n'avait jamais donné aucun signe de vie. Et Árnor ne raconta jamais à personne ce qu'il avait vu.

Magnús referma le livre.

— Bon sang ! s'exclama-t-il.

Unnur affirmait que le père de Hallgrímur avait tué celui de Benedikt, Jóhannes, le fermier de Hraun. Si ce chapitre relatait cet épisode, cela signifiait que Hallgrímur et Benedikt étaient les deux petits garçons et que le corps de Jóhannes reposait au fond du lac : le lac Swine, ou peut-être Hraunsfjardarvatn, un peu plus loin.

Magnús n'avait jamais entendu parler d'un voisin assassiné, ou même disparu. Mais si cela s'était produit quand son grand-père était enfant, il s'agissait des années trente. Il ne connaissait pas non plus l'existence d'un écrivain qui vivait là, en tout cas, il n'avait certainement pas habité dans la région pendant les quatre années où Magnús était resté chez ses grands-parents.

Ingileif s'arrêta de jouer. Elle avait remarqué le choc sur le visage de Magnús.

— Qu'est-ce que tu lis ?

Magnús lui montra la couverture de son livre.

— Oh, je l'ai lu. Ce n'est pas mal. J'aime beaucoup cet auteur.

— Je n'avais jamais rien lu de lui avant.

— Il est vraiment bon. Un peu à la Steinbeck, mais pas aussi doué. J'ai lu la plupart de ses livres, je pense. Pourquoi cet intérêt soudain ? Et pourquoi le « Bon sang ! » ?

Magnús raconta à Ingileif sa visite chez Unnur. Il se sentit un peu coupable de ne pas lui en avoir parlé plus tôt dans la soirée, mais elle ne s'en offusqua pas et ne s'attarda pas sur ce qu'Unnur avait dit à Magnús de sa liaison avec son père. Magnús lui en fut reconnaissant.

— Je me souviens de ce chapitre, affirma Ingileif. Alors cette femme pense que c'est ton arrière-grand-père qui a tué le père de Benedikt ?

— Oui. Il s'appelait Gunnur.

— Tu te souviens de lui ? Il vivait encore quand tu étais à Bjarnarhöfn ?

— Non, il était mort depuis longtemps. Je ne sais pas grand-chose de lui. Hormis comment il est mort.

— Comment ?

— Tu connais Búland's Head ?

— Dans la péninsule de Snaefells, non ? Je n'y suis jamais allée.

— Oui, c'est bien là. Ce n'est pas très loin de la ferme de mon grand-père. C'est l'un de ces lieux qu'on retrouve dans toutes les légendes. La route de Grundarfjördur vers Ólafsvík passe par là. À l'époque, elle était très étroite, et maintenant encore, elle est assez effrayante. Enfin, dans les années quatre-vingt, elle l'était. Apparemment mon arrière-grand-père a glissé et est tombé avec son cheval.

— Mais personne ne t'a jamais dit qu'on le soupçonnait d'avoir tué quelqu'un ?

— Non. Mais mes grands-parents ne me l'auraient jamais raconté. Comme tu le sais, j'ai vécu avec mon père à partir de mes douze ans et il ne m'a jamais parlé de la famille de ma mère. Tu sais quelque chose sur ce gars, Benedikt Jóhannesson ?

— Un peu. Il écrivait pendant les années soixante et soixante-dix. Je pense que cela devait être un de ses derniers livres.

— Copyright 1985, lut Magnús en feuilletant les premières pages.

— Voilà. En fait, il est mort cette année-là. Je crois qu'il a été assassiné. En fait, j'en suis sûre. Attends, on va regarder sur Google.

Ingileif attrapa son portable et après quelques secondes, ils lisaient la page Wikipédia sur Benedikt Jóhannesson.

Né en 1926, mort en 1985. Il est né et a grandi dans une ferme de la péninsule de Snaefells. Il a étudié l'islandais à l'université et a vécu à Reykjavík. Il a publié une douzaine de romans, le dernier étant *La Lande et l'Homme*, ainsi que plusieurs nouvelles.

— Elles sont assez bonnes. Je pense que je les préfère aux romans, même si elles sont moins connues.

Ils continuèrent leur lecture.

— Regarde ça ! s'exclama Ingileif, en montrant la partie intitulée « Mort ».

Magnús sauta les quelques lignes qui lui restaient jusque-là et ouvrit de grands yeux.

En 1985, Benedikt Jóhanneson avait été retrouvé assassiné dans sa maison de Reykjavík. Le meurtre n'avait jamais été résolu, mais la police pencha pour un cambriolage.

— Voilà pour toi, monsieur l'inspecteur. Un nouveau mystère à creuser !

18

Août 1942

H ildur avait mal au dos en soulevant les bottes de foin. Son frère, Benedikt, était à vingt mètres d'elle, tondant l'herbe luxuriante à ras avec sa faux, en des mouvements réguliers. Hildur leva les yeux vers les montagnes de Bjarnarhöfn. Un nuage noir menaçait l'autre flanc de la montagne. Ils n'avaient moissonné que la moitié du champ et le temps pressait s'ils voulaient finir avant l'hiver. Couper le foin était le plus facile. Le problème c'était de le sécher et de le garder sec. Une rangée de meulons de foin prouvait ses efforts jusque-là.

Elle vit une silhouette sur un cheval qui avançait le long de la Berserkjagata, à travers le champ de lave. Hallgrímur. Il avait dix-sept ans et même s'il n'était pas grand, il devenait de plus en plus carré. Certaines des filles de la région le trouvaient même séduisant, alors qu'il dégoûtait Hildur. Elle fut surprise de le voir s'arrêter en passant à côté de son frère. D'ordinaire, ces deux-là s'ignoraient.

— Bonjour Benni.

Benedikt s'interrompit dans son labeur et se redressa.

— Bonjour Halli.

— Pourquoi vous embêter à rapporter le foin à l'intérieur ? Je croyais que vous aviez vendu la ferme ?

— Il faudra bien que le nouveau propriétaire nourrisse son bétail, cet hiver.

— Hmm. Il vient de Laxárdalur, non ? Il ne peut pas apporter son propre foin ?

Benedikt haussa les épaules en entendant la stupidité de cette remarque et fit mine de se remettre à l'œuvre.

— J'ai su que ta mère avait racheté le magasin de vêtements en ville, enchaîna Hallgrímur.

— En effet.

— Alors tu vas vendre des sous-vêtements pour femmes ?

— Je pars étudier à Reykjavík. À la Menntaskóli.

— Quelle perte de temps ! Mais je suppose que ta mère n'aura plus besoin de toi, une fois la ferme vendue.

— C'est vrai.

— Eh bien, quand tu seras à Reykjavík, souviens-toi de ce que je t'ai dit.

Il jeta un œil vers Hildur qui détourna le regard.

— Dans l'église quand nous étions enfants. Tu te rappelles ?

— Oui. Je m'en souviens très bien.

— Et tu tiendras ta promesse ?

— Je tiens toujours mes promesses.

— Très bien, conclut Hallgrímur en donnant un petit coup de pied à son cheval.

— Oh, Halli, le rappela Benedikt.

— Oui ?

— Et tu te souviens de ce que moi, je t'ai dit ?

— Non, je ne m'en souviens pas, répondit Hallgrímur, les sourcils froncés.

Benedikt sourit et retourna à sa faux.

Hallgrímur hésita un instant, mais ordonna finalement à son cheval de repartir. Hildur s'approcha de son frère.

— Il s'agissait de quoi ?

— De rien.

— Ça concerne papa ?

— Hildur, vraiment, il vaut mieux que tu ne saches pas.

Hildur voulait qu'il le lui dise, mais elle savait qu'il ne servait à rien d'insister avec son frère. Il savait se montrer plus têtu qu'un mulet.

— Je suis contente à l'idée que ce garçon ne sera plus notre voisin, déclara la jeune fille.

— Moi aussi, répliqua Benedikt. Moi aussi.

Dimanche 20 septembre 2009

Magnús posa sa tasse de café sur la table de chevet à quelques centimètres de la tête d'Ingileif et grimpa dans le lit à côté d'elle. Tout en sirotant le liquide chaud, il observa son dos. Ses cheveux blonds s'étalaient sur l'oreiller et ses épaules montaient et descendaient suivant le rythme de sa lente respiration. Un nuage de grains de beauté se rassemblait sur une omoplate pour former un croissant. Il ne l'avait jamais remarqué avant. Il éprouva l'envie impérieuse de glisser la main le long de sa colonne vertébrale, mais il ne voulut pas la déranger.

Il sourit. Il avait de la chance de se réveiller à côté de quelqu'un comme elle.

Comme si elle avait senti les yeux de Magnús sur elle, Ingileif s'étira dans un grognement et se retourna, encore assoupie.

— Quelle heure est-il ?

— Un peu plus de 9 heures.

— C'est tôt pour un dimanche, non ?

— Il faut que j'y aille. Je dois retourner à Grundarfjördur.

Ingileif s'assit, son dos contre l'oreiller, et elle but une gorgée de café.

— Encore ?

— Maintenant que nous savons que Harpa est allée rendre visite à Óskar à Londres cet été, il est encore plus important d'interroger son petit ami. S'il y est. Je vais appeler la police de là-bas pour m'en assurer avant de partir.

— Je peux venir ? On pourrait aller se balader après. Comme ça, je verrai Bjarnarhöfn, même de loin. Ou alors on pourrait retourner parler à Unnur au sujet de Benedikt Jóhannesson. Si tu es d'accord, bien sûr.

— Je ne sais pas...

— Allez ! Tu m'as aidée au printemps dernier quand j'essayais de surmonter ce que j'avais appris sur la mort de mon père. Je voudrais faire la même chose pour toi.

L'idée de remettre les pieds dans ce lieu de son enfance qui lui rappelait tant de souffrance ne l'enchantait guère. Ingileif avait peut-être raison, ce serait plus supportable si elle l'accompagnait.

— Tu dois me promettre que tu me laisseras tranquille pendant que j'interrogerai Björn.

— Promis.

— D'accord, dit Magnús en souriant. Laisse-moi appeler la police de Grundarfjördur et ensuite on y va.

Le soleil brillait dans le ciel bleu pâle alors qu'ils roulaient vers le nord. Ingileif mit une symphonie de Beethoven dans le lecteur CD. Excellente musique pour traverser la campagne islandaise, selon elle. Elle n'avait pas tort. Magnús ne s'y connaissait pas trop en musique classique, mais Ingileif était bon guide.

Páll, l'officier de police de Grundarfjördur, avait confirmé que même s'il n'y avait pas de lumière dans la maison, la moto de Björn était garée devant, ainsi que son pick-up. Magnús demanda au policier de garder un œil discret jusqu'à leur arrivée. Si Björn quittait la maison, Magnús voulait savoir où il se rendait.

Alors qu'ils descendaient le côté nord du col de la montagne, vers Breidafjördur, Magnús indiqua à Ingileif Berserkjahraun et Bjarnarhöfn.

— C'est la petite église, là-bas, à côté de la mer ? demanda Ingileif.

— Oui. Elle est minuscule. Pas plus grande qu'une cabane.

— Charmante. Et pourquoi s'appelle-t-elle Bjarnarhöfn ?

— Elle tient son nom de Björn, l'Homme de l'Est. Le fils de Ketil Nez-Plat et le premier colon dans cette région.

— Je m'en souviens. Mais ça fait très longtemps que j'ai lu *La Saga du peuple d'Eyri*.

Ingileif avait étudié la littérature islandaise à l'université et elle connaissait les sagas presque aussi bien que Magnús.

— Et c'est ici que les Vikings suédois leur ont barré la route ?

— Oui. Tu peux encore voir le cairn sous lequel ils ont été enterrés.

— Super. On s'y arrêtera en rentrant ?

— Peut-être.

Ingileif perçut le bémol dans sa voix.

— Ton grand-père habite toujours dans la ferme ?

— Oui. C'est mon oncle, Kolbeinn, qui travaille la terre maintenant. Mais ma cousine m'a dit que mon grand-père habitait toujours là-bas avec ma grand-mère.

— Et tu ne veux pas tomber sur lui ?

— Non, certainement pas.

Ils continuèrent jusqu'à Grundarfjördur. Magnús s'arrêta sur la côte du fjord abrité pour appeler Páll. Le soleil scintillait sur les eaux grises et calmes du fjord.

Páll répondit après une sonnerie. Apparemment, Björn avait pris sa camionnette jusqu'au port et travaillait désormais sur un bateau. Magnús traversa la ville et se gara devant le commissariat, à quelques mètres à peine du port. Páll l'attendait, en uniforme.

Magnús présenta Ingileif.

— Je vais aller me balader en ville, annonça-t-elle. Appelle-moi quand tu auras terminé.

Magnús se réjouissait d'avoir l'officier avec lui. Il errait encore dans le flou légal le plus total, n'ayant pas validé son stage à l'académie de police, et il voulait que Páll prenne des notes. Si Björn leur fournissait de sérieuses pièces à conviction, il préférait s'assurer qu'un avocat de la défense ne les remettrait pas en cause.

Páll accepta de bon cœur.

Plusieurs bateaux de tailles différentes occupaient le port. Pour une petite ville, l'industrie piscicole était très importante : plusieurs grands bâtiments pour stocker et laver le poisson, un marché, des entrepôts, et plusieurs palettes vides gardées par des camions.

Le tout dominé par la tour de pierre qu'était Kirkjufell. En Islande, il était difficile d'attribuer comme origine de ce genre de paysage de simples mouvements géologiques. Les montagnes islandaises avaient une personnalité et des objectifs. Cette montagne-église éclipsait complètement le bâtiment blanc avec une croix au sommet de la colline en haut de la ville. C'était comme si elle voulait non seulement protéger les habitants de la ville physiquement, mais en plus leur apporter un soutien spirituel.

Páll conduisit Magnús vers un bateau de pêche attaché au quai, le *Bolli*.

— Bonjour, Siggi ! lança-t-il. Je peux monter ?

Deux hommes dans des pulls épais sortirent leur tête de la cabine. L'un d'eux avait le crâne dégarni, une bonne quarantaine d'années et une bedaine proéminente, l'autre était mince et n'avait pas beaucoup plus de trente ans.

Björn, certainement.

Páll salua le plus vieux et demanda à parler à Björn en privé. Le jeune homme descendit du bateau et rejoignit Magnús sur le quai.

— Nouveau système de navigation, expliqua Björn. J'aidais Siggi à l'installer, mais il s'arrête tout le temps. Je vous jure, de nos jours, il faut s'y connaître autant en ordinateurs qu'en moteurs pour piloter un bateau !

Ils s'assirent sur un muret, non loin de l'embarcation, le capitaine les dévisageant, curieux, depuis sa cabine. Une ou deux mouettes atterrirent sur le quai, à quelques mètres d'eux, espérant recevoir des miettes.

— Alors, c'est à quel sujet ?

— Nous voudrions vous poser quelques questions au sujet de Gabríel Örn Bergsson et Harpa Einarsdóttir.

— Harpa m'a dit que vous étiez venu lui parler.

— Oh, vous l'avez vue récemment ?

— Oui. Je suis allé à Reykjavík, il y a quelques jours. Vous l'aviez beaucoup chamboulée.

— C'est inévitable dans ces circonstances. Vous êtes ensemble, tous les deux ?

— On peut dire ça. Je descends la voir dès que j'en ai l'occasion. Elle vient ici de temps en temps. Je l'aime bien. Je l'aime beaucoup...

— Harpa ne nous a pas dit que vous vous fréquentiez toujours.

— Ce n'est pas un secret, affirma Björn en haussant les épaules. Comme je vous l'ai dit, elle était chamboulée. Vous ne lui avez probablement pas posé la question.

— Non, en effet, reconnut Magnús, qui avait pourtant l'impression qu'elle avait essayé de le lui cacher. Vous étiez-vous rencontrés avant la nuit où Gabríel Örn est mort ?

— Non. Nous nous sommes rencontrés à la manif cet après-midi-là. Avant Noël, j'avais déjà été à une marche, le samedi, et je trouvais important d'y retourner. Je voulais me faire entendre. Je voulais que le gouvernement démissionne...

— Racontez-moi la soirée.

L'histoire de Björn concordait assez bien avec celle de Harpa. Il resta vague sur les détails, prétextant que tout cela s'était produit plus de neuf mois plus tôt. Magnús l'entraîna en avant et en arrière dans sa propre version des faits, essayant de le faire trébucher.

Rien.

Alors Magnús changea de sujet.

— Harpa vous a-t-elle parlé d'Óskar Gunnarsson ?

— Oui. Elle m'a dit que vous pensiez qu'elle avait un lien avec sa mort.

— Nous posions juste des questions.

— Vous devriez faire attention quand vous les posez. Harpa ne s'est jamais remise du suicide de Gabríel Örn. D'après ce qu'elle m'en a dit, cet homme était une ordure, mais quelque part, ça rend tout ça encore plus difficile à accepter pour elle. Elle se sent coupable d'être sortie avec lui et d'avoir rompu. Elle n'est pas en forme. Vos questions ne l'ont pas vraiment aidée.

— Vous pensez qu'elle a des raisons de se sentir coupable ?

— Non, répondit Björn, calmement.

— Vous avez rencontré Óskar ?

— Non.

— Harpa vous a-t-elle parlé de sa relation avec lui ?

— Non. Je ne crois pas qu'il y en ait vraiment eu une.

Magnús sortit une photo d'Óskar.

— Vous savez qui c'est ?

— Lui, j'imagine. J'ai vu sa photo dans les journaux.

— En effet. Il ne vous rappelle pas quelqu'un ?

— Hugh Grant peut-être, dit-il après avoir examiné la photo attentivement. Un peu plus foncés, les cheveux.

— Non. Quelqu'un que vous connaissez.

Björn secoua la tête.

— Markús.

Björn leva les yeux vers Magnús, surpris.

— Quoi ? Le fils de Harpa ? C'est ridicule.

— Pas du tout, non. Vous ne le saviez pas ?

— Comment ça, je ne savais pas ? Savoir quoi ? Qu'est-ce que vous sous-entendez par là ?

— Qu'Óskar est le père de Markús.

— C'est ridicule !

— Harpa l'a confirmé.

— Quand ?

— Hier.

Björn étudia la photo de plus près.

— Elle ne vous l'avait pas dit ? demanda Magnús.

— Je ne vous crois toujours pas.

— Elle vous a confié qui était le père ?

— Non. Je lui ai demandé une fois, elle ne m'a pas répondu, alors je ne lui ai plus jamais reposé la question. Ça ne me regardait pas. (Il rendit la photo à Magnús.) Et ça ne me regarde toujours pas.

Magnús admirait le sang-froid de Björn. Quelques pêcheurs passèrent à côté d'eux, faisant de petits signes de tête à Björn et à Páll, avant de dévisager Magnús, l'étranger, avec une curiosité non dissimulée.

— Vous saviez que Harpa était partie à Londres récemment ?

— Oui. Il y a un mois ou deux. Pour quelques jours seulement.

— Vous savez pourquoi ?

— Elle a dit qu'elle avait besoin de vacances.

— Comment a-t-elle pu se les payer ?

— Je n'en sais rien, répondit Björn en haussant les épaules. Elle travaillait dans une banque avant. Elle doit avoir des économies. C'est vrai, elle fait en général très attention avec l'argent, mais là, elle avait besoin de se faire un petit cadeau.

— Elle vous a dit qu'elle était allée rendre visite à Óskar ?

— Non.

— Êtes-vous jaloux ?

— Bien sûr que non ! Écoutez, s'il y a bien une personne dans ce monde à qui je fais confiance, c'est Harpa. Qui elle fréquentait avant de me connaître ne me regarde pas. Je n'avais aucune idée qu'Óskar était le père de Markús et franchement, je ne vous crois toujours pas. Mais si c'est bien lui, alors peut-être que Harpa est allée le voir, je n'en sais rien. Et si c'est le cas, ça ne m'étonne pas qu'elle ne me l'ait pas dit.

— Ça ne vous met pas en colère que Harpa ne vous dise pas tout ?

Björn fixa Magnús de ses yeux bleus incroyablement clairs. Et fâchés. Mais Magnús sentait qu'il en avait après lui, pas après Harpa.

— Non.

— Björn, où étiez-vous dans la nuit de mardi à mercredi ?

— Laissez-moi deviner. La nuit où Óskar a été assassiné ?

— Répondez à ma question.

— J'étais en mer ce jour-là. Je suis rentré vers 19 heures. Très bonne pêche, plein de maquereaux. J'ai aidé à décharger et à laver puis je suis rentré chez moi.

— Et mercredi matin ?

— Je suis reparti tôt le matin. Même bateau, *Le Kría*. Il est en mer, maintenant, mais il sera de retour dans l'après-midi.

Un des équipiers avait la grippe. Gústi est le capitaine, Páll le connaît. Il n'aura qu'à vérifier auprès de l'équipage. Et en fait, mardi soir, je suis allé récupérer de l'argent qu'ils me devaient au bureau de la compagnie. Demandez à Sóley, elle vous le dira. Elle a même dû le noter.

Il regarda Magnús.

— Donc je n'étais pas à Londres à tuer des banquiers.

— Vous avez obtenu toutes les informations dont vous aviez besoin ?

Magnús et Páll retournaient au commissariat en longeant le quai.

— C'est un coriace, affirma Magnús. Ce n'est pas facile de voir s'il dit la vérité ou non. S'il voulait mentir, il le ferait à merveille, j'en suis sûr.

— Je vais vérifier son alibi, lança Páll. Mais je suis sûr qu'il tient la route. Ce qui veut dire qu'il n'a pas pu abattre le banquier.

— Vous avez sans doute raison. Mais ne faites pas ça à la légère. Dans une petite ville comme celle-ci, on couvre facilement un ami.

— Gústi est un homme droit. En fait, je dois dire que Björn aussi a une excellente réputation ici.

— Dites-moi, vous le connaissez bien ?

— Assez bien oui, répondit Páll. Comme vous l'avez dit vous-même, c'est une petite ville. Il possédait son propre bateau, *Le Lundi*. Il l'avait racheté à son oncle. Il réussissait bien. Il achetait encore et encore des quotas, travaillait d'arrache-pied. Mais il a tout fait sur crédit, et quand le *kreppa* est arrivé, il a dû revendre. Depuis, il fait équipe sur les bateaux d'autres capitaines dès qu'il le peut.

— Vous avez déjà vu Harpa dans le coin ?

— Je crois, oui. Cheveux noirs bouclés ? Environ un mètre quatre-vingts.

Magnús s'habituait tout doucement à la mesure métrique. Les tailles l'embrouillaient encore, mais cela devait à peu près correspondre.

— C'est bien elle.

— Elle était ici une ou deux fois.

— Björn a l'habitude de s'attirer des ennuis ?

— Non. Pas ici du moins. Je crois qu'il part faire la fête à Reykjavík de temps en temps, il reste chez son frère là-bas.

Ils continuèrent la route en silence.

— Magnús ?

— Oui ?

— Je n'imagine pas Björn tuer quelqu'un.

Magnús s'arrêta et étudia un instant l'officier. Il avait du ventre et une immense moustache, mais des yeux très gentils qui semblaient perturbés.

— Björn est votre ami ?

— Non. Pas exactement, mais...

— Mais quoi ?

— Vous aviez vraiment besoin de lui parler du fils de sa petite amie ? De lui dire que son père était le banquier ? En quoi cela regarde-t-il la police ? C'est un secret qu'elle est en droit de ne pas dévoiler à son petit ami si elle le veut, non ?

La réflexion du policier agaça Magnús. Dans une ville pareille, avec une population de mille personnes, deux mille à tout casser, la loyauté d'un officier de police s'orientait plus naturellement vers ses copains que vers un inspecteur parachuté là depuis la capitale.

Mais Magnús avait tout de même besoin de Páll.

— Un meurtre est toujours quelque chose de pénible. Pour les victimes, pour leurs proches, leurs familles, mais aussi pour tous ceux qui gravitent autour. Les enquêtes pour meurtre n'épargnent pas les témoins. Je sais que vous appréciez Björn, et vous me dites que c'est un type bien. Mais on ne peut pas éviter certaines questions. De temps en temps, on bouscule les gens, même les meilleurs. Même si contrairement à vous, je ne suis pas convaincu que Björn entre dans cette catégorie.

Páll laissa échapper un grognement.

Ils arrivèrent au Range Rover de Magnús, garé devant le commissariat en bois.

Ingileif les y attendait. Elle affichait cet air d'excitation difficile à réprimer que Magnús connaissait bien.

— Bon interrogatoire ?

— Passable, je dirais. Qu'y a-t-il ?

— Páll, c'est bien ça ? demanda Ingileif, en adressant un large sourire à l'officier.

— Oui.

— Je suppose que la bibliothèque n'est pas ouverte le dimanche ?

— En effet.

— Mais vous connaissez la bibliothécaire ?

— Oui, c'est la femme de mon cousin.

— Pensez-vous qu'il serait possible qu'ils l'ouvrent pour nous ?

— Pourquoi ? demanda Páll en jetant un regard à Magnús.

— Pendant que je me promenais, je me suis souvenue de quelque chose. Une nouvelle de Benedikt Jóhannesson. Je pense qu'elle s'appelle quelque chose comme *La Chute*. Il faut que je te la montre.

— Ça a un rapport avec l'enquête policière ? s'enquit Páll.

— Non, répondit Magnús.

— Bien sûr que si ! Il s'agit d'un meurtre. À Búland's Head, il y a cinquante ans.

— Je ne peux pas faire ouvrir la bibliothèque pour vous. Mais ma femme adore Benedikt. Elle a grandi dans la région et Benedikt habitait autrefois à Berserkjahraun. On peut aller voir si elle a le livre que vous voulez.

La maison du policier se situait en bordure de la ville : ils y arrivèrent en moins de cinq minutes. Sa femme s'appelait Sara, et en effet, elle possédait un exemplaire des nouvelles de Benedikt Jóhannesson. Avide, Ingileif trouva *La Chute*, qui ne comptait que cinq pages.

Elle la feuilleta avant de lire à haute voix. « *Un garçon montait à cheval sur une falaise. Il rencontra, venant dans l'autre sens, l'homme qui avait violé sa sœur. Ils se croisèrent et le garçon poussa le cheval de l'homme. Cheval et cavalier tombèrent dans la mer.* »

— Alors ? lança Ingileif, les yeux pétillants.

— Tu penses que Benedikt a poussé mon arrière-grand-père dans la mer à Búland's Head ?

— Pas toi ?

Magnús lança un coup d'œil à Páll et sa femme qui cachaient mal leur curiosité. Il venait de révéler un secret de famille devant des inconnus sans même y réfléchir, mais il serait utile d'entendre s'il existait des rumeurs qui les éclaireraient sur ces événements. Il expliqua donc comment son arrière-grand-père était mort et il leur parla aussi du chapitre trois de *La Lande et l'Homme*, qui laissait penser que Gunnar avait tué le père de Benedikt.

— Je me souviens de ça, affirma Sara. La sortie du livre a provoqué un petit scandale dans le coin. Je devais avoir quinze ans, je me rappelle que mes parents en ont discuté. On parlait encore de la mystérieuse disparition du fermier de Hraun par ici, même si cela s'était produit plus de cinquante ans plus tôt. Il a été assassiné par son voisin. Et c'était votre arrière-grand-père ?

— Oui. Il vivait à Bjarnarhöfn. Je n'en avais jamais entendu parler jusqu'à maintenant.

— Et peu de temps après, Benedikt a été assassiné à son tour. Mais cela s'est passé à Reykjavík. Je ne pense pas qu'on ait jamais retrouvé le coupable.

— Le bruit a couru que ça pouvait être lié ?

— Non, certainement pas. C'est le genre de chose qui arrive dans les grandes villes, non ? Rien à voir avec les gens d'ici.

— Et rien à voir avec la mort de Gunnar à Búland's Head ?

— Non. Les accidents n'étaient pas rares là-haut, surtout à l'époque, avant que la route ne soit rénovée. Et bien sûr, il y avait toutes ces histoires de trolls qui jetaient les gens à la mer.

— J'imagine.

— Vous enquêtez là-dessus ? s'enquit Páll.

— Seulement à titre personnel. Ce n'est absolument pas officiel. Mais merci, Sara, de nous avoir laissés consulter votre livre. Et s'il vous plaît, gardez tout cela pour vous.

Magnús savait bien qu'il ne pouvait pas compter à cent pour cent sur leur discrétion, mais Páll était un flic et ils avaient l'air de gens bien.

— Ne vous en faites pas, assura Sara en souriant. Même si vous vous doutez bien comme les gens du coin se régaleraient de ce ragot. Restez déjeuner avec nous. J'ai préparé de la soupe, je suis sûre qu'il y en a largement assez pour deux bols de plus.

19

L a soupe était délicieuse : agneau et légumes. Páll et Sara avaient deux enfants bruyants mais sympathiques et Magnús et Ingileif passèrent un bon moment dans cette ambiance chaleureuse. Páll devait emmener les garçons à leur entraînement de basket, par conséquent ils partirent dès la fin du repas.

— Alors, tu en penses quoi de cette histoire ? demanda Ingileif. Tu penses que ton arrière-grand-père a été poussé ?

— Question classique, non ? Il est tombé ou il a été poussé ? Je suppose qu'il n'est pas impossible qu'on l'ait poussé. Mais qui ?

— Benedikt lui-même, certainement.

— Ou quelqu'un qu'il connaissait. Un frère ? Je n'arrive pas à croire qu'il l'aurait avoué dans une nouvelle.

— Peut-être qu'il avait besoin de libérer sa conscience. Après tout, le chapitre trois de *La Lande et l'Homme* traite clairement de Gunnar.

— Pure coïncidence, qui sait ?

— Tu es flic, tu ne crois pas aux coïncidences, si ?

— En fait, si. La vie de tous les jours est remplie de coïncidences.

— Alors, on va voir Unnur ? Pour découvrir si elle a lu cette nouvelle ?

— Je vais l'appeler.

Unnur accepta de les retrouver dans un vieux restaurant à Stykkishólmur. Agréable et bien chauffé, l'endroit était vide, seuls un Espagnol et un Islandais parlaient poisson en anglais. Ils avaient une belle vue sur le port, où un ferry prenait de la vitesse pour partir vers les fjords de l'Ouest.

Unnur les attendait devant une tasse de café. Magnús lui présenta Ingileif.

— Je ne pouvais pas te parler chez moi à cette heure-ci. Mon mari est à la maison, et je ne lui ai jamais avoué ma relation avec ton père. Je n'en suis pas fière et je préférerais qu'il n'en sache rien.

— Je comprends, assura Magnús. Ne vous en faites pas. Comme je vous l'ai dit au téléphone, ce n'est pas pour cela que je voulais vous voir.

— Vous avez lu le chapitre de *La Lande et l'Homme* ?

— Oui. Vous pensez que ça prouve que Gunnar a tué son voisin ?

— Oui, j'en suis pratiquement persuadée. Comme tu peux l'imaginer, ça a beaucoup jasé par ici quand le livre est sorti. Les gens ont tout de suite repéré les similitudes. Je travaillais encore à Reykjavík à l'époque, mais on ne parlait que de ça quand on venait rendre visite à la famille.

— Vous savez ce que Benedikt en disait ?

— Oh, il a tout nié, mais personne ne l'a cru. Je crois qu'il s'étonnait que les gens aient pu faire le lien. Et bien sûr, ton grand-père a affirmé que c'étaient des foutaises. Comme tu peux l'imaginer, tout cela l'a rendu furieux. C'est ma tante qui m'a convaincue du sérieux de l'histoire.

— Votre tante ?

— Oui. La femme de mon oncle. Elle était aussi la grande sœur de Benedikt. Elle vivait à Hraun à l'époque.

— Et elle a confirmé ?

— Non. Elle n'a rien voulu dire. Elle m'a juste adressé un petit sourire entendu.

— Vous avez connu Benedikt ?

— De loin. Nous nous sommes rencontrés à une ou deux reprises, lors de grandes réunions de famille. Un gentil monsieur, très intelligent et très calme. Sa mère avait vendu la ferme de Hraun pour emménager en ville. Elle avait un magasin de vêtements. Je ne me souviens que de ça. Elle est morte dans les années soixante. Mais tu disais que tu avais trouvé une autre histoire ?

— Oui, c'est Ingileif qui se l'est rappelée. Benedikt a écrit des nouvelles, vous en avez lu ?

— Non.

— Eh bien, l'une d'elles s'intitule *La Chute*, expliqua Ingileif avant de résumer la trame pour Unnur qui écouta attentivement.

— Je vois. C'est vrai que Gunnar est tombé d'une falaise.

— Oui. À Búland's Head, confirma Magnús. Et il était sur un cheval. Ça, mon grand-père m'en avait parlé.

— Vous pensez que quelqu'un l'aurait poussé ? Benedikt ?

— Possible, oui. Dans la nouvelle, le gamin se venge du viol de sa sœur. Ici ce serait du meurtre de son père.

— Peut-être, lâcha Unnur après réflexion. Je ne vois pas Benedikt tuer quelqu'un. Mais c'est de l'histoire ancienne, maintenant.

— Pas si ancienne. N'oubliez pas que Benedikt, à son tour, a été assassiné. En 1985.

— Mais il s'agissait d'un cambriolage.

Un silence les enveloppa soudain, alors qu'ils se plongèrent dans leurs réflexions.

— Ça me fait froid dans le dos, affirma soudain Unnur en tressaillant. Trois morts. En quoi, cinquante ans ? De 1930 à 1980 ?

— Votre tante est toujours en vie ?

— Oui, mais je doute qu'elle vous dise quoi que ce soit.

— On ne sait jamais avec les personnes âgées, contredit Ingileif. Parfois elles sont contentes de se confier à propos des gens qui ne sont plus parmi nous.

— C'est important, insista Magnús.

— Oui, je vois. Alors allons lui parler. Elle habite juste à côté.

Ils quittèrent le restaurant, empruntèrent une petite rue qui montait derrière une usine de poisson et arrivèrent à une minuscule maison tout droit sortie d'un conte pour enfants. Faite de tôle ondulée, elle était peinte en vert vif avec un toit rouge. Une collection de babioles en forme d'elfes décorait les fenêtres. Unnur sonna à la porte. Au-dessus de la porte, une plaque blanche datait la maison de 1903 en chiffres noirs, entourés de fleurs mauves.

Hildur, la tante d'Unnur, était une petite bonne femme au dos courbé, avec des yeux brillants et un esprit vif. Son visage s'éclaira en voyant sa nièce. Elle les conduisit dans un salon surchauffé et trop meublé, avec des paysages aux murs et des petits drapeaux islandais qui germaient parmi des elfes, des phoques, des trolls et des oiseaux sur toutes les surfaces. Elle envoya Unnur dans la cuisine chercher le café déjà prêt.

Hildur reprit son tricot.

— C'est pour mon arrière-petit-fils, expliqua-t-elle. Il va avoir deux ans, la semaine prochaine, alors excusez-moi si je continue à tricoter.

Elle souleva un pull *lopi,* presque fini, avec un motif compliqué en bleu et blanc sur le torse et des cercles concentriques sur les bras.

— C'est ravissant ! s'exclama Ingileif, enthousiaste.

La vieille dame fit une grimace, mais elle était clairement flattée.

Unnur revint avec les cafés.

— Je te présente Magnús Ragnarsson, ma tante. Le petit-fils de Hallgrímur.

Immédiatement les yeux bleus de Hildur transpercèrent Magnús, la chaleur qui s'y trouvait aussitôt remplacée par de la méfiance.

— J'ai vécu chez mes grands-parents à Bjarnarhöfn quatre ans, quand j'étais enfant. Ça n'a pas été la période la plus heureuse de ma vie.

— J'imagine bien, ponctua la vieille dame.

— Vous connaissez mon grand-père, je vois.

— Oh oui. Nous étions voisins jusqu'à mes douze ans, nous vivions à Hraun. J'ai toujours essayé de l'éviter depuis.

— Vous ne l'aimez pas ?

— Non. Benni et lui étaient très amis quand ils étaient petits, mais j'ai toujours trouvé qu'il dirigeait un peu trop Benni. Ils ont pris leurs distances en grandissant.

— Je ne l'aime pas non plus.

Hildur sembla choquée. La loyauté envers ses grands-parents était une évidence en Islande.

— Vous vous souvenez de mon arrière-grand-père ? Gunnar ?

— Oui.

— Quel genre d'homme était-il ?

Hildur ne répondit pas tout de suite.

— C'était un homme méchant, dit-elle enfin.

— Très méchant, renchérit Magnús. Il a tué votre père, n'est-ce pas ?

Le silence envahit la pièce et on n'entendit plus que le tic-tac de l'horloge, qui semblait soudain assourdissant.

— Je crois, oui, déclara enfin Hildur. Enfant, je n'en avais aucune idée. Il venait souvent dans notre ferme après la disparition de notre père. Il aidait ma mère avec les gros travaux, c'était un bon voisin. Mais tout ce temps, il savait qu'il avait tué son mari.

Elle frémit.

— Comment l'avez-vous découvert ? Benedikt vous l'a dit ? demanda Magnús, essayant de ne pas paraître trop empressé pour ne pas l'effrayer.

Hildur jeta un œil à ses convives. Un instant, Magnús pensa qu'Ingileif avait raison et que Hildur ne verrait plus de raison de garder le secret. Mais elle secoua la tête.

— Je ne peux pas vous le dire. Certains secrets finissent dans la tombe.

— Avez-vous lu la nouvelle de votre frère, *La Chute* ? demanda Magnús.

— Oui, je l'ai lue, dit la vieille dame avec un sourire.

— Pensez-vous que votre frère aurait pu pousser Gunnar à Búland's Head ? Pour se venger de ce qu'il avait fait à votre père ?

— Disons juste que le jour où Gunnar est tombé dans la mer, Benedikt rentrait d'Ólafsvík. Il a déclaré ne pas avoir vu Gunnar. Tout le monde l'a cru. Benedikt était un garçon honnête. Et un adulte honnête aussi. Il fallait qu'il dise la vérité à la fin, d'une manière ou d'une autre.

— Je comprends, lança Magnús en souriant. Merci.

Il se leva pour partir.

— Je sais que cela s'est passé il y a très longtemps, mais je suis désolé pour votre père.

Une larme apparut soudain dans l'œil de la vieille dame.

— Moi aussi...

Ce fut Ingileif qui remporta la partie. Malgré les réticences de Magnús, ils s'arrêtèrent au bord du Berserkjahraun sur le chemin du retour. Ils garèrent le Range Rover juste en-dessous de la ferme de Hraun, sur le côté est du champ de lave, à l'opposé de Bjarnarhöfn.

Hraun était semblable aux souvenirs de Magnús, avec plusieurs grands bâtiments et quelques petites maisons en plus de la ferme principale. Des bottes de foin circulaires, protégées par du plastique blanc bordaient le pré de la propriété, dans lequel des moutons paissaient. Magnús et Ingileif se dirigèrent vers le champ de lave et après quelques mètres, ils tombèrent sur Berserkjagata, la « rue des Berserks ». Il s'agissait d'un chemin tracé dans la pierre, d'une dizaine de centimètres seulement de large.

— Je pensais que ce serait moins étroit que ça, remarqua Ingileif.

— Quand on pense que cette route a été faite par deux hommes qui ont taillé la pierre, c'est assez large. Et ça rend la marche vers Bjarnarhöfn bien plus confortable.

— Montre-moi le cairn.

Le chemin serpentait dans la roche, descendait et remontait. L'automne en Islande avait sa propre beauté. Pas aussi spectaculaire que les changements de couleur des feuilles dans le Massachusetts, mais la bruyère et l'herbe prenaient des teintes or et orange, et les feuilles des myrtilles, un rouge profond. Le tout enveloppé d'un calme saisissant.

Ils aperçurent la petite Hraunsvík, la baie de lave, entre les deux fermes, où la coulée de lave s'était jetée dans la mer. Deux canards au plumage noir et blanc patrouillaient dans la crique. Magnús se demanda si les habitants de Bjarnarhöfn ramassaient toujours leurs plumes colorées chaque été, après leur départ du nid. Au-delà de la baie, de petites îles plates parsemaient Breidafjördur, que Magnús connaissait bien des sorties de pêche dans la yole de la ferme.

— C'est assez difficile à encaisser. Jóhannes. Gunnar...

— Il semblerait que tu aies ta part de querelles de famille, acquiesça Ingileif. C'est fascinant, je trouve. Comme dans l'ancien temps. Arnkel et Thorolf et Snorri et, comment il s'appelait l'autre, Björn de Breidavík.

— C'est ça, oui. Tu as raison, on dirait un peu ça.

— Que penses-tu du meurtre de Benedikt ? Tu crois que c'est lié ?

— C'est possible. En général, les cambrioleurs ne tuent pas les gens en Islande, même si, bien sûr, ça arrive. Je sortirai le rapport de police la semaine prochaine et je l'étudierai.

— Au moins, ton grand-père n'est pas impliqué.

— Je n'en sais rien. C'est bien le premier à se quereller.

— Tu penses qu'il aurait pu tuer Benedikt ?

— Ce n'est pas à exclure. Une fois que j'aurai regardé le rapport, j'en saurai plus.

— Tu ne l'aimes vraiment pas, n'est-ce pas ?

Magnús ne répondit pas.

Ils arrivèrent au cairn, niché dans un creux, un monticule de pierres, plat, assez large pour contenir deux grands hommes.

— C'est ça ? demanda Ingileif. Waouh ! Et on croit vraiment que les Berserks sont à l'intérieur ?

— On a creusé là, il y a cent ans, et retrouvé deux squelettes. Apparemment ils n'étaient pas si grands, mais très forts.

Ingileif observa les formes incroyables des pierres.

— Ça devait être génial de jouer ici, enfant, remarqua Ingileif.

— Oui. Même si Óli avait peur. Grand-père lui avait dit que les Berserks traînaient encore dans le coin.

— Mais pas toi ?

— J'essayais de ne pas laisser mon grand-père m'effrayer, lâcha Magnús dans un soupir. Ça ne marchait pas toujours.

Ingileif le regarda. Magnús voyait bien qu'elle voulait l'interroger.

Soudain, il ressentit le besoin de partir.

— Allons-y.

— Non. Je voudrais continuer un peu.

— Viens.

Magnús tourna les talons et remonta à grands pas le chemin vers la voiture. Il ne regarda derrière lui qu'une fois qu'il l'eut atteinte. Ingileif faisait de son mieux pour le rattraper.

Sans un mot, Magnús démarra.

La route se fit plus étroite, avec une pente de trois mètres de chaque côté vers les vagues de pierre. Une voiture approcha, projetant de la poussière, une vieille camionnette. Magnús se serra aussi près qu'il put du bord, laissant assez de place pour que l'autre véhicule puisse passer.

Il s'arrêta à quelques mètres devant le Range Rover de Magnús, allumant ses phares et klaxonnant.

Un vieil homme se trouvait derrière le volant.

— Oh, bon sang ! s'écria Magnús en anglais.

Magnús n'avait nulle part où aller, sauf s'il partait en marche arrière sur une centaine de mètres.

— Allons, vieux croûton, lança Ingileif, en plaisantant. Tu as largement la place !

Le vieux croûton avança jusqu'à être parallèle avec le Range Rover. Magnús reconnut le large visage, ravagé par le temps, les yeux bleus furieux. Les rides étaient plus profondes, les cheveux gris plus épars, mais c'était toujours le même homme.

Magnús regarda droit devant lui.

L'homme baissa sa vitre.

— Tu ne peux pas te ranger un peu plus ? Salopard égoïste ! cria-t-il, avant de changer de ton. Magnús ?

Magnús appuya sur l'accélérateur pour faire avancer la voiture, se souciant à peine de tomber dans le ravin.

— Mon Dieu ! s'exclama Ingileif. C'était lui...

— Bien sûr que c'était lui !

— Et il t'a reconnu ?

— Tu l'as entendu prononcer mon nom.

La voiture continua à travers la lave jusqu'à atteindre la route principale. Magnús tourna à droite vers le col de la montagne.

— Ralentis ! supplia Ingileif.

Magnús ne l'écouta pas.

Ingileif ne dit plus un mot, alors que Magnús prenait les virages, toujours plus imprudent. Mais après avoir passé le col, la route devint toute droite.

— Qu'est-ce qu'il t'a fait ? demanda Ingileif.

— Je ne veux pas en parler.

— Mais il le faut !

— J'ai dit non.

— Mais si, Magnús ! Il faut que tu l'affrontes. Tu ne peux pas juste l'enterrer comme ça.

— Pourquoi pas ? demanda Magnús, sentant la colère dans sa voix. Pourquoi pas, merde ?

Ingileif ouvrit grand les yeux, choquée par l'éclat de Magnús. Mais elle ne recula pas. Ingileif ne reculait jamais.

— Parce que sinon, ça va te ronger pour le reste de ta vie. Comme ça l'a fait les vingt dernières années. Tu m'as dit que c'est le meurtre de ton père qui te perturbe, mais ce n'est pas aussi simple, n'est-ce pas ?

Magnús ne répondit pas.

— N'est-ce pas ? Réponds-moi, Magnús.

— Non.

— Réponds-moi.

— Ferme-la, putain !

Cent soixante-dix kilomètres, ça fait beaucoup pour rouler en silence, même si on dépasse la limite de vitesse de trente kilomètres-heure.

À bord de sa moto, il quitta la route, pour tourner sur un tout petit chemin, avec une bande de bitume au centre et s'arrêta pour consulter son guide Michelin. Il n'en revenait pas du nombre d'arbres dans ce pays, surtout de pommiers. En Islande, ça n'existait pas. Il aurait bien cueilli une pomme pour la manger, mais il aurait dû enlever son casque pour cela, et c'était hors de question.

Il savait exactement où il se trouvait. Il avait passé plusieurs heures à étudier le plan chez lui et à vérifier sur Google Earth, jusqu'à ce que cette petite partie de la Normandie soit gravée dans son esprit. Après le verger, il savait que la route tournerait vers la gauche. D'un côté il y aurait les pâturages, de l'autre les bois.

Il redémarra et roula doucement sur le chemin. Personne en vue, parfait. La moto avait une plaque hollandaise, ce qui le rendait suspect ici en France. Ils auraient dû penser à ça. Mais du moment que personne ne le voyait, ça n'avait pas d'importance.

Il compta les poteaux télégraphiques qui bordaient la route. Arrivé au septième, il s'arrêta et poussa la moto dans les bois. Il passa un moment à s'assurer qu'on ne la voyait pas depuis la route, mais qu'il pourrait l'enfourcher rapidement pour partir.

Il traversa les arbres sur vingt mètres environ, avant d'atteindre l'autre côté. Un groupe de vaches ruminaient dans un petit pré, leur queue chassant les mouches. Derrière le champ, se trouvait la grange.

Il avança encore dans le bois, tout au bord du champ, jusqu'à arriver à l'arbre qu'il cherchait. Un « B » y avait été gravé à un mètre du sol. « B » pour Bjartur, même s'il était le seul à le savoir. La police française n'aurait aucune idée de ce à quoi cela faisait référence. Le coin de terre fraîchement creusé était à cinq mètres de l'arbre vers l'ouest, partiellement caché sous une branche cassée.

Il sortit une truelle de son sac à dos et commença à creuser. La terre venait sans difficulté et en à peine quelques minutes, il trouva un sac en polythène qui contenait carabine et munitions.

Un Remington 700. Il sourit en prenant la carabine et en vérifia le mécanisme. Tout fonctionnait.

Ensuite il s'empara de ses jumelles pour observer la grange. Très grande, elle avait été transformée en maison de vacances. Derrière, on voyait la ferme à laquelle la grange avait dû autrefois appartenir. Avec le soleil de l'après-midi, aucune lumière n'était allumée, mais une porte qui donnait sur le jardin était ouverte. Et dans le jardin, il vit deux chaises, un livre ouvert sur l'une d'elles. Une voiture était garée dans la cour en gravier, une seule, donc pas de gardes du corps. Excellent ! C'était une Audi Estate : il réussit à apercevoir l'immatriculation, anglaise, et non française.

Pas facile d'estimer la portée avec précision, mais il conclut que cela devait faire environ cent vingt-cinq mètres. La chaise était à peu près à la même distance de lui que le bidon d'essence dans la montagne la veille.

Il trouva un bon emplacement pour s'allonger, le canon reposant sur un tronc et il attendit. La journée était belle. Le soleil de septembre tapait bien plus fort en France que de l'autre côté de l'océan et il se sentait parfaitement à l'aise dans sa tenue de moto en cuir. Il pourrait attendre jusqu'à la tombée de la nuit, s'il le fallait. Mais vu le livre ouvert sur la chaise, il avait de fortes chances de ne pas avoir à patienter aussi longtemps.

Il se refit dans son esprit la fuite. Il faudrait qu'il ne roule pas trop vite, pour ne pas éveiller l'attention. Quinze kilomètres le séparaient de la carrière remplie d'eau dans laquelle il se débarrasserait du sac en polythène avec la carabine, la truelle, les jumelles et les douilles, et il lui resterait vingt kilomètres avant d'atteindre l'autoroute qui le ramènerait à Amsterdam.

À travers les jumelles, il vit du mouvement dans la maison. Il se raidit. La cible apparut. Il posa les jumelles et installa la carabine sur son épaule. La cible portait une chemise à carreaux, et à la main, une tasse. Du thé, certainement, tellement british. La cible se fraya un chemin entre les chaises et posa la tasse sur un accoudoir, puis se redressa pour contempler le paysage.

Il appuya sur la détente. Plusieurs choses se produisirent en même temps. La fenêtre derrière la cible explosa. Le coup de feu troubla la tranquillité champêtre. Des corbeaux s'envolèrent en croassant, furieux.

La cible se tourna vers la fenêtre, puis de nouveau en direction des bois, la bouche ouverte, paralysée par la surprise.

Il l'avait ratée. Du calme. Il tira de nouveau. Cette fois, la cible recula d'un pas, la main sur le haut du bras, en poussant un cri de douleur. Encore un coup. La cible s'écroula à terre, juste au moment où une femme sortait de la grange en hurlant.

C'était le moment de déguerpir.

20

F rikki était assis au fond de l'église pendant que le prêtre prononçait son discours monotone. Magda l'avait forcé à l'accompagner dans la grande cathédrale catholique sur la colline en plein centre-ville, de l'autre côté de Hallgrímskirkja. Elle se tenait assise à côté de lui, essayant de déchiffrer le sermon du prêtre. Frikki y avait renoncé après la première phrase.

Elle voulait qu'il prie pour son salut. Il ne savait pas vraiment comment faire.

— Pardonne-moi, mon Dieu, marmonna-t-il à voix basse.

Cela suffisait-il ? Il n'en était pas sûr.

— Pardonne-moi, mon Dieu, répéta-t-il.

Pourquoi Dieu lui pardonnerait-il ? Un minable sans travail, qui volait et n'allait jamais à l'église. Qui avait tué quelqu'un.

La seule bonne chose dans la vie de Frikki, c'était Magda. Si Dieu avait un peu de jugeote, il ne perdrait pas de temps à sauver Frikki, il sauverait plutôt Magda de Frikki.

Frikki ferma les yeux.

— S'il te plaît Dieu, ne me prends pas Magda.

Frikki avait pensé qu'il s'ennuierait, mais pas du tout. C'était un bâtiment apaisant avec ses colonnes bleues. Il ne se sentait pas faire partie de la congrégation des fidèles, dont la plupart étaient étrangers, pourtant l'endroit dégageait une atmosphère de paix. Personne ne le dévisageait, même si Frikki était persuadé que tout le monde savait qu'il était le seul protestant dans une église catholique.

Il comprenait à peu près pourquoi Magda aimait venir chaque semaine dans ce genre de lieu saint. Il comprenait pourquoi la religion comptait dans sa vie. Mais pas pour lui.

Il ne croyait pas vraiment en Dieu. Et il était plus ou moins sûr que si Dieu existait, il ne croyait pas en Frikki.

Avait-il tué le banquier ? Il n'avait aucun moyen de savoir si l'homme était déjà mort quand il lui avait assené des coups de pied. Parfois, quand il était de bonne humeur, Frikki se disait qu'il ne vivait déjà plus. Mais à d'autres moments, comme maintenant, il était sûr que si.

Le pire c'était qu'en janvier, à l'instant précis où il l'avait frappé, Frikki avait voulu le tuer.

Ces quelques secondes demeureraient gravées en lui le restant de ses jours. Il serait un meurtrier pour toujours. Et maintenant Magda savait.

Mais en plus, elle comprenait. Elle lui avait dit qu'elle lui pardonnait et que Dieu lui pardonnerait aussi.

Ils se levaient tous désormais et avançaient vers le prêtre pour recevoir l'hostie et le vin. Le chœur entonna son chant. Magda s'agenouilla, fit le signe de croix et les suivit. Pas moyen que Frikki les imite.

Soudain il eut une révélation. Pour que Magda pardonne vraiment à Frikki, il fallait qu'elle croie que Dieu lui avait pardonné.

Il s'agenouilla pour prier.

De retour à Reykjavík, Magnús déposa Ingileif chez elle, avant de continuer vers sa maison à Njálsgata. Il se versa une bière et s'écroula dans son fauteuil.

Voir son grand-père après toutes ces années l'avait remué. Bien sûr il n'aurait pas dû se défouler sur Ingileif, mais elle aurait pu comprendre que ce n'était pas le moment de le harceler.

Il sirota sa bière, essayant de mettre de l'ordre dans ses idées. La liaison de son père avec Unnur, la série de meurtres remontant à cinquante ans plus tôt, la mort de son père...

Il était tenté de tout oublier pour se concentrer sur le présent, sur Gabríel Örn et Óskar.

Mais Ingileif avait raison, lui, plus que quiconque, ne pouvait faire marche arrière maintenant qu'il en avait tant appris.

Il devait faire deux choses. Déterminer si son grand-père s'était trouvé aux États-Unis quand son père avait été assassiné, et jeter un œil au rapport de police sur la mort de Benedikt Jóhannesson en 1985.

Son téléphone émit un bip. Il regarda l'écran. Un message vocal. Il appela le numéro pour entendre la voix de son frère.

— Hello Magnús, c'est Ollie. Je voulais juste prendre de tes nouvelles. Rappelle-moi quand tu auras deux minutes.

Il avait téléphoné une heure plus tôt, sans doute quand Magnús n'avait pas de réseau sur la route du retour de Stykkishólmur.

Ollie. Pauvre Ollie. Contrairement à Magnús, qui avait toujours été attiré par ses racines islandaises, Ollie les avait reniées. Il était cent pour cent américain : l'Amérique rendait toujours ce service aux immigrants du monde entier, la possibilité d'arrêter d'être qui on est pour devenir qui on rêve d'être. Ollie avait sauté sur cette opportunité.

Connaissant ce qu'il avait traversé en Islande, comment le lui reprocher ?

Magnús songea à appeler Ollie sur-le-champ pour lui dire où il était allé. Peut-être que ce serait pour Ollie l'occasion d'exorciser de vieux démons.

Ou peut-être pas. Magnús n'avait pas le courage de lui parler ce soir. Il le rappellerait le lendemain. Ou le jour d'après.

Il termina sa bière et alluma sa petite télé avant de partir se chercher une autre bière.

C'était l'heure des informations sur RÚV, la chaîne publique. On parlait de Julian Lister, l'ancien chancelier britannique de l'Échiquier. Magnús se dit que les Islandais devraient laisser tomber cette affaire. Bien sûr, ils avaient été traités injustement, mais Lister n'était pas la cause de leurs problèmes, et il n'était pas la solution, surtout après s'être fait virer par le Premier ministre.

Mais quelque chose dans le ton du présentateur suscita l'attention de Magnús. Une ambulance. Un hôpital en France.

Il s'assit pour regarder.

Julian Lister s'était fait tirer dessus à deux reprises par un inconnu dans sa maison de vacances en Normandie. Il se trouvait entre la vie et la mort dans un hôpital de Rouen. Aucune arrestation n'avait encore été faite. L'enquête se tournait vers Al-Qaïda ou un réseau terroriste irlandais, mais la police française se refusait à tout commentaire.

Certains Islandais vont se réjouir de la nouvelle, songea Magnús.

Puis il réfléchit un peu plus.

Non. Impossible que cette tentative d'assassinat soit liée à la mort de Gabríel Örn et au meurtre d'Óskar. En outre, Magnús avait vu Harpa et Björn en Islande ce week-end-là, ils n'auraient pas pu aller tuer quelqu'un en France. Il s'emportait, voilà tout, désireux d'être impliqué dans une passionnante affaire de meurtre.

Et si ce n'était pas aussi simple que cela ?

21

Février 1985

A ssis sur un rocher, Benedikt Jóhannesson regardait à travers la chaussée noire vers le phare du Grótta sur sa petite île. Derrière elle, des tourbillons de nuages gris se bousculaient alors qu'un fort vent soufflait depuis l'Atlantique et que les vagues se brisaient contre le sable volcanique. Il était seul.

Bien.

Blotti dans sa parka, il ouvrit le paquet de cigarettes qu'il venait d'acheter et essaya d'en allumer une. Cela lui prit un certain temps avec le vent, il manquait de pratique. Quand enfin elle s'alluma, il tira une grande bouffée, se retenant de tousser.

Quel plaisir !

Seize heures après sa sortie de l'hôpital, il avait pris une première décision, se remettre à fumer. Cela faisait près de huit ans qu'il avait arrêté et il le regrettait. Maintenant, cela ne servait plus à rien de protéger ses poumons.

La nicotine lui fit tourner la tête, calmant la douleur causée par tout le cognac qu'il avait ingurgité la veille. Son cerveau était en bouillie, il ne pourrait pas écrire aujourd'hui. Pourrait-il jamais écrire de nouveau ?

Il ne le dirait à personne. Ni à ses enfants, ni à ses amis. Il aurait dû le dire à Lilja, bien sûr, mais elle l'avait quitté deux ans plus tôt. Crise cardiaque fulgurante. Sans crier gare, résultat d'une maladie du cœur jamais diagnostiquée. Il était heureux de ne pas avoir à le dire à Lilja.

Et voilà. Deux décisions prises.

L'écriture ? Au moment même où il s'était posé la question, s'il pourrait jamais écrire de nouveau, son inconscient avait hurlé : « Oui, bien sûr. » Mais quoi ? Que pouvait-il écrire en six mois qui aurait de l'importance ? En deux ans, il aurait peut-être pu réussir à rédiger son grand roman islandais, quelque chose qui rivaliserait avec Halldór Laxness et qui garantirait qu'on se souviendrait de son nom.

De qui se moquait-il ? S'il avait été capable d'écrire ce roman, il l'aurait fait depuis longtemps.

La cigarette se consumait vite. L'air froid mordait ses joues. Mais le vent clarifia sa confusion.

La Lande et l'Homme n'était pas un mauvais livre. Ça devait même être son meilleur. Celui-là, il aurait le temps de le finir. Et peut-être une ou deux nouvelles. Mais que pourrait-il dire au monde durant les derniers mois de sa vie ?

Soudain, ce fut limpide. Il avouerait la vérité. Après quarante ans, il avouerait enfin ce qui s'était passé.

Il écrasa sa cigarette, se leva et repartit vers sa voiture. Il était temps qu'il retourne à son bureau. Il n'avait pas une seconde à perdre.

Lundi 21 septembre 2009

— Tu as vu les nouvelles sur Julian Lister ? demanda Vigdís à Magnús, alors qu'elle arrivait au travail.

— Oui, pauvre bougre.

— Ils ne pensent pas qu'il va s'en sortir.

— Je sais.

Magnús avait, lui aussi, écouté les infos du matin. Lister s'était fait opérer pendant la nuit dans un hôpital de Rouen. Les médecins ne donnaient pas cher de ses chances de survie.

— Tu crois que c'est lié à notre affaire ? demanda Vigdís en jetant son sac sur le bureau.

— Avec Óskar ? interrogea Magnús en la regardant fixement. Je me suis posé la même question.

— Certains Islandais seraient ravis qu'il meure. Pas la majorité, pas même une minorité, mais il suffit d'un seul.

— Ou deux, ou trois.

— Tu penses à Björn et Harpa ?

— Et Ísak, peut-être.

— Nous n'avons pas établi de connexion entre lui et les deux autres, remarqua Vigdís, les sourcils levés.

— D'accord, alors si ce n'est pas Ísak, ça peut être quelqu'un d'autre.

— Donc, on postule qu'un petit groupe de cinglés veut faire la peau aux banquiers et aux politiciens ?

— Ceux qu'ils pensent responsables du *kreppa*.

Magnús et Vigdís se regardèrent un moment.

— Si on parle de cette hypothèse, ça va nous péter à la gueule.

— Je sais, concéda Magnús.

— Et pas seulement avec Baldur. Avec Thorkell. Et le grand patron en personne.

— J'en ai bien conscience.

— On n'a aucune preuve, n'est-ce pas ? Je veux dire, vraiment aucune.

— Non.

— Alors qu'est-ce qu'on fait ?

— Gardons juste l'œil et l'esprit ouverts pour l'instant. Baldur m'a dit de retourner à l'académie de police aujourd'hui. J'ai un cours à donner à 11 heures, mais j'ai réfléchi.

— Ah oui ?

— La police a-t-elle gardé des vidéos de surveillance des manifestations de janvier ?

— Bien sûr.

— Retrouve celles du jour de la mort de Gabríel Örn. Essaye de repérer Harpa. Et Björn. Regarde ce qu'ils faisaient. Et à qui ils parlaient. Peut-être qu'on pourra découvrir s'ils se sont vraiment rencontrés ce jour-là.

— Je m'en occupe.

— Tiens-moi au courant. Entre-temps, comment puis-je me procurer le rapport sur un meurtre qui remonte à 1985 ?

— Quelle affaire ?
— Benedikt Jóhannesson.
— L'écrivain ?
— Oui. Tu sais quelque chose sur lui ?
— Je n'étais qu'une enfant à l'époque, mais on a étudié son assassinat à l'université. Il a été poignardé dans sa maison, je crois. Le crime n'a jamais été résolu.
— C'est bien celui-là.
— Ça a un rapport avec Óskar ?
— Pas vraiment.
Vigdís fronça les sourcils. Magnús resta impassible. Elle décida de ne pas insister.
— Ça n'apparaîtra pas dans notre système informatique. Mais tu le trouveras dans les archives, enterré quelque part, ils mettront un moment là-bas avant de te le ressortir.
— Merci, Vigdís.
Alors qu'elle passait quelques coups de fil pour récupérer les vidéos de surveillance, Magnús envoya un mail à un de ses amis de la police de Boston pour lui demander de vérifier avec la douane les entrées dans le pays en 1996. Ensuite il appela les archives.
Árni fit son entrée.
— Bonjour tout le monde. Vous avez passé un bon week-end ? C'est bien calme, ici !
— Vois avec Vigdís. On a pas mal de boulot devant nous.

Ísak fit sauter le toast hors du grille-pain et le tartina de beurre et de marmelade. C'était une habitude anglaise à laquelle il était devenu accro. La maison sur Mile End Road, qu'il partageait avec quatre autres étudiants, carburait aux toasts. Et au Nescafé. La bouilloire s'arrêta et Ísak se versa une tasse.
— Bonjour.
Il se tourna pour voir sa petite amie, Sophie, se glisser dans la cuisine dans son pantalon de pyjama et un vieux tee-shirt sur lequel était écrit « Sauver le Darfour ».

— Je croyais que tu n'avais pas cours avant midi ?

— Je me suis dit qu'il fallait vraiment que j'aille à la bibliothèque, annonça-t-elle. Je ne peux plus glander comme ça indéfiniment.

Elle grimpa sur ses genoux et déposa un rapide baiser sur ses lèvres.

— Bonjour, lança-t-elle, avant de l'embrasser de nouveau, plus passionnément.

Ísak sourit et glissa la main sous son tee-shirt vers sa poitrine généreuse. Elle ne portait pas de soutien-gorge.

Elle resta un moment sur lui, laissant sa main où elle était, puis elle finit par se lever.

— Non. Discipline ! J'ai besoin de discipline.

Elle ouvrit un tiroir et se mit à fouiller à l'intérieur, à la recherche de pain. Ísak avait fini le dernier sachet.

— Tu veux un autre toast, Zak ?

— Oui, je veux bien.

La sonnette de la porte retentit.

— J'y vais, proposa Sophie.

Nouvelle sonnerie.

— OK, OK, une minute ! Vous allez réveiller tout le monde, gronda-t-elle, mais bien trop bas pour que cela arrive aux oreilles du visiteur.

Ísak entendit la porte s'ouvrir.

— Police, annonça une voix de femme autoritaire. Inspectrice Piper, police criminelle de Kensington. Ísak Samúelsson est-il ici ?

Ísak se raidit.

— Euh... je ne sais pas, répondit Sophie, surprise.

— C'est bon, Sophie, affirma Ísak en avançant dans le couloir. Entrez, proposa-t-il à la policière en la conduisant dans la cuisine. Asseyez-vous. Je vous sers une tasse de café ?

— Non merci, répondit Sharon Piper en s'installant sur la chaise qu'occupait Sophie un peu plus tôt.

Cette dernière prit une autre chaise en maugréant.

— C'est à quel sujet ? demanda Ísak, aussi calme que possible.

— Ça ne vous dérange pas si je parle à Ísak en privé ? interrogea Sharon en direction de Sophie.

— Et comment que ça me dérange ! Et puis quoi encore ? Je suis dans ma cuisine !

Piper laissa échapper un soupir.

— C'est bon, Sophie, je ne sais pas quel est le problème, mais je suis sûr que ça ne prendra pas trop de temps.

— D'accord, bouda Sophie. Mais je veux mon toast.

Une fois qu'elle fut partie, Ísak sourit.

— Désolé. Nous sommes en plein dans les droits de l'homme européens en ce moment. Et Sophie est membre d'Amnesty International, elle s'enflamme dans ce genre de circonstance.

— C'est important le petit déjeuner, commenta Piper en souriant. Je voudrais vous poser des questions au sujet de la semaine passée.

— J'étais à Reykjavík.

— Oui, nous le savons.

— C'est au sujet du meurtre d'Óskar Gunnarsson, n'est-ce pas ? Ma mère m'a dit que la police était venue l'interroger à ce sujet.

Piper posa un certain nombre de questions à Ísak sur ce qu'il avait fait en Islande. Ísak répondit calmement et clairement. Il était sorti avec des amis du lycée le mercredi soir, sinon, pas grand-chose. Piper nota les horaires de ses vols aller et retour, les noms et les adresses.

— Vous connaissiez Óskar Gunnarsson ?

— Non. Je veux dire, je savais qui il était, mais je ne l'avais jamais rencontré.

— Vous en êtes sûr ? demanda Piper en se penchant en avant.

— Je l'ai vu au cours du Thorrablót annuel de la société islandaise ici à Londres, mais je ne suis pas allé lui parler.

— Thorrablót ?

— C'est un festival hivernal. Une grande fête avec de la nourriture traditionnelle. Vous savez, tête de mouton, vessie de baleine, testicules de bélier, requin faisandé... C'est tout un truc pour les Islandais.

— Ça a l'air répugnant !

— Faut aimer. En fait, à celui de Londres, la nourriture est plutôt bonne.

Piper semblait examiner Ísak de près.

— Vous n'avez pas essayé de lui livrer quelque chose il y a quelques semaines ? Vendredi, il y a deux semaines ?

— Livrer quelque chose ?

— Oui. Un témoin a vu quelqu'un qui correspondait à votre description faire du porte-à-porte pour trouver la maison de Gunnarsson.

— Ce n'était pas moi.

— Vous en êtes sûr ?

— Absolument certain.

Piper attendit. Chacun se tut pendant un long moment. Elle se leva.

— OK, c'est tout pour l'instant. Merci d'avoir répondu à mes questions.

— Pas de problème, affirma Ísak en se levant à son tour.

— Vous allez à la fac, aujourd'hui ?

— J'ai un cours dans une heure. Je ne vais pas tarder.

Piper tendit à Ísak sa carte.

— Eh bien, si vous vous souvenez de quoi que ce soit au sujet d'Óskar Gunnarsson, appelez-moi.

Magnús venait de sortir de la rue principale de Reykjavík, vers Árbaer où se trouvait le commissariat de police, quand son téléphone sonna. Il décrocha.

— Magnús, c'est Sharon.

— Bonjour. Quoi de neuf ?

— Je viens de parler à votre ami, Ísak.

— Et ?

— Et il était à Reykjavík la semaine dernière. Il m'a donné les noms et les adresses des gens qu'il y a vus. En gros, il est resté à la maison la plupart du temps et n'est sorti que mercredi soir.

— Envoyez-moi les noms par mail, on va vérifier. Il a expliqué pourquoi il était rentré en Islande ?

— Il a dit qu'il se sentait débordé à l'université et qu'il avait besoin de décompresser.

— Foutaises. Trop bien tombé. Comme s'il se procurait un alibi.

— Possible. Il y a autre chose.

— Ah oui, quoi ?

— Il correspond à la description du coursier qui cherchait la maison de Gunnarsson. La vingtaine, un mètre quatre-vingts environ, large visage, yeux bleus, fossette sur le menton.

— Intéressant. Pourriez-vous obtenir une identification officielle ?

— Je suis devant sa maison, là. Il doit partir en cours, bientôt. Quand il sortira, je prendrai une photo pour la montrer à notre témoin. Avec elle, on peut être sûr de ce qu'elle nous dit.

— Excellent. Euh... Sharon ?

— Oui ?

— Vous serait-il possible de lui parler une nouvelle fois ? demanda Magnús, après avoir pris une profonde respiration.

— Sans doute.

— Pourriez-vous lui demander où il se trouvait hier ? Assurez-vous qu'il était bien à Londres.

— Pourquoi ? demanda Sharon avant de comprendre. Vous voulez parler de Julian Lister ?

— Peut-être.

— Vous pensez qu'il aurait pu abattre Lister ?

— Pas vraiment. C'est juste une éventualité à creuser. Vous savez à quel point Lister est impopulaire ici en Islande.

— Vous avez des preuves ?

— Non, rien du tout, ce n'est qu'un pressentiment. Même pas. S'il vous plaît, n'en parlez à personne. C'est juste que si notre ami l'étudiant s'est rendu en France pour le week-end, ça pourrait être intéressant.

— En effet. Écoutez, s'il existe une piste islandaise, il faudra que j'en informe mes supérieurs.

— Ne faites pas ça, Sharon. Nous n'en sommes pas là. Si les Islandais pensent encore que les Anglais les traitent de terroristes, on est parti pour une nouvelle guerre froide, croyez-moi.

— Je ne sais pas...

— Franchement, il n'existe aucune preuve, même pas le début d'une.

— Mais vous voudriez que je parle à Ísak ?

— Oui.

Magnús entendit Sharon soupirer à l'autre bout du fil.

— D'accord, je vous dirai ce qu'il m'aura répondu. Au fait, la police anglaise a investi trente millions de livres dans une banque islandaise...

— Oups !

Magnús raccrocha et entra dans le parking de l'académie de police sur Krókháls. C'était une propriété industrielle, partagée avec une compagnie d'informatique et un magasin de sport. Quand il coupa le moteur, son téléphone sonna de nouveau. C'était Vigdís.

— Magnús, tu peux revenir au poste ?

— Quand ?

— Maintenant. Il faut que tu voies quelque chose.

22

Magnús, Vigdís et Árni entouraient le bureau de Vigdís, rivés sur son moniteur. Ils avaient coupé le son, ne voulant pas attirer l'attention de Baldur inutilement.

Magnús avait vu des extraits de la manifestation aux nouvelles, mais jamais plus de quelques secondes à la fois. Austurvöllur, la place devant le Parlement, était noire de monde : jeunes et moins jeunes, hommes et femmes criaient et tapaient sur des ustensiles de cuisine. Les casseroles s'affichaient clairement, ainsi que les cuillères en bois, les tambourins, les drapeaux et les pancartes. La caméra passait sur chaque visage, chacun plus enragé et excité que l'autre. Hormis ceux qui se cachaient sous des écharpes ou des passe-montagnes.

— Regardez, voilà Harpa, indiqua Vigdís.

Magnús la reconnut sans mal, en train de taper de toutes ses forces sur sa casserole.

— Et Björn, enchaîna-t-elle.

Le pêcheur n'était qu'à quelques mètres de Harpa. Il hurlait et brandissait le poing. Une seconde, la caméra s'arrêta sur son visage. Björn avait paru d'un flegme exemplaire à Magnús, mais à cet instant il exprimait de la rage mêlée à de la haine.

— Vous voyez, ils passent à un mètre l'un de l'autre et ils n'ont pas l'air de se reconnaître.

En effet. Harpa se déplaça devant Björn, frappa sur sa casserole et continua.

— Alors ils se sont vraiment rencontrés ce jour-là ?

— Attends, je te montre.

Vigdís avança l'enregistrement. En mouvements saccadés, la foule afflua, des projectiles furent envoyés en direction de la police qui se défendit au moyen de sprays de poivre.

— C'est toi, là, Árni ? demanda Magnús.

— Oui.

Vigdís mit sur pause et ils admirèrent Árni dans son uniforme noir, le regard déterminé, alors qu'il relevait sa visière recouverte de yaourt.

— Ça n'a pas dû être drôle.

— Surtout que je connaissais le gamin qui a jeté le *skyr*, affirma Árni. Le jeune frère d'une ancienne petite amie. Je suis sûr qu'il m'a reconnu.

— Là, on commence à envoyer le poivre, commenta Vigdís. Harpa tombe, Björn la ramasse. À partir de cet instant, ils restent ensemble.

Malgré la mauvaise qualité de l'image, il paraissait clair que Harpa était fascinée par Björn.

— Très bien, ça, c'est un quart d'heure plus tard. Les voilà.

— C'est qui ce type avec eux ? demanda Magnús.

Harpa et Björn marchaient ensemble en compagnie d'un grand gars avec une queue-de-cheval grise qui ressortait de sous un chapeau à large bord. L'homme discutait avec tout le monde, riait, criait des slogans. Magnús avait l'impression de l'avoir déjà vu.

— C'est Sindri Pálsson.

— J'ai déjà entendu parler de lui.

— Il est célèbre en Islande, expliqua Vigdís.

— Tout le monde est célèbre en Islande, nuança Magnús.

— C'était le chanteur du groupe de punk *Devastation* au début des années quatre-vingt. Ensuite, c'est devenu un agitateur international. Un manifestant chronique, un anarchiste. Il a écrit un livre sur les méfaits du capitalisme. Il s'est beaucoup impliqué dans les protestations contre le barrage de Kárahnjúkar. Tu sais, ils ont installé un barrage sur la vallée pour fournir du courant hydroélectrique à un haut-fourneau d'aluminium.

— Je sais, affirma Magnús, mentant à moitié.

Il avait eu vent du projet controversé, mais ne connaissait rien des détails. Une fois de plus, il rougit de son ignorance au sujet de son propre pays.

— Il a essayé de rendre le mouvement violent, mais les organisateurs ne l'ont pas suivi. Ils l'ont jeté.

— Un casier ?

— Usage de drogue, c'est tout.

— Mais vous avez un dossier sur lui ?

— Oh, oui. C'est une des personnes qu'on a identifiées comme capables de lancer une révolution. Une révolution violente, même.

— Et il se lie avec Harpa et Björn...

Vigdís continua l'enregistrement. La qualité baissait avec la lumière du jour. Mais il était évident que les trois étaient restés ensemble.

Arriva le moment des gaz lacrymogènes.

— C'est la dernière image que nous ayons d'eux, expliqua Vigdís.

Björn, Harpa et Sindri se tenaient à côté de la statue d'Ingólfur Arnarson. Ensuite ils se tournèrent pour aller vers Hverfisgata. On ne les identifiait que par leur silhouette, mais ils restaient assez reconnaissables.

— Attends une seconde, c'est qui ce type ?

Un jeune gars semblait les avoir rejoints et marcher avec eux.

— Aucune idée. On n'arrive pas vraiment à voir son visage. Mais je peux regarder d'autres images pour voir si on le retrouve.

— Je donnerais ma main à couper qu'il s'agit d'Ísak. Sharon est en train de prendre une photo de lui à Londres, elle va me l'envoyer.

— Il doit y en avoir une dans le registre des permis de conduire, suggéra Árni. Je vais aller vérifier.

La base de données contenait des photos de tous les Islandais détenteurs d'un permis de conduire et la police y avait accès. Pratique.

— On a l'adresse de ce Sindri ? demanda Magnús.

— Hverfisgata, affirma Vigdís. Dans le Shadow District.

— Viens, Vigdís, on va aller lui toucher deux mots. Árni, occupe-toi de ces images.

Alors qu'ils sortaient du bureau, ils croisèrent Baldur.

— Magnús ? Je croyais que vous enseigniez aujourd'hui ?

— J'en viens, affirma Magnús en souriant. Je dois partir, là.

Vigdís et lui se dépêchèrent de quitter le bâtiment.

Ils n'avaient pas été débordés, dans la boulangerie. Harpa leva la tête en entendant la porte s'ouvrir. Elle reconnut le couple qui entra.

— Bonjour Frikki, salua-t-elle, méfiante.

— Salut Harpa.

Ils étudièrent les gâteaux sur l'étalage. Frikki choisit un *kleina* et sa petite amie potelée, un éclair.

Frikki paya. Harpa lui rendit la monnaie.

Frikki hésita. Sa petite amie le regarda.

— Tu as vu les nouvelles ? demanda Frikki.

— Au sujet du chancelier anglais ?

— Oui.

— Oui, j'ai vu.

— On peut en parler ?

Harpa regarda autour d'elle. Aucun client. Dísa était dans l'arrière-boutique, affairée à glacer un gâteau d'anniversaire.

— D'accord, accepta-t-elle et ils partirent s'installer à la table dans le coin.

— Harpa, je te présente Magda, ma petite amie.

— Bonjour, salua la jeune fille avec un accent étranger, polonais sans doute.

Elle sourit, Harpa hocha la tête.

— Qu'est-ce que tu en penses ? demanda Frikki. Pour Lister ?

— Même si c'était un pauvre abruti, il ne méritait pas de mourir, déclara Harpa.

— Non, bien sûr que non. Mais… eh bien…

Frikki hésita de nouveau, et sa petite amie lui adressa un signe de la tête et un petit coup sous la table.

— Quand j'ai vu ça aux infos, hier soir, ça m'a fait réfléchir. Au sujet de cette nuit de janvier. Et...

— Et quoi ?

— Eh bien, c'est peut-être eux qui ont fait ça...

— Qui ça, *eux* ?

— Tu sais bien... Les autres, Björn, Sindri, l'étudiant. Eux. Et s'ils s'étaient réunis et avaient décidé d'abattre Julian Lister ? Et Óskar ?

— Non, pourquoi auraient-ils fait ça ?

— Pourquoi ? Mais ils en parlaient, tu ne te souviens pas ? On en parlait tous. On disait ce qu'on voulait faire aux banquiers, à Julian Lister...

— Ce n'était rien de plus que des mots en l'air.

— Non, c'est faux. Regarde ce qu'on a fait à ton petit ami. Quand même, on...

— Tu veux dire *je*.

— Non ! Non, Harpa, nous tous. J'y ai beaucoup repensé. On ne sait pas qui de nous deux l'a tué, n'est-ce pas ? Peut-être que c'était toi, peut-être moi ? Je l'ai frappé à la tête, après tout.

Harpa ouvrit grand les yeux. Elle s'était considérée comme seule responsable de la mort de Gabríel Örn. Elle éprouva une vague de compassion pour le gamin en face d'elle qui partageait le même sentiment de culpabilité qu'elle.

— Je ne sais pas pour les autres, mais Björn ne l'a pas tué, j'en suis sûre. Je le connais mieux, maintenant. C'est un homme bien.

— Mais Sindri ? Tu te souviens de ce qu'il disait. Que le peuple islandais n'était pas assez violent, qu'il devrait se mettre à l'action.

— Il ne faisait que parler, il était à moitié ivre. On l'était tous. En fait, c'est toi qui parlais le plus fort.

— Je sais...

— Et de toute façon, ces gens ont été tués à l'étranger, non ? L'Angleterre, la France...

— Ça ne prend pas si longtemps de faire l'aller-retour, intervint Magda. Un pêcheur peut le faire quand il dit sortir en mer. Il peut aller à Keflavík et s'envoler pour Paris ou Londres sans problème.

— C'est absurde. Je sais que Björn ne l'a pas fait.

Magda haussa les épaules. Le silence les enveloppa.

Frikki sursauta en recevant un autre coup de pied sous la table. Harpa jeta un coup d'œil à la Polonaise. Son visage était ouvert et franc. Harpa n'avait pas confiance en elle.

— Le truc, Harpa, c'est que j'envisage de me livrer à la police.

— Quoi ! Pourquoi ferais-tu ça ?

— Eh bien, de façon anonyme, peut-être. Mais si tous ces gens se font tuer, qui sait quand ça va s'arrêter ?

— Personne. Mais cela n'a rien à voir avec nous.

— Si. Crois-moi, je me sens déjà coupable. Si je ne fais rien pour les arrêter...

— Tu extrapoles, là. Ça serait différent si on était sûrs qu'il s'agissait de Sindri ou d'un des autres, mais on n'en sait rien. Tout ce qu'on sait, c'est que toi et moi, on a tué quelqu'un. Et franchement, on ne devrait pas s'en vanter.

— Je voulais te prévenir, conclut Frikki.

Harpa se tourna vers la Polonaise.

— Magda, c'est bien ça ?

Magda hocha la tête.

— Magda, écoutez. Je sais que vous pensez être la conscience de Frikki, mais cela ne dépend pas de vous. C'est un bon gars. Il ne mérite pas de passer des années en prison, et c'est ce qui va arriver. Peut-être que moi si, mais j'ai un enfant de trois ans. Et les autres nous ont aidés, Frikki et moi, ils nous ont couverts. Björn surtout. Il n'a pas à aller en prison.

— Mais vous avez le devoir d'arrêter ces meurtres, affirma Magda.

— On ne sait pas pourquoi ces gens sont assassinés ! On ne sait pas s'il y a un lien. Óskar et Lister n'étaient même pas en Islande. On garde le silence, Frikki, tu m'entends ?

Harpa s'étonna de l'autorité dans sa propre voix.

— Et on ne devient pas amis. On garde nos distances l'un de l'autre. Sinon, on va tous les deux finir en prison, et on ne sera pas plus avancés. D'accord ? Frikki, tu es d'accord ?

Frikki lança un regard à Magda qui fronçait les sourcils. Harpa voyait bien comme elle était déchirée, entre faire ce qu'elle considérait comme juste et envoyer le garçon qu'elle aimait en prison. Mais cela ne la concernait pas. Seuls Harpa et Frikki étaient concernés.

— Frikki, tu n'oublieras jamais ce qui s'est passé, déclara Harpa. Mais tu es jeune. Tu n'es pas un meurtrier, tu ne voulais pas tuer Gabríel Örn. Tu peux encore changer le cours de ta vie. Concentre-toi là-dessus.

Frikki se tourna vers Magda, elle ferma les yeux et hocha la tête.

— OK, lâcha Frikki. OK.

Dès qu'il vit Sindri, Magnús se rappela d'où il le connaissait.

Et merde...

Il regretta de ne pas être venu avec Árni plutôt qu'avec Vigdís. Cela pouvait s'avérer embarrassant, et c'était plus facile d'être embarrassé devant Árni.

Mais Sindri ne le reconnut pas. Il s'indigna du fait que les forces de l'ordre venaient le harceler chez lui. Il semblait toutefois évident qu'il n'était pas surpris. D'un autre côté, Sindri devait avoir l'habitude des visites impromptues de la police.

L'appartement était un vrai taudis empestant une vague odeur de marijuana, de tabac froid et de nourriture pourrie. À contrecœur, Sindri les conduisit dans le salon. Une pile de vaisselle sale s'accumulait dans l'évier du coin-cuisine. Un ordinateur émergeait à peine de la masse de papiers sur le bureau et sur le sol. À l'évidence, Sindri travaillait sur un gros livre.

Sindri s'installa devant la table, les bras croisés.

— Bon, qu'est-ce que vous me voulez ?

Sa voix grave était menaçante, mais dans ses yeux gonflés, on percevait un côté sympathique qu'il ne pouvait dissimuler.

Magnús jeta un œil à la toile sur le mur, au-dessus de la table.

— C'est vous qui l'avez peinte ?

— Oui.

— C'est Bjartur de Summerhouses ?

— Incroyable ! Un flic qui lit !

— *Gens indépendants* est un bon roman.

— Un *excellent* roman, corrigea Sindri. Tout le monde en Islande devrait le lire maintenant. En fait, ils auraient dû le lire il y a cinq ans. Si on avait plus de Bjartur par ici et moins d'Ólafur Tómasson, ce pays ne serait pas un survivant du surendettement.

— Vous n'avez pas tort.

Sindri grogna. Apparemment, il n'aimait pas que les policiers soient d'accord avec lui.

— Nous voudrions vous interroger sur les manifestations de cet hiver.

— Ah oui ? C'est un peu tard pour rassembler les « usual suspects », vous ne croyez pas ? Mais nous serons de plus en plus nombreux, vous savez ? Les gens ne vont pas tolérer les accords concernant Icesave. Pourquoi nos enfants et nos petits-enfants devraient-ils rembourser les dettes contractées par un petit groupe d'escrocs qu'on ne connaissait même pas ?

— Pourquoi, en effet ?

Sindri était lancé.

— Le gouvernement baisse son froc devant les Anglais et les Hollandais. C'est quoi cette merde ? « La nation islandaise honorera toujours ses obligations. » Et pourquoi, putain de merde ? C'est ce que j'aimerais comprendre ! On devrait dire aux Anglais d'aller récupérer leur argent auprès des banquiers eux-mêmes et de nous laisser tranquilles !

Sindri hocha la tête, saluant ses propres propos.

— Je l'avais senti venir. Nous avons un gouvernement socialiste à présent, mais à quoi bon ? Ils sont pareils que les autres, en plus faibles. Ils n'ont rien fait du tout. Il y a plus d'un an que les banques se sont écroulées et ils n'ont toujours pas fait comparaître un seul banquier. Pas un seul ! Mais les gars comme vous ont bien veillé à foutre les pauvres gens à la rue.

Magnús avait entendu parler des raids, même si cela datait d'avant son arrivée en Islande. Cela avait surtout touché les trafiquants de drogue, et pas les plus tendres. Mais il n'était pas ici pour défendre ses collègues.

— Allez, je sais, reprit Sindri. Vous voulez me neutraliser avant les nouvelles manifestations.

— En fait, pas du tout. Nous voudrions vous poser des questions au sujet d'une manifestation en particulier. Mardi 20 janvier, le jour où le Parlement est rentré de ses vacances.

— Oh, je me souviens de celle-là. Ou du moins le début. J'ai raté le plus drôle, plus tard dans la nuit. Je suis parti trop tôt.

— Vous connaissez Harpa Einarsdóttir et Björn Helgason ? demanda Vigdís.

— Non.

— On vous a vu avec ces deux personnes lors de la manifestation. Ils sont restés avec vous pratiquement tout l'après-midi.

— Vous avez regardé les vidéos de surveillance ? Je me suis souvent demandé ce que vous faisiez avec.

— En tout cas, on vous a vu en compagnie de Harpa et de Björn.

— Et de beaucoup d'autres gens, ajouta Sindri. J'aime parler à tout le monde lors de ce genre d'événement. Vous avez étudié les enregistrements, vous avez dû le remarquer.

— Donc vous ne vous souvenez pas de ces deux personnes en particulier ? demanda Magnús.

— Attendez une minute. Je crois que je me souviens de Harpa. Cheveux noirs bouclés ? Mignonne ?

— C'est ça. Vous l'avez revue depuis ?

— Non, malheureusement. Et je n'ai aucune idée de qui est ce Björn. J'ai assisté à toutes les manifs. Au bout d'un moment, elles se confondent toutes dans mon esprit.

— Vous êtes allé quelque part avec eux après ?

— Non. J'étais un peu rond déjà, je suis rentré ici et je me suis enfilé encore quelques verres. Je me suis couché. Pas de chance, ça s'est un peu animé après mon départ.

— Vous êtes rentré seul ici ?

— Oui.

— Harpa et Björn ne sont pas rentrés avec vous ?

— Non.

— On les a vus qui vous suivaient. Quand vous êtes-vous séparés ?

— Je ne m'en souviens pas, vraiment, affirma Sindri en souriant.

Belle impasse. Sindri le savait. Et Magnús le savait aussi.

— Vous étiez à l'étranger récemment ?

— Non. Je ne peux pas me le permettre. Personne ne peut, de nos jours. Je suis allé en Allemagne, à la fin de l'année dernière pour la sortie de mon livre, mais rien depuis.

— Où étiez-vous mardi soir dernier ?

— Euh... Laissez-moi réfléchir.

Sindri afficha un air de profonde concentration. Mais Magnús sentit qu'il avait déjà la réponse toute prête et qu'il retardait juste le moment de la leur livrer. Intéressant.

— J'étais dans une librairie. Eymundsson's. Un de mes amis vient de publier un livre. Ils se souviendront de moi là-bas. Pourquoi ? Qu'est-ce que je suis supposé avoir fait ?

— Et hier ?

— Rien. Je suis allé au Grand Rokk pour le déjeuner. J'y ai passé une bonne partie de la journée.

— Le Grand Rokk ? répéta Vigdís. Vous voulez dire le bar ?

— Oui, il est juste au coin.

Les yeux de Sindri s'ouvrirent soudain grand.

— Attendez une minute ! s'écria-t-il en montrant Magnús du doigt. C'est là que je vous ai vu. Au Grand Rokk.

— Possible.

— Non, pas possible, sûr. Vous êtes le type qui a vécu aux États-Unis, c'est bien ça ?

Il éclata de rire.

— La dernière fois que je vous ai vu, vous étiez ivre mort, se réjouit Sindri.

Vigdís regarda tour à tour son collègue et le suspect.

— Quelqu'un vous a vu là-bas, hier ? interrogea-t-elle.

— Je me disais bien que vous aviez une pointe d'accent, continua Sindri en ignorant la question de Vigdís. « Qui t'aimes, bébé ? » Ce n'est pas ça que dit Kojak ?

Avec son pouce et son index, il mima un pistolet.

— Vous m'avez mis de bonne humeur !

Magnús se leva, repoussant sa chaise derrière lui. En deux enjambées, il était sur Sindri et l'agrippait par le col. Sindri était lourd, mais Magnús était fort. Il tira l'homme de sa chaise et le plaqua au mur.

— Écoute-moi bien, débile, lança-t-il en anglais. Tu sais ce qui est arrivé à Óskar Gunnarsson et Gabríel Örn Bergsson. Et sans doute aussi à Julian Lister. Maintenant, il me semble que tu as un choix à faire. Sauf si tu veux passer le reste de ta vie dans une prison britannique ou française. Dommage que je ne puisse pas te trouver une petite place dans une maison de correction par chez moi, ça t'aurait bien plu.

Magnús lut la peur dans les yeux de Sindri.

Il le lâcha.

— On va revenir.

L'appartement de Sindri ne se trouvait pas très loin du quartier général de la police, à l'extrême est de Hverfisgata, en face de la station de bus. Magnús conduisait.

— Ce n'est pas vraiment comme ça qu'on mène les interrogatoires en Islande, remarqua Vigdís.

— Eh bien, vous devriez peut-être.

— Le Grand Rokk, un peu glauque, non ?

— Je n'y vais pas souvent.

Ils roulèrent en silence.

— Si tu as un problème, je connais des gens à qui tu pourrais parler, suggéra Vigdís.

— Pourquoi si un type va boire un mardi, c'est d'office un alcoolique, alors que s'il se cuite tous les vendredis, il est simplement sociable ?

— Je disais ça comme ça...

Ils n'échangèrent plus un mot avant de rentrer au poste.

Harpa servit Klara, une cliente régulière, fan du *vínarbraud* de Dísa. Elle avait dépassé les soixante-dix ans et venait tous les jours autour de la même heure pour en acheter une tranche. Elle adorait prendre son temps et en général, Harpa était contente de discuter avec elle, mais aujourd'hui, elle n'écoutait que d'une oreille.

Elle était satisfaite de la fermeté avec laquelle elle avait parlé à Frikki. Mais plus elle y pensait, plus elle s'inquiétait à l'idée que le gosse n'avait peut-être pas tort. Elle était sûre que Björn n'était pas impliqué dans le meurtre d'Óskar ou celui de Lister. Pour Ísak, elle n'en savait rien. Et Sindri ?

Depuis des années, cet homme-là affichait clairement ses thèses ultra-violentes pour abolir le capitalisme. D'un autre côté, depuis des années, il ne faisait strictement rien. Les Islandais aimaient parler politique, se plaindre, réclamer du changement, mais ils ne recouraient pas à la violence, même les anarchistes. Harpa se dit que ce grand bonhomme faisait beaucoup de bruit pour rien.

Mais peut-être qu'après avoir participé à un meurtre, cela devenait plus facile de tuer ? Il existait un lien entre Óskar Gunnarsson et Julian Lister, et Gabríel Örn aussi. Ils étaient tous responsables du *kreppa*. Et s'il y avait un autre mort, bientôt ?

Non. Cela ne la concernait pas. Elle devait se contenter de faire ce qu'elle avait exigé de Frikki, se taire et oublier.

Klara finit par partir et Harpa se mit à réorganiser les pâtisseries sous la vitre. Oublier ? C'était impossible. Elle se sentait déjà assez coupable pour le meurtre de Gabríel Örn. Frikki avait raison, elle ne pourrait le supporter si quelqu'un d'autre se faisait assassiner et qu'on découvrait que le meurtrier était Sindri.

Elle devrait peut-être en parler à Björn. Mais elle savait déjà ce qu'il allait dire. Il la dissuaderait d'aller voir la police, la convaincrait de ne rien dire, de la jouer profil bas. Comme elle l'avait exigé de Frikki.

Au moins, elle lui faisait confiance. Il n'avait pas pu tuer Óskar ou Julian Lister. La Polonaise délirait. Elle pensait quoi au juste, qu'il était parti de chez elle pour se rendre à l'aéroport plutôt qu'à Grundarfjördur ? Ridicule. Il aurait eu besoin d'un passeport, de billets, d'argent.

Soudain, elle ne parvint plus à respirer. Ses oreilles se mirent à siffler. Elle se sentit vidée de ses forces et s'appuya contre le mur, laissant tomber dans un grand fracas le plateau de pâtisseries qu'elle portait.

Non. Non, non, non, non et non ! Elle ne pouvait pas le croire. C'était tout simplement impossible

— Qu'est-ce qui t'arrive Harpa ? Ça ne va pas ?

C'est à peine si elle sentit la main de Dísa sur son épaule, ou si elle entendit l'inquiétude dans sa voix.

Elle repensa à ce qu'elle avait vu dépasser de la poche de Björn quand il était resté chez elle la nuit.

Un passeport bleu électrique islandais.

23

M agnús venait de revenir à son bureau quand son téléphone sonna.
— Magnús, c'est Sharon.
— Vous avez la photo ?
— Oui, et un bon cliché en plus. Je suis en route pour la montrer à la voisine de Gunnarsson.
Magnús sentit son pouls s'accélérer. Faire correspondre une description n'était rien comparé à une identification en bonne et due forme qui fournirait la preuve du lien entre le meurtre d'Óskar et la mort de Gabríel Örn.
— Au cas où, on doit aussi avoir une photo dans notre base de données. Vous avez demandé à Ísak où il était hier ?
— C'est pour cela que j'appelle. Je suis à l'ambassade d'Islande, pour vérifier les dires d'Ísak. Il prétend s'être rendu au service du matin à l'église. Le prêtre a confirmé.
— Mince.
— Je sais. Mais c'est la première fois qu'Ísak assistait à la messe. Et il a veillé à se faire remarquer en venant discuter avec le prêtre. Ce qui me fait penser...
— Qu'il a voulu se créer un alibi.
— Peut-être bien, oui.
Magnús réfléchit. Il était conscient du danger de manipuler les faits pour qu'ils coïncident à la théorie.
— On pousse un peu, non ?
— Oui. Peut-être. Je vous tiens au courant de ce que dit la voisine.
— Vous savez quelque chose de l'enquête en Normandie ?
— Seulement ce que j'ai vu aux infos. Je ne suis pas intervenue, comme vous me l'aviez demandé.
— Merci Sharon.
— Pas de problème.

Mais Magnús remarqua le manque d'enthousiasme dans sa voix. Garder cela pour elle ne lui convenait pas, c'était clair. Tant pis.

— Expliquez-moi pourquoi vous n'êtes pas à l'académie ? demanda Baldur, foudroyant Magnús du regard.

— Vigdís a trouvé des preuves sur la vidéo des émeutes de janvier correspondant au jour de la mort de Gabríel Örn.

— Je croyais vous avoir dit que cette affaire était classée.

— Oui, je sais. Mais écoutez ce qu'on a.

Magnús décrivit l'identification de Sindri sur la vidéo et l'interrogatoire de ce dernier, omettant à dessein l'épisode du Grand Rokk.

— Donc Harpa, Björn, Sindri et Ísak sont tous liés, résuma-t-il. Harpa, Björn et Sindri se sont rencontrés le jour où Gabríel Örn a été tué. Ísak a déclenché une bagarre avec Harpa dans un bar autour de l'heure où Gabríel Örn est mort. Et il correspond à la description du coursier islandais qui cherchait l'adresse d'Óskar à Londres quelques jours avant son assassinat. Harpa est liée à Óskar, c'était le père de son fils et nous savons qu'elle est allée le voir en juillet. Björn et Harpa forment un couple. Et Sindri, eh bien Sindri est un anarchiste qui croit en la violence pour annihiler le capitalisme.

— Rien de tout cela ne constitue des preuves solides. Le seul véritable lien entre tous ces gens, c'est que vous les soupçonnez.

— C'est vrai. On doit creuser plus loin et découvrir d'authentiques preuves.

— Que suggérez-vous ?

— Filer Sindri. Et Björn. Se procurer des mandats de perquisition pour fouiller leur maison et leur ordinateur, jeter un œil aux compagnies de téléphone pour voir s'ils sont en contact, identifier Ísak et le faire arrêter par la police britannique.

— On ne fera rien de tout cela, affirma Baldur en secouant la tête.

— Pourquoi pas ?

— Parce que cela ferait passer l'affaire pour une vaste chasse aux terroristes islandais.

— Et ce serait bien.

— Non ! cria Baldur, frappant son bureau du plat de la main. Non. Pas sans preuve.

— Et si j'ai raison ? Et si un autre banquier est tué demain ?

Baldur se cacha le visage dans ses mains et ferma les yeux. Magnús lui laissa le temps de réfléchir.

— Quel serait le mobile ? demanda enfin l'inspecteur.

— Pour Harpa, elle en avait personnellement après Gabríel Örn et après Óskar. Tous sont victimes du *kreppa*, ils pourraient se venger des gens qu'ils pensent responsables. Les banquiers, le gouvernement britannique...

— Mais la moitié du pays a souffert du *kreppa*. Et ce n'est pas pour autant qu'ils veulent tuer qui que ce soit ! Les Islandais ne font pas ce genre de chose.

— La moitié du pays, peut-être. Mais nous parlons de trois ou quatre personnes, là. Nous savons que Sindri croit en la violence. Peut-être que les autres aussi. Ísak est un étudiant très politisé : sa mère dit de lui qu'il est radical.

— Je ne marche pas. Et les alibis ? Si vous avez raison et que ces personnes, toutes ou certaines, sont responsables des meurtres d'Óskar Gunnarsson et de Julian Lister, alors au moins l'une d'elles aurait dû se trouver à Londres la semaine dernière et en France hier. Je vous écoute.

Magnús voyait bien que Baldur avait trouvé la faille dans sa théorie.

— Óskar a été abattu mardi dernier dans la nuit. Harpa travaillait à la boulangerie à Seltjarnarnes, Björn pêchait sur un bateau de Grundarfjördur, Sindri était à une inauguration de livre. Mais il faut encore qu'on vérifie.

— Et Ísak ?

— Il était en Islande chez ses parents.

— Et hier ? demanda Baldur. L'un d'eux se trouvait en Normandie ?

— Harpa, on l'a interrogée samedi soir tard, elle aurait difficilement pu être à temps en France. Björn, je l'ai vu moi-même dimanche, et Sindri était au Grand Rokk. Ísak, lui, était à l'église à Londres.

— Alors comment ont-ils pu abattre nos deux victimes ?

— Les alibis sont trop gros, surtout celui d'Ísak. Il n'a aucune bonne raison pour être revenu à Reykjavík la semaine dernière. Et son petit saut à l'église sent la recherche d'alibi à plein nez.

— Vous poussez là, Magnús.

Baldur n'avait pas tort, qu'il aille au diable !

— Il doit y avoir quelqu'un d'autre. Un cinquième complice. Celui qui a appuyé sur la gâchette. L'assassin.

— C'est exactement là où je voulais en venir, Magnús, déclara Baldur, un léger sourire aux lèvres. Peut-être que quelqu'un d'autre a tiré. Peut-être même deux autres personnes. Un à Londres et le deuxième en Normandie. Et peut-être qu'aucun des deux n'avait quoi que ce soit à voir avec l'Islande.

— D'accord, je me trompe peut-être, reconnut Magnús. Mais il existe tout de même une chance, une mince chance que j'aie raison. Je suis convaincu que les connexions sont là. On ne les a pas encore trouvées, c'est tout. Je ne sais pas ce que ça va donner, mais continuons à creuser. Parce que si j'ai raison, une autre personne risque de se faire abattre.

Baldur se rassit dans son fauteuil. Magnús savait que Baldur ne l'aimait pas et que c'était pour lui l'occasion de le faire taire et de le renvoyer étudier. Magnús avait travaillé pour des patrons à Boston qui auraient agi ainsi. Mais Baldur était un flic d'une autre génération, qui respectait ce que lui dictait son instinct. La question était : respectait-il Magnús ?

— Voilà comment on va procéder. Continuez encore à creuser pendant quelques jours, tous les trois. Mais faites-le sans vagues, c'est compris ? Gardez ça pour vous, n'en parlez pas même au sein du commissariat. Je ne veux pas avoir à défendre une théorie de complot terroriste devant le commissaire principal. Et si vous ne trouvez pas de preuve solide, on laisse tomber. C'est compris ?

— Compris, affirma Magnús.

Sophie éteignit la radio dans la cuisine et rinça sa tasse de café. Elle traînait et elle le savait. Elle aurait dû être à la bibliothèque depuis des heures. Elle devait rendre une dissertation sur la montée des inégalités sociales sous les gouvernements socialistes, et il lui restait une tonne de lecture en retard.

Elle ne comprenait pas où s'était envolée sa motivation. C'était sa dernière année, il fallait qu'elle assure. Peut-être que vivre avec Zak n'avait pas été une si bonne idée, après tout. Le travail ne lui posait aucun problème, il était brillant et se passionnait pour la politique, surtout les anciens penseurs marxistes qui étaient tombés en désuétude. Ses profs l'adoraient, il leur rappelait le bon vieux temps, quand on ne pensait pas qu'à ses futurs investissements en banque. Il avait une discipline de fer, et elle aimait perdre son temps en sa compagnie.

Elle se demanda ce que la police lui voulait. Quand elle lui avait demandé, il n'avait pas répondu. Mais elle pensait savoir de quoi il s'agissait : Zak avait dealé un peu, juste pour ses amis et pour joindre les deux bouts. Après la crise islandaise de l'année passée, les bourses et subventions auxquelles il avait droit ne pesaient plus très lourd.

Une fois l'inspectrice partie, Zak avait paru stressé. Sophie se demandait s'il fallait en parler aux autres colocataires, pour s'assurer que rien ne traînait dans la maison, au cas où la police déciderait de jeter un œil.

Maintenant, au travail ! Armée de sa nouvelle résolution, elle se dirigea vers la porte d'entrée, qui s'ouvrit devant elle.

— Zak ! Qu'est-ce que tu fais ici ?

— Je croyais que tu devais aller à la bibliothèque ? lança-t-il, l'air préoccupé.

— J'y allais. Quoi de neuf ?

Il la bouscula pour aller dans sa chambre.

— C'est ma mère. Je viens de recevoir un appel de mon père. Son état empire.

— Oh non ! s'exclama Sophie en le suivant.

Elle savait pour le cancer de sa mère.

— Je suis désolée.

— Je retourne en Islande, annonça Zak en sortant un sac de son armoire.

— Quand ? Maintenant ?

— Oui, j'espère attraper un vol, si je me dépêche.

— C'est si grave ? Je veux dire, elle ne va tout de même pas...

Sophie ne pouvait pas se résoudre à dire « mourir ».

— Je ne sais pas, Sophie, je ne sais vraiment pas. Peut-être. Je dois rentrer chez moi.

Il ne la regardait pas dans les yeux en disant cela.

— Viens ici, lança Sophie en écartant les bras, mais il l'ignora. Viens !

Lentement, à contrecœur, il la laissa le serrer contre elle. Sophie se sentit légèrement vexée quand il la repoussa. Parfois il mettait des barrières et cela ne lui plaisait pas. Mais comment savoir ce qu'on ressent quand on perd sa mère ?

Elle le regarda faire sa valise. Le silence était gênant. Elle comprit qu'il ne voulait pas parler de sa mère.

— On pense que Lister pourrait s'en sortir après tout, affirma Sophie. Je viens de l'entendre à la radio.

— Dommage.

— Tu ne penses pas ce que tu dis ! s'exclama Sophie, choquée. Je sais qu'il vous a traités de terroristes, mais ce n'est pas un homme méchant.

— Si tu le dis. Tout un pays qu'il a ruiné pourrait ne pas être d'accord avec toi...

Sophie prit sa respiration. Elle n'avait jamais vu Zak si tendu. Elle voulait tant le réconforter.

La visite de l'inspectrice la préoccupait. Elle faillit l'interroger à ce sujet mais se ravisa. Elle le regarda, impuissante, finir ses bagages à la hâte. Elle sentit une peur infinie l'envahir, comme s'il la quittait pour toujours.

— Tu pars pour combien de temps ?

— Je ne sais pas. Je ne le saurai que quand j'aurai vu son état.

— Alors préviens-moi, une fois que tu seras là-bas. Tu as averti l'université ?

— Oh, je le ferai plus tard. Au fait, tu ne pourrais pas le dire à McGregor ? Je l'appellerai dans un ou deux jours.

Le professeur McGregor était le responsable du département de politique.

— Oui, bien sûr.

Dix minutes plus tard, Zak était parti. Sophie s'assit à la table de la cuisine et éclata en sanglots.

24

Dísa renvoya Harpa chez elle. L'air frais lui donna un coup de fouet, alors qu'elle se pressait le long de la baie. À sa droite un gros nuage noir surplombait Hallgrímskirkja, déversant son contenu sur le centre-ville. Une brise d'est poussait le nuage vers Seltjarnarnes.

Elle se répéta à voix basse ce qu'elle dirait à Björn. Elle devait l'appeler, mais elle redoutait cette conversation.

Elle arriva chez elle quelques minutes avant le nuage, se versa une tasse de café et composa le numéro de Björn. Elle espérait qu'il n'était pas en mer. Il fallait qu'elle sache une fois pour toutes.

Il répondit à la deuxième sonnerie.

— Salut, c'est moi.

— Oh, bonjour, répondit-il, distrait.

— Björn, je voudrais... Il faut que je te parle.

— Qu'est-ce qui se passe ?

— Tu te souviens de ce gamin qui était avec nous la nuit où nous sommes allés dans l'appartement de Sindri ? Un garçon appelé Frikki ?

— Oui, bien sûr que je me souviens de lui.

— Il est venu à la boulangerie, l'autre jour, avec sa petite amie. Et aujourd'hui, ils sont revenus. Il a l'air de penser que Sindri se cache derrière la mort d'Óskar. Et derrière la fusillade sur le ministre anglais aussi.

— C'est ridicule, pourquoi ?

— Il dit que Sindri parlait de passer à l'action contre les banquiers et contre tous ceux qui ont provoqué le *kreppa*.

— Oui, mais il était soûl. On était tous soûls.

— Et il a dit que toi aussi, tu pourrais être impliqué, lança Harpa après avoir rassemblé son courage.

— Moi ? Comment ? Ils ont été abattus à l'étranger, non ?

— Oui. Mais il a dit, ou c'est plutôt sa petite amie qui l'a suggéré, que tu aurais très bien pu partir à Londres ou en France quand tu affirmais être en mer.

— Oh, Harpa, c'est n'importe quoi !

Harpa était tout à fait d'accord. Maintenant qu'il le prononçait à haute voix, elle se demanda même pourquoi elle l'avait soupçonné.

— C'est ce que je lui ai dit.

— Très bien. Il ne compte pas se rendre à la police, au moins ?

— Non, je ne pense pas, mais…

— Mais quoi ?

Harpa prit une nouvelle inspiration. Jusque-là, elle ne lui avait jamais laissé voir qu'elle ne lui faisait pas entièrement confiance. Jamais. Mais maintenant il le fallait.

— Björn, pourquoi tu avais un passeport sur toi, quand tu es venu me voir l'autre jour ?

— Quoi ?

— Pourquoi avais-tu un passeport ? Je l'ai vu. Dans la poche de ta veste.

— Tu ne vas pas me dire que tu as cru à ce qu'ils t'ont raconté ?

— Non. Je veux juste savoir pour ton passeport.

— Eh bien, euh… j'en avais besoin.

— Pour partir à l'étranger ?

— Non. Comme papier d'identité. Le lendemain, j'avais un rendez-vous à la banque à Reykjavík, au sujet d'un emprunt pour un bateau.

Sa voix gagnait en confiance à mesure qu'il s'expliquait.

Comme s'il était satisfait de l'histoire qu'il venait d'inventer.

— Quelle banque ?

— Euh… Kaupthing.

— Mais ils n'exigent pas de voir le passeport, si ?

— Oui, je ne savais pas. Ça doit être les nouvelles règles. Ils sont plus sévères.

Tout cela sonnait faux.

— Et ensuite, tu es parti en mer pendant quelques jours ?

— Oui. Je te l'ai dit.

— Sur quel bateau ?

— Hé, Harpa, je n'ai pas à me justifier. Tu ne crois tout de même pas ce môme ?

— Je ne sais pas. Je ne sais plus, Björn.

— Qu'est-ce qui t'arrive, Harpa ? demanda-t-il, de la colère dans la voix.

— D'accord. Je vais te poser cette question une fois, et après je vais me taire. Es-tu impliqué dans les assassinats d'Óskar Gunnarsson et de Julian Lister ?

Silence.

— Björn ?

— Non. Non, Harpa. Ce n'est pas moi. Je n'ai tiré ni sur Óskar, ni sur Julian Lister. Tu me crois ?

Harpa raccrocha.

Son téléphone sonna. Elle ne répondit pas. Elle s'était écroulée sur le sol de la cuisine, le dos appuyé contre un placard et elle sanglotait.

Non. Elle ne le croyait pas.

Elle était encore assise là, dix minutes plus tard, quand la porte s'ouvrit.

— Harpa ?

— Maman ?

Elle leva les yeux pour voir son fils et son père la fixer, le regard inquiet.

— Maman, tu es tombée ?

Harpa commença à se relever. Einar lui tendit la main. Markús courut vers elle pour lui faire un câlin qui lui fit du bien.

Einar proposa gentiment au petit d'aller dans le salon regarder la télé.

— Harpa, qu'est-ce qui ne va pas ?

— Oh, papa. Papa, je me suis fourrée dans une situation horrible !

— Viens ici.

Il l'enveloppa de ses puissants bras de pêcheur. Le torse large, il sentait le tabac. D'habitude, elle détestait l'odeur de la cigarette, mais sur lui, cela lui rappelait son enfance, la joie de le retrouver quand il rentrait de mer. Le parfum du tabac se mêlait alors à celui du poisson.

— Assieds-toi et raconte-moi tout, dit-il en souriant. Sur une chaise, pas par terre.

Harpa s'installa à la table de la cuisine. Elle avait besoin de se confier, désespérément. Et maintenant elle ne pouvait plus parler à Björn. C'était plus fort qu'elle, elle lui raconta tout.

Elle commença par la manifestation et la discussion avec Sindri dans son appartement. Elle lui expliqua les soupçons de Frikki sur l'implication de Sindri et de Björn dans l'assassinat d'Óskar et de Julian Lister. Elle lui dit que Björn avait nié, mais qu'elle ne le croyait pas.

Et ensuite, parce que sinon l'histoire n'aurait pas eu de sens et parce que cela faisait tellement de bien de s'alléger de ce fardeau, elle lui avoua pour Gabríel Örn : comment ils lui avaient tendu un guet-apens et comment il était mort. Elle n'oublia rien, hormis sa relation avec Óskar et le lien entre le banquier et Markús.

— Mon pauvre amour ! s'exclama-t-il en lui prenant les mains. Je pensais bien qu'il s'était passé quelque chose en janvier dernier, mais je ne me doutais pas que c'était si grave.

— Je sais. Pourras-tu me pardonner ?

Elle plongea son regard dans les yeux bleus de son père, plus profonds que l'océan. C'était trop lui demander. Il l'avait toujours aimée, elle le savait, il attendait beaucoup de sa fille et il l'avait toujours punie quand elle échouait. Cela expliquait ses succès à l'école, à l'université, puis sa carrière dans la banque. Elle n'avait jamais voulu le décevoir.

Et maintenant, elle lui avouait avoir tué quelqu'un.

Les yeux bleus se froissèrent.

— Te pardonner pour quoi ? C'était un accident ! Tu n'avais pas l'intention de le tuer. Et cette ordure méritait une bonne correction, j'aurais dû m'en charger moi-même.

— Mais il est mort, papa, il est mort !

— Oui, je ne dirais pas qu'il le méritait. Mais ce n'était pas ta faute. C'était un horrible accident, tu ne dois pas oublier ça.

— Merci, dit-elle en souriant, au comble du soulagement.

Elle savait que la sensation ne durerait pas, mais cela faisait du bien d'avoir le soutien de son père.

— Que dois-je faire maintenant ?

— À ta place, je n'en parlerais pas à ta mère.

— Non, acquiesça Harpa.

Sa mère était bien plus sévère et moralisatrice que son père.

— Mais je m'inquiète, papa. Et si Frikki avait raison ? Et si un autre banquier est abattu ? Je ne pourrais jamais me le pardonner.

— Oh, après tout, ces salopards le méritent peut-être. Et de toute façon, tu n'es pas responsable.

— Si je ne dis rien, je le deviens.

— Alors tu envisages quoi exactement ? Aller parler à la police ?

— Oui.

— Ne fais pas ça, Harpa. Ils vont tout découvrir pour Gabríel Örn. Tu finiras au trou. Je ne veux pas que ma fille unique aille en prison, surtout pour quelque chose qui n'est pas de sa faute. Et Markús ? Bien sûr qu'on le gardera, mais il a besoin de sa mère.

Ils restèrent un moment sans rien dire, avant qu'Einar ne reprenne la parole.

— J'ai une idée ! lança-t-il.

— Laquelle ?

— Peut-être que tu imagines tout ça. Björn te dit peut-être la vérité, il est possible qu'il ait vraiment été en mer quand ces deux hommes ont été abattus.

— Mais le passeport alors ? Je suis certaine qu'il mentait pour ça.

— Peut-être, concéda Einar dans un haussement d'épaules. Mais on peut vérifier sur le planning des bateaux de pêche. Je connais le responsable du port de Grundarfjördur. Il saura si Björn était en mer et sinon, il saura à qui demander.

Le visage d'Harpa s'éclaira. Et si Björn disait la vérité ? Soudain, la possibilité, si éloignée il y a encore quelques minutes, lui remonta le moral.

— Tu pourrais t'y rendre pour le lui demander ?

— Pas la peine. Je n'ai qu'à lui téléphoner. Rappelle-moi de quels jours on parle, précisément.

— D'accord, dit Harpa en se levant pour consulter le calendrier. Óskar a été assassiné la nuit du mardi quinze. Et on a tiré hier sur Julian Lister.

— Tu n'as pas parlé à Björn hier ?

— Non. Avant ce soir, la dernière fois que je lui ai parlé, c'est quand il est venu me voir la semaine dernière. Jeudi dernier exactement. Je le pensais en mer.

— D'accord, je vais vérifier. Et quand nous saurons si Björn a menti, nous réfléchirons à ce qu'il convient de faire.

— Merci, papa. Merci infiniment !

Sindri alluma une autre cigarette et fixa l'écran vide de son ordinateur. Des mots noircissaient les feuilles éparpillées sur son bureau, mais rien de nouveau.

Il n'avait rien écrit depuis une semaine. Pas étonnant. Il aurait tant voulu se changer les idées et aller au Grand Rokk. Mais maintenant plus que jamais, il devait garder l'esprit clair.

La sonnerie retentit. Il prit une bouffée rapide de sa cigarette et partit ouvrir. Encore la police, sûrement. Il savait qu'ils allaient revenir.

Mais ce fut sa belle-sœur qu'il trouva sur le palier.

— Freyja ! Entre, voyons, entre !

Il l'embrassa sur la joue et la conduisit dans son appartement.

— Désolé pour le désordre. Je suis en train de travailler. Je te fais du café ?

— Avec plaisir.

Freyja était vêtue en fille de la ville dans son tailleur noir, et ses cheveux blonds bouclés étaient attachés en queue-de-cheval. Mais ses joues avaient conservé la teinte rosée de la montagne.

— Tu ne m'avais pas dit que tu venais, qu'est-ce qui t'amène ?

— Nous avons reçu une offre pour la ferme ce week-end. Vraiment bonne. Le cousin d'un voisin. C'est le fils d'un fermier. Il veut avoir son terrain à lui et il a assez d'argent pour se l'offrir.

— Je suppose que c'est une bonne nouvelle. Tu vas accepter ?

— On n'a pas le choix. C'est la seule proposition sérieuse qu'on nous a faite. Et c'est l'unique moyen de rembourser nos dettes.

— Tu pourrais dire aux banquiers de se les fourrer où je pense. Reste sur ta ferme et attends qu'ils essayent de te chasser. Tu sais combien le gouvernement rend la tâche pénible aux banques pour mettre la main sur les biens en ce moment.

— Pour l'instant, oui. Mais les dettes ne vont pas partir en fumée si je ne rembourse pas. Comme ça, je m'acquitte de tout et on repart à zéro.

Ils se turent, fixant leur tasse de café. Sindri tirait sur sa cigarette. C'était la ferme de son enfance dont ils parlaient, un terrain que son arrière-grand-père avait acheté un siècle plus tôt. Mais ce n'était pas ce qui lui faisait le plus mal. Il était triste pour Freyja et ses enfants. La famille détruite de son frère, Matti.

— Alors vous allez venir vivre à Reykjavík ?

— Il le faut. Je dois travailler.

— Tu as vu ton frère ? demanda Sindri, se souvenant qu'il avait proposé à Freyja un travail dans son entreprise.

— Oui, mais ça ne marche pas. Il a dû renvoyer trois personnes la semaine dernière, alors il ne peut pas en embaucher une maintenant.

— Qu'est-ce que tu vas faire ?

— Je vais demander autour de moi. C'est pour cela que je suis ici. Tu ne connaîtrais pas quelqu'un qui cherche à embaucher ?

— Désolé.

Il n'avait même pas besoin de réfléchir. Plusieurs de ses amis qui faisaient des petits boulots cherchaient eux aussi. Lui, il avait la chance de toucher encore des royalties pour son livre, et le ministère de l'Éducation, des Sciences et de la Culture en Islande payait toujours les auteurs.

— Je sais que je n'ai aucune qualification concrète, mais je travaille dur. Je suis forte, je m'y connais en chiffres, je suis honnête.

— Oh oui, je sais tout ça. Je n'en doute pas une seconde. C'est juste qu'il n'y a pas de travail en ce moment.

— Je pourrais faire serveuse, vendeuse. Je peux même faire des ménages.

— Désolé. Je ne suis pas vraiment le type à qui s'adresser pour le monde du travail.

— Non, en effet, acquiesça Freyja, jetant à Sindri un regard qu'il perçut plein de mépris.

— Vous allez habiter où ?

— Je ne sais pas, répondit Freyja en soupirant.

— Vous pouvez dormir ici sur le plancher. Toutes les trois.

Freyja éclata de rire en voyant le désordre et la saleté ambiante.

— J'espère qu'on n'en sera pas réduites à ça.

Elle s'arrêta de rire. Ils savaient tous les deux que c'était fort probable.

— Je suis désolé de ne pas pouvoir te racheter la ferme...

Il était sincère. Il l'aurait fait, s'il avait pu. C'était le moins qu'il aurait pu faire pour racheter les bêtises de son frère.

— Mais je n'ai pas l'argent.

— Bien sûr, je le sais. Je ne m'attendais pas à cela de ta part. Mais parfois, je me demande...

— Quoi ?

— Ce que les gens comme toi font de leurs journées.

— J'écris un roman. Basé sur les *Gens indépendants* de Halldór Laxness. Mais adapté au XXIᵉ siècle. Je rame un peu, c'est vraiment dur.

— Tu appelles ça dur ? s'exclama Freyja, animée. Certains d'entre nous ont travaillé toute leur vie. Certains d'entre nous ont des enfants à nourrir. Parfois je me dis que ce serait bien que vous autres, vous leviez vos gros derrières pour vous mettre vraiment à travailler.

Sindri sentit le feu lui monter aux joues. Il ne dit rien. Elle leva les yeux au ciel, avant de sourire, timide.

— Je suis désolée, Sindri. Je fais tellement d'efforts pour ne pas me laisser dépasser. Et j'y arrive, vraiment. Je ne crie jamais sur personne, ni les petites, ni les banques, ni même les stupides moutons. Bien sûr, celui sur qui je voudrais vraiment crier, c'est Matti. Mais je ne peux pas.

Elle regarda Sindri dans les yeux.

— Alors c'est sur toi que je crie. Je suis désolée.

— Je le mérite sûrement, admit-il en lui touchant la main. Je vais ouvrir les yeux et les oreilles. Il se peut que j'entende parler d'un appart pas cher.

— Merci. Je dois y aller. Je vais voir tous ceux que je connais à Reykjavík. Il va bien en ressortir quelque chose.

— J'en suis sûr, mentit Sindri.

Longtemps après le départ de Freyja, Sindri était encore devant la peinture de Bjartur qui portait sa fille malade dans la lande.

Il ferait ce qu'il pourrait.

Sharon Piper se sentait frustrée alors qu'elle retournait au poste sur Earl's Court Road. Virginie Rogeon n'était pas chez elle. Et son portable ne répondait pas. Sharon avait frappé à toutes les portes jusqu'à ce qu'une voisine, une autre Française, lui annonce que Virginie venait de partir en vacances, en Inde. Son mari, Alain, travaillait pour une banque d'investissement américaine.

Piper s'était dit que le meilleur moyen de la joindre, ce serait par le Blackberry de son mari. Ce qui voulait dire qu'elle devrait contacter la branche de sa banque à Londres.

— Quoi de neuf, Sharon ? Rien du côté islandais ?

Sharon leva la tête pour trouver l'inspecteur Middleton, son boss, penché sur son bureau.

Elle laissa échapper un soupir.

— Je ne sais pas. On a peut-être une piste avec le coursier qui cherchait l'adresse de Gunnarsson. Un étudiant islandais en économie, Ísak Samúelsson. Il correspond à la description, mais sans identification solide, on ne peut pas en être sûr. J'essaye de retrouver la voisine française qui l'a vu, mais elle est en vacances. En Inde.

— Bon, faites de votre mieux. Tanya et ses amis russes ne nous mènent nulle part. La police islandaise a quelque chose sur ce type ?

— Je ne sais pas. Pas vraiment.

— Si vous avez besoin d'un coup de main, demandez. Il faut réellement avancer maintenant.

Piper regarda son chef partir dans son bureau de verre et regarder par la fenêtre. C'était bien gentil de la part de Magnús de lui demander de garder pour elle ses soupçons. Mais sa loyauté devait aller à sa hiérarchie plutôt qu'à cet Américain, ou Islandais. Et Julian Lister n'était pas n'importe qui. Elle se devait d'informer ses supérieurs de toutes les pistes, même les plus rocambolesques. Cela pouvait mettre le feu aux poudres. Ou peut-être qu'ils l'ignoreraient complètement. En tout cas, elle devait en parler.

Elle ouvrit la porte de son bureau.

— Commissaire, je voudrais vous voir.

25

M agnús prit une bière et alluma la télé. L'enquête occupait ses pensées. Il se sentait frustré, il savait que les connexions existaient, mais il n'arrivait pas à les prouver. Il avait demandé à Árni de visionner la moindre séquence de la vidéosurveillance des manifestations de janvier. Il avait besoin d'un meilleur cliché du jeune qui suivait Harpa, Björn et Sindri lorsqu'ils avaient quitté la place.

Avec Vigdís, il avait épluché tous les dossiers sur les prétendus anarchistes qui avaient participé aux marches de protestation. Ils en avaient vu certains cachés derrière leur passe-montagne en train de jeter des pierres sur les forces de police. Certains n'étaient que des fauteurs de troubles qui cherchaient à s'amuser un peu. D'autres semblaient suivre une idéologie, qu'ils n'exprimaient pas bien. Un ou deux étaient des amis de Sindri.

Autant de pistes potentielles à suivre, dont Magnús doutait qu'elles mèneraient quelque part. À moins que l'un d'eux ne se soit trouvé avec Harpa, Björn et Sindri ce soir-là. Voilà qui serait intéressant.

Il avait espéré que Sharon obtiendrait l'identification du coursier d'Onslow Gardens. Elle avait appelé pour expliquer que la voisine était en vacances, et que maintenant, elle essayait de la retrouver.

Tout ce qu'il leur restait à faire, c'était attendre. Une fois que le mari réapparaîtrait, ce ne serait plus un problème pour envoyer la photo par mail. Une fois qu'il réapparaîtrait...

On parlait de Julian Lister à la télé. Les médecins annonçaient qu'il avait des chances de s'en sortir. Et tous les Islandais lui souhaitaient un prompt rétablissement. La nation avait été frappée d'un profond sentiment de culpabilité.

Pas moyen d'y échapper. Les Islandais dans leur écrasante majorité étaient un peuple pacifique, non violent, terrifiés à l'idée qu'on pense d'eux le contraire. Magnús comprenait que les autorités ne veuillent pas qu'on creuse la piste islandaise. Parce que si Magnús avait raison, il existait bien un groupuscule terroriste qui avait décidé de s'en prendre à des personnages haut placés.

Terrorisme.

Son téléphone sonna.

— Magnús.

— Bonjour, Magnús. Tu es devenu cent pour cent islandais, je vois.

— Ollie ! Comment ça va, mon gars ? J'ai eu ton message hier. Désolé de ne pas t'avoir rappelé.

— Pas de problème. Comment va la terre de nos ancêtres ? Toujours en ébullition ?

— J'imagine. J'attends toujours de voir ma première éruption volcanique. En tout cas, les jacuzzis, c'est sympa.

— Comment se passent tes cours ?

— Ça va. Mais je travaille sur une vraie affaire pour le moment.

— Quelqu'un s'est branlé dans du *skyr* ?

— Joli.

— Désolé. Eh, tu sais que c'était l'anniversaire de papa, hier.

— Ah oui ? Vraiment ? Tu dois avoir raison, déclara Magnús en se redressant, se sentant légèrement coupable.

Il avait oublié.

— Oui, il aurait eu soixante ans. Je n'arrive pas à l'imaginer à soixante ans, et toi ?

— Si, en fait, répondit Magnús en souriant.

Son père avait autour de quarante-cinq ans au moment de sa mort. Ses cheveux blonds grisonnaient déjà. Les rides autour de ses yeux se creusaient.

— Je peux tout à fait.

— J'ai beaucoup pensé à lui ces derniers temps.

— Moi aussi, admit Magnús.

Il prit une profonde respiration. Ollie avait le droit de savoir, tout autant que lui.

Magnús parla pendant vingt minutes, racontant à son frère sa rencontre avec Sibba et l'histoire d'Unnur. Et la réaction de leur grand-père quand Ragnar avait quitté leur mère. Et ensuite, il lui expliqua les morts dans les familles de Bjarnarhöfn et Hraun sur plusieurs années : le père de Benedikt, leur arrière-grand-père Gunnar, et Benedikt lui-même.

— Bon sang ! s'exclama Ollie. Alors tu penses que grand-père pourrait être lié à la mort de papa ?

— Je ne sais pas. Unnur dit que non... Je dois creuser encore.

— Ne le fais pas.

— Comment ça, ne le fais pas ?

— Je ne veux pas que tu t'en mêles.

— Mais j'ai besoin de savoir. *On* a besoin de savoir !

Pas de réponse au bout de la ligne.

— Ollie ?

— Magnús, dit son frère d'une voix cassée. Je te le demande, je t'en supplie. Ne va pas fouiller là-dedans.

— Pourquoi pas ?

— Écoute, ça t'obsède, Magnús. Ça passait encore quand tu posais des questions en Amérique. Mais je ne le supporterai pas si tu remues toute cette merde à Bjarnarhöfn. C'est enterré et ce n'est pas pour rien.

— Ollie ?

— J'ai passé le plus clair de ma vie, près de vingt ans, à essayer d'oublier cet endroit, et tu sais quoi ? J'y suis presque arrivé. Alors pour ma part, je préfère que ça reste où c'est.

— Mais Ollie...

— Et si tu découvres des trucs, s'il te plaît, ne m'en parle pas, d'accord ?

— Écoute, Ollie...

— Au revoir, Magnús.

Cinq minutes plus tard, le téléphone sonna de nouveau. C'était Ingileif. Elle l'invitait à dîner chez elle.

— Ça va ? demanda-t-elle quand il arriva à son appartement.

— Je viens de recevoir un coup de fil de mon frère.

— Il va bien ?

— Je lui ai dit ce que j'ai appris pendant le week-end. Au sujet de notre père et de notre grand-père.

— Et ?

— Et il veut encore moins y penser que moi.

Magnús vit qu'Ingileif était tentée de lui poser une question, mais qu'elle préférait s'abstenir.

— Oui ?

— Désolée, je vois que le sujet est sensible pour toi. Et ton frère. Je peux le comprendre.

— Très bien.

Ingileif préparait du poisson à la poêle.

— On m'a fait une offre aujourd'hui.

— Quel genre ?

— Tu te souviens de Salva ? De la galerie ?

— Oui. Tu ne m'as pas dit qu'elle était partie à Hambourg ?

— Exactement. Elle s'est associée avec un Allemand, ils vendent des objets scandinaves. Leur galerie n'est ouverte que depuis deux mois, mais Salva a bon espoir de percer.

— Malgré la crise ?

— Apparemment. Et l'Allemagne n'est pas aussi touchée que l'Islande. Ils sortent de la crise là-bas.

— Les veinards !

— Oui, en tout cas, elle veut que je les rejoigne. En tant qu'associée. Elle a dit à son Allemand que j'étais celle qu'il leur fallait pour faire décoller leur galerie.

— Hmm, ça semble une excellente opportunité. Mais la galerie ici ?

— Elle me manquera. Mais c'est bien plus ouvert en Allemagne.

— Tu parles allemand ?

— Un peu. Suffisamment pour commencer. J'apprendrai vite si je vis à Hambourg.

— Alors tu as dit oui ? demanda Magnús en se crispant.

Ingileif ne répondit pas en servant les poissons sur des assiettes qu'elle plaça sur la table. Ils s'installèrent.

— Non.

— Pourquoi pas ?

Elle se pencha pour l'embrasser. Voluptueusement.

— À cause de toi, imbécile.

Magnús ne sut pas quoi répondre. Il sourit.

— Comment avance l'affaire ? Des nouveaux suspects ?

— Quelques-uns. Tu connais Sindri Pálsson ?

— Le vieux bavard ? Oui, je le connais.

— Tiens, c'est marrant, ça ne m'étonne pas. Ce n'est pas un de tes clients, au moins ?

— Oh non. Il fait partie de la nouvelle version anarchiste de l'intelligentsia islandaise. On le voit aux sorties de livres, aux expos. C'est un type sympa, malgré toutes ses foutaises sur la fin du monde.

— Il a l'air de croire que la violence est le seul moyen de venir à bout du capitalisme.

— De belles paroles, c'est tout. C'est un gros chat peureux. Tu ne crois tout de même pas qu'il a tué Óskar ?

— On pense qu'il pourrait être impliqué, si.

— Non, contredit Ingileif avant de réfléchir. Non, il ne tuerait jamais personne. Mais je peux toujours lui demander.

— Je l'ai déjà fait.

— Oui, mais à moi, il me le dira peut-être, affirma Ingileif en entamant son poisson. Je suis sérieuse. Je lui plais, j'en suis pratiquement sûre. En fait, je dirais plutôt que toutes les femmes en dessous de trente ans lui plaisent. Et Magnús, comme tu sais, je n'ai pas encore trente ans.

Ingileif avait vingt-neuf ans trois quarts.

— Il me le dira, si je lui demande à ma façon.

— Ingileif, là, c'est moi qui suis sérieux. Ça va faire foirer l'enquête.

— Ne sois pas si bureaucratique ! Ce sera drôle, je pourrais résoudre l'affaire pour toi !

— Non, Ingileif, non !

Plusieurs heures plus tard, ils étaient allongés dans le lit d'Ingileif. Magnús n'arrivait pas à dormir. Il lui tournait le dos. Il sentait qu'elle était réveillée.

Elle toucha son épaule.

— Magnús ?

— Oui ?

— Tu penses à Bjarnarhöfn ?

— Oui.

Elle fit pression sur son bras, pour qu'il roule vers elle, avant de l'embrasser tendrement.

— Raconte-moi. Si tu veux.

— D'accord, je vais te raconter.

26

Janvier 1986

M agnús sortit de la ferme dans l'air frais et avança tant bien que mal dans la neige vers la mer. Il avait besoin d'être seul.

C'était la nuit. Ils venaient de dîner et grand-père faisait la leçon à Óli pour qu'il arrête de faire pipi au lit.

Noël s'était plutôt bien passé. L'oncle, la tante et les cousins des garçons étaient venus leur rendre visite du Canada pour le plus grand bonheur de leur grand-père. Son humeur était restée au beau fixe. L'esprit de Noël avait pénétré les cœurs. Les Yule Lads, les « fils de la montagne », étaient passés, plaçant des cadeaux dans les chaussures de Magnús et d'Óli.

Le réveillon de Noël était un festin mémorable : perdrix des neiges, pommes de terre frites dans du beurre et du sucre, les préférées de Magnús, et pour le dessert, pain traditionnel et glace. Magnús avait reçu une voiture de police américaine avec sirène et gyrophare de son oncle et sa tante canadiens. Un peu puéril, mais ça lui avait plu. Óli, pour la première fois depuis des mois, avait l'air de vraiment s'amuser.

Ensuite, comme Magnús l'avait prévu, les choses avaient dégénéré. Óli était de nouveau terrorisé et il avait recommencé à mouiller son lit. Juste après le Nouvel An, la famille était partie, laissant les deux garçons seuls dans la ferme avec leurs grands-parents.

Et grand-père était d'une humeur noire.

Magnús passa lentement à côté de la petite église au bord de la mer et s'assit sur un rocher. Il contempla les lumières isolées qu'il connaissait bien et qui scintillaient pratiquement toute la journée à cette période de l'année, quand l'aube et le crépuscule se rencontraient au début de l'après-midi. Les lumières vives de la ferme derrière lui, les lumières de Hraun de l'autre côté du champ de lave, le phare sur une des îles du fjord, le clignotement des bateaux de pêche qui rentraient à Stykkishólmur.

La nuit était claire. La demi-lune se reflétait sur la neige et miroitait dans la cascade de la montagne derrière la ferme. Les grands bacs triangulaires destinés à sécher le poisson se profilaient dans la houle étincelante de la mer, qui bruissait, calme contre le rivage. Les pierres tordues se dressaient sur Berserkjahraun. Une lueur verte planait derrière les montagnes vers le nord du fjord. L'aurore. Et plus haut, dans le ciel, au-dessus de tout cela, les étoiles scintillaient par milliers dans la nuit froide et claire. Il se souvenait, quand ils habitaient encore à Reykjavík, que sa mère lui disait qu'il y avait deux choses au monde qu'on ne pouvait pas compter : les étoiles dans le ciel et les îles de Breidafjördur.

Magnús se recroquevilla dans son manteau. Il avait froid, vraiment très froid, mais le froid faisait du bien comparé à la furieuse chaleur de la ferme.

Deux ans plus tôt, Magnús, Óli et leurs parents vivaient heureux dans leur petite maison de Thingholt au toit de tôle ondulée bleue avec les alisiers blancs dans le jardin. Et soudain, tout s'était effondré. Les disputes, la colère, le départ de leur père, sa mère endormie toute la journée, qui oubliait de leur préparer à manger, qui ne parvenait plus à articuler correctement. Six mois plus tard, le père de Magnús habitait à Boston, sa mère à Reykjavík, et Magnús et son petit frère dans la ferme de leurs grands-parents à Bjarnarhöfn.

Magnús n'avait jamais beaucoup aimé sa grand-mère. Petite bonne femme froide et distante, elle affichait toujours un air critique. Son grand-père, bien qu'effrayant, avait une sorte de charme bourru. Il se lançait dans des jeux avec ses petits-fils, et une fois qu'ils eurent emménagé à Bjarnarhöfn, il s'était plu à leur faire visiter la ferme, les montagnes et les îles du fjord. Ce que Magnús et Óli préféraient, c'était l'aider à ramasser les précieuses plumes dans les nids des canards parmi les saules nains à côté du ruisseau.

Et bien sûr, il y avait le Berserkjahraun. Hallgrímur accompagnait ses petits-fils dans le fantastique dédale des sculptures de lave, leur racontant des histoires de Berserks qui avaient vécu dans leur ferme et dans celle de Hraun, et leur parlant des jeux auxquels il avait joué là, enfant. Óli était aussi terrifié que Magnús était fasciné.

Mais grand-père aimait boire. Et quand il buvait, il piquait des rages folles. Et il devenait violent.

Hallgrímur aimait bien Magnús, du moins au début. Mais Óli était faible et Hallgrímur détestait la faiblesse. Óli avait facilement peur et Hallgrímur adorait lui faire peur. Il lui racontait des histoires sur la troll de Kerlingin qui volait les bébés de Stykkishólmur et qui s'emparerait d'Óli s'il ne s'endurcissait pas un peu. Il lui parlait des Berserks qui traînaient encore la nuit dans le champ de lave, et d'un homme, Thorolf le Boiteux, qui avait été assassiné des siècles plus tôt, mais hantait toujours les montagnes, terrorisant les bergers et leurs moutons. Et aussi l'histoire du *fjörulalli*, un monstre marin avec des écailles sur sa fourrure, qui sillonnait le fjord au bord du rivage, prêt à dévorer les petits enfants qui s'approchaient trop de la mer.

Magnús défendait son petit frère. Cela ne plaisait pas à son grand-père. Effrayer Magnús ne fonctionnait pas, alors au lieu de cela, Hallgrímur le frappait. D'où les visites occasionnelles à l'hôpital Saint-Francis à Stykkishólmur, avec les mensonges sur des accidents à la ferme.

Ensuite Hallgrímur dessoûlait, le soleil brillait et il essayait à nouveau de jouer avec ses petits-enfants. Mais Óli avait trop peur et Magnús était trop fier.

Pendant tout ce temps, leur grand-mère restait froide et détachée, comme si elle se fichait complètement de ce qui pouvait arriver à ses petits-enfants. En grandissant, il comprit qu'elle aussi, il la battait.

La ferme était à l'écart, séparée du reste de la civilisation par le champ de lave. Ils vivaient une sorte d'enfer. Magnús pensait à s'enfuir. Parfois, leur mère venait leur rendre visite et un moment ça allait mieux, même si Magnús avait fini par comprendre qu'elle était constamment soûle et non fatiguée. Quand il essaya de lui expliquer ce qu'ils traversaient, elle lui dit simplement que grand-père était un peu plus sévère que papa.

Des bruits, portés par la neige, parvinrent à Magnús depuis la ferme, la grosse voix de grand-père, le cri aigu de son petit frère. Pauvre Óli. Même s'il n'y pouvait pas grand-chose, Magnús se leva et courut vers la maison, espérant que sa présence détournerait l'attention de son grand-père.

Quand il arriva dans la cuisine, sa grand-mère récurait une grosse casserole dans l'évier.

— Où est Óli ?

— Dans la cave, je pense, répondit-elle sans se retourner.

— Qu'est-ce qu'il fait là ?

— Il est puni.

— Pourquoi ?

— Ne sois pas si impertinent.

Mais elle prononça ces mots sans aucun poids. Elle disait souvent cela. C'était son code pour : « Je ne sais pas et je ne veux pas savoir, alors ne me demande pas. »

Magnús descendit les marches en pierre de la cave. Il faisait froid et les murs en ciment étaient éclairés par une seule ampoule. On s'en servait pour stocker, dans deux pièces différentes, les suppléments alimentaires pour animaux, et des pommes de terre, pour la plupart pourries. La porte qui menait à la deuxième pièce était fermée. Derrière, il entendait Óli sangloter.

Magnús essaya de l'ouvrir. Elle était fermée à clé.

— Óli ! Óli, tu vas bien ?

— Non ! répondit Óli entre ses larmes. Il fait noir et il fait froid et les pommes de terre sont visqueuses et j'ai peur !

— Tu ne peux pas allumer la lumière ?

— Il a pris l'ampoule.

Magnús bouillonnait de colère, il tira sur la porte, essayant de la faire céder. Cela ne marcha pas, alors il se mit à donner des coups de pied.

— Arrête, Magnús ! Arrête, il va t'entendre !

— Je m'en fiche ! hurla Magnús.

Il recula de quelques pas et se jeta de tout son poids de gamin de neuf ans sur la porte. Il rebondit et tomba à terre. Se frottant l'épaule, il se releva.

— Magnús !

Il reconnut tout de suite le grognement. Magnús se tourna et vit son grand-père. Un homme de soixante ans en pleine forme avec une mâchoire de granit, des cheveux gris et des yeux bleus cruels. Un homme dur et furieux. Magnús sentit tout de suite les effluves d'alcool, mêlés à l'odeur du tabac à priser qui accompagnait toujours Hallgrímur.

— Magnús, monte dans ta chambre !

— Pourquoi tu as fait ça, grand-père ? C'est parce qu'Óli a mouillé son lit ? Il ne peut pas s'en empêcher. C'est parce qu'il a tout le temps peur. Laisse-le sortir !

— J'ai dit, monte dans ta chambre !

— J'ai dit, laisse-le sortir ! cria Magnús d'une voix stridente.

Les narines de son grand-père s'écartèrent, signe d'explosion imminente. Magnús s'arc-bouta, mais ne baissa pas les yeux.

— Laisse-le sortir.

Hallgrímur chercha autour de lui l'arme la plus proche. Ses yeux s'arrêtèrent sur une vieille hache émoussée. Il s'en empara et fit un pas vers Magnús.

Magnús voulait s'enfuir, mais il ne bougea pas, fermement planté devant la porte, les jambes écartées, comme s'il gardait son petit frère. Il fixait du regard la lame de la hache.

Hallgrímur balança le manche dans les côtes de Magnús. Le coup ne fut pas particulièrement puissant, mais Magnús n'était qu'un petit garçon. La respiration coupée, il se plia en deux. Hallgrímur recommença encore une fois, envoyant cette fois la partie plate de la lame dans la cuisse de son petit-fils.

Magnús tomba. Il leva la tête pour voir son grand-père soulever la hache au-dessus de sa tête, les yeux brûlant de rage. Magnús se mit à pleurer. Il ne réussit pas à réprimer ses larmes. Derrière la porte, il entendait les sanglots d'Óli.

— Au lit ! Maintenant !

Magnús se traîna jusqu'à son lit. Qu'aurait-il pu faire d'autre ?

Il resta allongé là pendant des heures, ses yeux remplis de larmes et de colère, rivés sur le lit vide de son petit frère. Même si sa cuisse lui faisait mal, il n'avait rien de cassé. Il n'aurait pas à passer encore une fois par l'humiliation de l'hôpital.

Comment son grand-père pouvait-il laisser un gamin de sept ans toute la nuit dans le noir et le froid ? S'il était arrivé à Óli de mouiller son lit de temps en temps par le passé, là, il allait sûrement le mouiller toutes les nuits.

Magnús attendit d'entendre son grand-père entrer dans sa chambre puis patienta encore un peu. Enfin, après ce qui lui sembla des heures, il se glissa hors de son lit, prit un chandail et partit à pas de loup vers la cave.

Il savait où trouver la clé, suspendue à la porte du placard à balais. Il la voyait dans le clair de lune se refléter sur la neige qui arrivait jusqu'à la cuisine. Il dut se mettre sur la pointe des pieds pour l'atteindre. Il descendit les escaliers vers la cave sombre, marcha à tâtons jusqu'à la porte des pommes de terre et l'ouvrit avec la clé.

La pièce sentait les patates pourries et l'urine de petit garçon.

— Óli ? Óli ? C'est Magnús.

— Magnús ? répéta son frère d'une petite voix faible.

— Viens.

— Non.

— Viens, Óli.

— Non. Ne me force pas à venir. Il va me trouver et il sera très en colère.

Magnús hésita. Il ne pouvait pas voir Óli. Penché, il avança dans la direction de sa voix, toujours à tâtons, jusqu'à ce qu'il sente un bras. De petites mains l'agrippèrent. Il serra son petit frère dans ses bras de toutes ses forces.

— Pourquoi il t'a fait ça, Óli ?

— Je ne peux pas te le dire.

— Mais si. Je ne le répéterai à personne.

Óli se remit à sangloter.

— Je ne peux pas te le dire, Magnús. Je ne peux pas. Ne m'oblige pas, s'il te plaît.

— D'accord, Óli, d'accord. Je ne t'oblige pas à me le dire. Et je ne t'oblige pas à partir d'ici. Je vais juste rester à côté de toi.

Et Magnús s'assit à côté de son frère, qui s'endormit vite. Il resta jusqu'à ce qu'il pensait être le petit matin puis repartit vers sa chambre sans faire de bruit.

Mardi 22 septembre 2009

Magnús se tut, allongé sur le dos dans le lit d'Ingileif.

— Mon Dieu, c'est horrible ! Comment as-tu supporté ça ?

— J'étais un petit dur, j'imagine. Je pensais à mon père. Je savais qu'il aurait voulu que je défende Ollie, alors je l'ai fait. Et je savais qu'un jour il reviendrait nous sauver. Et un jour, il est revenu. Mais seulement après que ma mère s'est tuée en fonçant dans un rocher.

— C'est incroyable que tu ne sois pas complètement taré.

— Personne ne sort de ce genre d'épreuve indemne. Comme ma mère et mon grand-père, j'ai tendance à boire et ça m'inquiète. Et parfois je suis tellement furieux que je veux tabasser les gens autour de moi. Les méchants, précisa-t-il avant de s'interrompre. J'ai déjà eu des ennuis pour ça par le passé, plusieurs fois même. Ce n'est pas le genre de chose à faire quand on est flic. Je me fais peur, parfois.

— Ollie a dû être dans un état épouvantable. Ça ne doit toujours pas être facile pour lui.

— En arrivant aux États-Unis, il n'allait pas fort. Mon père a fait de son mieux. Il l'a emmené voir un psy, ça l'a beaucoup aidé. Mais Ollie a eu des problèmes toute sa vie, dans ses relations avec les gens, le travail, et avec la drogue. Je pense qu'il voit toujours un psy.

— Et toi ?

— Voir un psy ? Non. Ce n'est pas la peine.

— Vraiment ?

— Je sais ce que tu penses. Que je devrais me faire aider pour mes problèmes. Mais franchement, je suis assez heureux d'enterrer tout ça. J'ai très bien réussi à ne pas y penser pendant vingt ans.

— En effet. À part que tu étais obsédé par ton père...

— Peut-être. Je l'ai toujours mis sur un piédestal. C'était mon sauveur. Et une ordure l'a assassiné.

Pour la première fois, la voix de Magnús trembla.

— Viens là, offrit Ingileif. Viens.

Il roula dans ses bras et elle le serra fort.

27

Magnús, Vigdís et Árni encerclaient l'ordinateur d'Árni. Avec quelques difficultés, il avait réussi à mettre la main sur des enregistrements de la manifestation par la RÚV, la chaîne de télé nationale.

Ils visionnaient un segment pris dans le noir. Les visages se distinguaient avec peine.

— Donc, les voilà, tous les trois, commenta Árni. On voit la queue-de-cheval de Sindri, là, qui se profile dans la lumière de la fusée.

Magnús se concentra sur les trois formes, un gros bonhomme, un homme plus fin et une femme.

— Là, ce sont les boucles de Harpa. Et lui, ça doit être Björn.

— Et vous voyez ce gars-là, à côté d'eux, qui parle à Sindri ?

— Oui, mais on ne repère rien de ses traits. Ce n'est pas Ísak, n'est-ce pas ? Il est trop grand.

— Non, ce n'est pas Ísak, confirma Árni. Mais revenons un peu en arrière.

— D'accord.

Árni ramena l'enregistrement quelques instants plus tôt. Les quatre silhouettes marchaient à l'envers. Le nouveau, très grand, se relevait du sol pour rejoindre les trois autres devant la caméra. Une infirmière soignait ses yeux. Les projecteurs interceptèrent ses traits à cet instant-là. Pas plus âgé qu'un gosse, dix-huit ou dix-neuf ans, il avait les cheveux roux hérissés. L'infirmière qui s'occupait de lui avait un visage rond, des joues roses et un petit nez. On ne distinguait que Sindri dans la foule qui les entourait. Il semblait crier des encouragements au gamin.

— Eh bien ? demanda Magnús. On sait que Sindri parle à tout le monde pendant ce genre de manif. Il fait toujours ça. Qu'est-ce qu'il a de particulier ce type-là ?

— Attends une minute, tu vas voir, lança Árni en tapant sur son clavier pour basculer sur l'enregistrement de la caméra de surveillance. Regarde, voilà nos trois lascars qui quittent la place, et là, je pense que c'est Ísak avec eux.

— On ne voit pas grand-chose.

— Non, mais la carrure et la coupe de cheveux correspondent au cliché de Sharon.

Árni montra la photo que l'inspectrice avait prise à Londres.

— D'accord, c'est possible, concéda Magnús.

— Probable, corrigea Árni. Et regarde juste quelques pas derrière lui. Le gamin avec les cheveux hérissés. Il a retiré sa chemise et il la secoue au-dessus de sa tête.

— Mais tu es sûr qu'il est avec eux ? Il pourrait juste marcher à côté d'eux.

— Je n'en suis pas absolument sûr. Il s'arrête là et il hurle quelque chose à quelqu'un. Les autres s'éloignent et c'est pour cela qu'on n'avait pas remarqué qu'ils étaient ensemble. Mais quand il se rend compte qu'ils avancent, il court pour les rattraper.

— Montre-moi de nouveau.

Pas concluant. Sans les premiers enregistrements du gosse qui parlait à Sindri et marchait avec lui, cela n'aurait éveillé aucun soupçon.

— Bon, et qui est ce môme ?

— Je ne sais pas, répondit Árni.

— Je ne l'ai pas vu dans les fichiers sur les anarchistes, affirma Magnús. Et toi, Vigdís ?

— Non, mais je peux les éplucher de nouveau.

— On ferait peut-être mieux de chercher du côté de l'infirmière. Tire ce que tu peux de l'enregistrement et rends-toi à l'hôpital central. Vois si tu peux mettre la main sur elle. Peut-être qu'elle a pris le nom du gamin. En tout cas, c'est du bon travail, Árni.

Alors que Vigdís retournait à son bureau, Magnús songea à quelque chose.

— Tu ne devrais pas être à New York, toi ?

— J'ai annulé.

— Pourquoi ?

— Ça.

— Oh, je suis désolé. Tu n'avais pas à me suivre dans mon impasse.

— Ce n'est pas une impasse.

— Et le pauvre gars qui t'attend à New York ?

— C'est le prix à payer quand on sort avec une flic, répondit Vigdís en haussant les épaules.

Magnús retourna à son bureau, un peu coupable. Si Vigdís avait pris ses vacances, ils s'en seraient sortis sans elle. Mais il était content qu'elle ne pense pas qu'ils s'orientaient vers une impasse. Et ils progressaient. S'ils mettaient la main sur un autre complice, les pièces du puzzle commenceraient à s'emboîter, même si ce gosse semblait un peu jeune pour faire figure d'assassin international.

Plus il y réfléchissait, plus Magnús était persuadé qu'il existait un autre complice. Les alibis de chacun tombaient tous trop bien. En supposant qu'Ísak était bien l'homme que la Française avait vu à Kensington en train de demander l'adresse d'Óskar, il devait préparer le terrain. Ísak habitait à Londres, il connaissait la ville. Il pouvait se charger de baliser les lieux, peut-être surveiller Óskar, rapporter ses habitudes et, pourquoi pas, se procurer l'arme et la moto. Il avait tout préparé pour quelqu'un d'autre. Quelqu'un venu d'Islande, juste le temps de faire le sale boulot.

L'homme qui avait appuyé sur la gâchette. L'assassin.

Mais qui était-il, bon sang ! Le môme aux cheveux hérissés ? Ou quelqu'un d'autre ?

Magnús se souvint du frère de Björn, Gulli.

— Árni ! Avant que tu partes !

Árni s'arrêta avant de franchir la porte.

— Oui ?

Vigdís leva la tête de ses dossiers.

— Qu'est-ce que tu te rappelles à propos du frère de Björn ?

— Pas grand-chose. Juste que ce qu'il a dit sur Harpa et Björn qui avaient dormi chez lui semblait crédible. Pourquoi ?

— Je suis allé le voir, samedi. Il n'était pas chez lui. Un voisin m'a dit qu'il était parti en vacances depuis un moment.

— Tu penses qu'il aurait pu aller à Londres ? demanda Vigdís.

— Ou en Normandie ? s'enquit Árni.

— Ou les deux.

— Tu veux que j'aille voir s'il est rentré ?

— Oui.

Magnús consulta ses notes pour lui donner le numéro de téléphone de la camionnette de Gulli.

— Et s'il est rentré, essaye de découvrir où il était. Sinon, va interroger ses voisins. Vois si l'un d'eux a une idée d'où il pourrait être.

Magnús se tourna vers son ordinateur. Il avait reçu un mail de Boston. Son copain de la brigade criminelle avait pris contact avec les douanes, pas de trace d'un Islandais nommé Hallgrímur Gunnarsson entré aux États-Unis en juin ou juillet 1996.

Magnús s'étonna d'éprouver une pointe de soulagement. D'un côté, il cherchait désespérément à découvrir qui avait tué son père. D'un autre, surtout après sa conversation avec Ollie, il se sentait libéré d'apprendre que ce n'était pas son grand-père. Trop de douleur.

— Inspecteur Magnús ?

Il leva la tête. Une femme bien en chair portait une pile de dossiers poussiéreux. Plutôt épaisse.

— Vous avez demandé ça ? Le meurtre de Benedikt Jóhannesson, 1985 ?

— En effet, merci de me l'avoir apporté.

Elle lui fit signer un formulaire et lui laissa le dossier.

Il savait qu'il serait plus sage de laisser tout cela pour plus tard, mais il ne put résister à l'envie d'y jeter un coup d'œil.

Comme à son habitude, il consulta en premier le rapport du médecin légiste. Il n'était pas là, avec une note expliquant qu'un des enseignants de l'académie l'avait emprunté.

Il hésita à appeler l'inspecteur en question, qu'il connaissait vaguement, pour lui demander le rapport, mais il se dit que cela attirerait moins l'attention s'il voyait directement avec les archives. Il passa un coup de fil. On lui promit de récupérer le compte rendu et de le rappeler.

Il commençait à peine à feuilleter le reste du dossier quand son téléphone sonna.

Dès qu'il pénétra dans le bureau du commissaire principal, Magnús sut qu'il était dans le pétrin.

Baldur, Thorkell et le commissaire en personne le fixèrent sans cacher leur animosité.

— Asseyez-vous, Magnús, ordonna le commissaire.

Magnús s'exécuta. Dehors, de l'autre côté de la baie, la douce lumière du matin baignait le mont Esja. Pas un nuage en vue. À l'intérieur du bureau du commissaire, l'ambiance était autrement plus terne.

— Je viens de recevoir un appel du superintendant Trevor Watts. Il est avec la brigade antiterroriste de Scotland Yard.

— Oh...

— Il demande quelles sont nos pistes au sujet d'Islandais qui auraient planifié l'assassinat de Julian Lister. Je lui ai dit que nous n'en avions aucune. Il m'a affirmé qu'un de mes inspecteurs enquêtait dessus, je lui ai promis de le rappeler. Baldur m'a dit de me tourner vers vous, avait-il raison ?

— Oui, commissaire, répondit Magnús, préférant désormais s'adresser à son supérieur par son titre.

L'appeler par son prénom, Snorri, comme le voulaient les usages en Islande, ne lui semblait pas de mise aujourd'hui.

— On avait vu juste alors. Cependant, Baldur m'a expliqué que même s'il vous avait donné l'autorisation de creuser les possibles connexions entre les affaires Gabríel Örn Bergsson,

Óskar Gunnarsson et Julian Lister, il vous a demandé d'agir avec la plus grande discrétion. Est-ce exact ?

— Absolument.

Magnús jeta un regard vers Baldur. Pour rendre justice au brave homme, il semblait plus furieux que ravi par la situation. Magnús ne connaissait pas un chef qui n'aurait pas été en colère dans un cas pareil.

— D'accord. Alors vous admettrez aisément qu'informer un gouvernement étranger de la possibilité que certains de nos concitoyens seraient en train de comploter pour tuer leurs leaders politiques n'est pas ce qu'on pourrait qualifier de discret ?

— En effet. Je suis désolé.

— Mais qu'est-ce que vous aviez dans la tête ? interrogea Snorri en montant le ton.

— C'était une intuition. L'inspectrice Piper allait interroger un suspect à Londres, et je voulais qu'elle vérifie si cette personne était en France quand on a tiré sur Lister.

— Une intuition ! Vous avez déclenché un incident diplomatique à cause d'une intuition !

Le visage de Snorri virait à l'écarlate. Il avait l'air dangereux.

— Alors, il était en France ?

— Non, reconnut Magnús. Mais j'avais demandé à Piper de n'en parler à personne.

— Au moins, elle s'est montrée loyale. Elle en a informé ses supérieurs.

— Ce n'est pas du tout un incident diplomatique. Il n'y a aucune preuve, aucun fait, aucune piste solide.

— Exactement ! s'exclama Snorri en tapant la table du plat de la main. Et si vous étiez un vrai Islandais, vous auriez compris que c'est la dernière idée que nous voudrions suggérer au gouvernement britannique. Vous êtes au courant des négociations au sujet de Icesave qui se sont déroulées tout l'été ? Nous parlons là de milliards de dollars de dettes que chacun d'entre nous doit rembourser aux Anglais. Et ce que vous avez fait revient à balancer une grenade dans les pour-parlers. Comment pensez-vous que les Anglais vont réagir quand ils penseront être face à un groupe de vrais terro-ristes ? Ce pays a été assez humilié sans avoir besoin de ça.

— J'ai dit que c'était une intuition, mais elle mérite qu'on s'y attarde, déclara Magnús. Nous ne pouvons pas fermer les yeux sur une telle piste juste parce qu'elle pose des difficultés politiques. Et s'il existait vraiment un groupe d'Islandais décidé à tuer Óskar et Lister ? Et s'ils s'orientaient vers quelqu'un d'autre au moment où on parle ? Il est de notre devoir de vérifier cette possibilité.

— Ne me faites pas de leçon sur notre devoir ! cria le com-missaire. Baldur a fait ce qu'il y avait à faire. Il vous a dit de continuer à fouiller, mais discrètement. Vous lui avez désobéi, je vous retire l'affaire. Je veux que vous retourniez dès aujourd'hui à l'académie de police. Et... dès que tout se sera tassé, je reconsidérerai l'intérêt de votre présence dans notre pays.

— Je comprends, affirma Magnús, accusant le coup. Je suis désolé.

— Les excuses ne servent à rien, Magnús.

Le commissaire le foudroya du regard. Magnús comprit qu'il était invité à prendre congé.

Trois personnes se tenaient dans la queue quand Harpa vit son père entrer dans la boulangerie. Tout de suite son cœur se mit à battre la chamade. Qu'avait-il découvert ? Björn était-il vraiment allé à Londres et en France comme l'avait suggéré la petite amie polonaise de Frikki ?

Elle lui jeta un regard. Il sourit, rassurant, et se planta dans la queue. *Bon signe*, se permit-elle d'espérer.

Les trois clients semblaient vouloir s'enraciner. Une qua-trième entra. Einar la laissa passer devant lui. Heureusement Dísa aussi assurait le service.

Enfin, Einar atteignit le comptoir.

— Alors ? demanda Harpa en ouvrant de grands yeux.

— Un *kleina*, s'il te plaît, commanda Einar avec un grand sourire.

— Non, je voulais dire, tu t'es renseigné pour Björn ?

— Oui. Il était avec Gústi sur *Le Kría*, mardi dernier. Et dimanche, il a passé la matinée avec Siggi sur le port de Grundarfjördur pour l'aider à installer son nouveau logiciel de navigation.

Un large sourire de soulagement se dessina sur le visage de Harpa.

— Merci, papa. Il n'y a aucun doute là-dessus, n'est-ce pas ?

— Non. J'ai parlé au responsable du port et à Gústi. Je n'ai pas réussi à mettre la main sur Siggi, mais le responsable du port semblait tout à fait sûr de lui. Apparemment, Björn a aussi reçu la visite de la police, dimanche.

— Ça ne m'étonne pas. Merci, vraiment, papa.

Einar se pencha vers sa fille pour que Dísa ne l'entende pas.

— Alors pas besoin d'aller à la police, hein ?

— Je ne sais pas trop. Je devrais peut-être m'y rendre quand même.

— Oh, voyons, Harpa. Cela ne te causera que des soucis.

— D'accord, concéda-t-elle.

— Tu es une gentille fille. À tout à l'heure.

— Ça fait plaisir de te voir sourire, commenta Dísa, une fois Einar sorti.

— Oui.

Elle se sentait des ailes. Comment avait-elle osé soupçonner Björn ?

— C'est ton père ?

— Oui.

— Tant mieux. Parce qu'il n'a pas payé son *kleina*.

— Oh, désolée. Je vais payer. J'étais un peu distraite...

— Oui, j'ai vu.

Harpa ne put décrocher son sourire de son visage. Son père avait tenu parole. Comme toujours. Pour les autres, pour certains de ses coéquipiers, elle savait bien qu'il passait pour un homme dur et irascible. Mais elle avait toujours su que c'était quelqu'un de bien. Et c'était tellement agréable de savoir que sa force et sa dureté, il les employait à son service à elle.

Il ferait tout pour elle, et pour sa femme et pour le petit Markús. Mais après quelques minutes, l'euphorie se calma, suivie de près par une angoisse douloureuse. C'était rassurant de savoir que Björn n'était pas impliqué dans un complot pour abattre Óskar et Julian Lister, mais cela ne signifiait pas que Sindri ne l'était pas. Harpa commençait à regretter la promesse qu'elle avait faite à son père. Il avait raison, cela ne la regardait pas, mais si Sindri avait été capable de tuer deux personnes, il serait bien capable d'en tuer une troisième. Il fallait qu'elle parle à la police de ses soupçons.

Pourtant ce n'était que cela, des soupçons. Et si la police vérifiait, trouvait que Sindri était entièrement innocent, mais décidait de creuser un peu l'affaire Gabríel Örn ? Alors, elle n'aurait abouti à rien, et elle finirait tout de même en prison.

Mais si elle avait raison ? Et peut-être qu'elle méritait d'y aller, en prison. Elle avait commis un crime, elle devait payer.

Quoi qu'elle ait pu dire à son père, elle savait ce qu'il lui restait à faire. Parler à la police. Mais d'abord, elle devait voir avec Björn. Au moins, maintenant qu'elle savait qu'il était étranger à tout cela, elle pouvait s'entretenir avec lui librement.

Personne dans la boulangerie. Elle prévint Dísa qu'elle sortait passer un coup de fil.

La matinée était agréable. Au-dessus de la ville, le béton gris clair de Hallgrímskirkja paraissait presque blanc à travers ses échafaudages. La baie étincelait. Elle prit une profonde inspiration et composa le numéro de Björn pour lui dire ce qu'elle avait décidé. Il n'était pas content.

— Tu penses toujours que je suis parti à Londres ? demanda-t-il.

— Non, je suis désolée d'avoir douté. Je te crois. Mais j'ai peur que Sindri puisse être responsable.

— Tu sais, si tu vas parler à la police, ils vont rouvrir l'affaire Gabríel Örn.

— Oui, je sais. J'y ai pensé.

— D'accord, alors tu comptes leur dire ce qui s'est vraiment passé cette nuit-là ?

— Non, je dirai que nous sommes tous retournés à l'appartement de Sindri. Et ensuite, je dirai que j'ai appelé Gabríel Örn, mais qu'il n'est jamais venu.

— Ils ne vont plus te lâcher. Une fois que tu auras reconnu que tu leur as menti, ils ne te laisseront tranquille qu'après t'avoir obligée à tout leur avouer.

— Alors je ne répondrai plus à leurs questions, tout simplement.

— Ils vont t'inculper. Tu iras en prison.

— Je n'avais pas l'intention de tuer Gabríel Örn. Peut-être que le juge le comprendra. Après tout, peut-être que ma place est en prison.

— Mais Harpa, il y a deux délits, ici. Le meurtre de Gabríel Örn, nous savons que c'était un accident et peut-être en effet qu'un juge se montrera clément. Mais il y a aussi toute la couverture qu'on a mise en place. On l'a fait intentionnellement, toi, moi, Sindri, l'étudiant et le cuistot. Ils vont nous coincer pour ça. Nous tous.

— Je ne citerai pas vos noms. Mais il faut que je trouve le moyen de les prévenir.

— Écoute, Harpa, j'arrive tout de suite à Reykjavík. On pourra en discuter.

— Tu n'arriveras pas à m'en dissuader.

— Je comprends, mais ne fais rien avant que je sois là.

28

La boutique était une des nombreuses sur Laugavegur qui affichait sur ses vitrines *Til Leigu*, « À louer ». Vigdís se souvenait qu'autrefois les lieux étaient occupés par un magasin de luxe, bien au-dessus de ses moyens, et des moyens de tous les Islandais désormais.

Elle avait repéré la camionnette de Gulli Helgason avec son nom dessus, garée dans la rue. Elle entra dans le magasin. Trois hommes recouvraient les murs d'une peinture orange vif. Une radio jouait à tue-tête Jay-Z.

— Gulli ?

Un des trois ouvriers se tourna. Plus âgé que les deux autres, il devait avoir la trentaine, avec des cheveux noirs coupés ras et des tatouages partout sur ses bras musclés. Il aurait été assez séduisant sans sa grosse bedaine qui gonflait de façon agressive sa salopette.

— Oui ? demanda-t-il, surpris.

— Je suis l'inspectrice Vigdís de la police métropolitaine. C'est moi qui ai appelé tout à l'heure. J'aimerais vous poser quelques questions.

L'homme rit.

— Qu'y a-t-il de si drôle ?

— Vous n'êtes pas flic...

— Pourquoi pas ?

— C'est évident, vous êtes noire. Vous ne pouvez pas être une flic noire. Alors qui êtes-vous ?

Vigdís s'efforça de se maîtriser. Elle avait l'habitude que les gens remettent en question son identité, mais pas si ouvertement. Elle sortit son badge et le colla sous le nez de l'homme.

— Vous voyez quoi, là ? Un visage noir. Le mien.

Gulli leva les mains, feignant de se rendre, avant de tendre les poignets comme pour se faire passer les menottes.

— D'accord, je vous suis sans résister !

— Très drôle.

Vigdís se tourna vers les deux peintres qui regardaient, un grand sourire sur le visage.

— Vous deux, dehors ! Et éteignez la radio en sortant.

— Eh ! Ils ont du travail, protesta Gulli.

— J'ai dit, dehors !

Les hommes jetèrent tour à tour un œil vers leur patron puis vers Vigdís. Ils haussèrent les épaules, firent taire Jay-Z, et sortirent dans la rue.

Vigdís balaya la pièce du regard. Elle avait été entièrement vidée et n'accueillait à présent que le matériel de peinture, pas encore entièrement ouvert. Comme ils n'avaient nulle part où s'asseoir, ils restèrent debout.

— Où étiez-vous cette semaine ?

— En vacances.

— Où ça ? Tout seul ?

— Non, avec ma petite amie.

— Où êtes-vous allés ?

— Ténériffe. Les îles Canaries.

— Je vois. Quand êtes-vous rentrés ?

— Hier. Nous avons commencé ici ce matin.

Vigdís sortit son bloc-notes.

— D'accord. Je veux le nom et l'adresse de votre petite amie. Et les détails de vos vols et des lieux où vous avez séjourné.

Gulli lui apporta toutes ces informations en haussant les épaules.

— C'est quoi le problème ?

— Nous étudions la mort de Gabríel Örn Bergsson sous un autre angle.

— Alors pourquoi voulez-vous savoir où j'étais la semaine dernière ?

Vigdís ignora sa question.

— Donc, dans la nuit du 24 janvier, votre frère Björn a dormi chez vous à Reykjavík ?

— En effet. Il est arrivé vers l'heure du déjeuner. Il voulait assister à la manifestation devant le Parlement, alors je lui ai proposé de rester chez moi.

— Vous y êtes allé, vous, à la manif ?

— Non, je ne m'occupe pas de ce genre de truc. C'est une perte de temps. Et regardez ce qui s'est passé : on s'est débarrassé d'une bande de politiciens, et maintenant on en a une autre qui ne vaut pas mieux.

— Vous avez vu votre frère ce jour-là ?

— Oui, je n'étais sur aucun chantier. C'est pas facile de décrocher du boulot de nos jours. Je l'ai fait entrer dans l'appart, on a déjeuné ensemble, je lui ai laissé ma clé et il est parti à la manif.

— Et vous ?

— Je suis resté chez moi, j'ai regardé la télé. Ensuite, je suis parti retrouver ma petite amie. On a passé la nuit dehors, je ne suis revenu chez moi que le matin.

— Et vous avez vu Björn ? demanda Vigdís en continuant à tout noter.

— Oui, avec Harpa. Elle était restée la nuit avec lui. Je l'ai vue au moment où elle partait.

— Vous aviez déjà vu Harpa avant ?

— Non, jamais. Mais je l'ai revue depuis. Pas souvent. Avec Björn, ils forment un joli couple.

— Et Björn ? Qu'a-t-il fait ?

— Il est retourné à Grundarfjördur dans la matinée, je crois. Je suis sorti pour chercher du boulot. Je ne me souviens pas si j'en ai trouvé ce jour-là. Sans doute que non. Mais j'ai déjà tout raconté à la police à l'époque.

Vigdís hocha la tête. Elle le savait bien. Et ce qu'il venait de lui dire correspondait assez bien à ce qu'avait noté Árni.

— Björn vous a parlé de la manifestation, le matin ?

— Oui, il m'a tout raconté.

— Il avait l'air préoccupé ? Inquiet ?

— Non, répondit Gulli en secouant la tête et en fronçant les sourcils. Je ne sais pas. Je n'ai rien remarqué et si je me trompe, je ne m'en souviens pas. Maintenant, je peux rappeler mes gars, pour qu'ils bossent un peu ?

Vigdís comprit qu'elle ne tirerait rien de plus de Gulli sans un interrogatoire en profondeur au poste, et même là, rien n'était sûr. Il restait à vérifier son histoire de vacances.

— Merci pour votre aide, Gulli. Et merci de m'avoir accordé tellement de votre si précieux temps, affirma-t-elle avec une politesse exagérée.

Elle se dépêcha de retourner au commissariat pour appeler la compagnie aérienne Iceland Express et vérifier avec eux les horaires des vols de Gulli.

Magnús se baladait le long de la piste cyclable au bord de la baie, le dossier Benedikt Jóhannesson fourré dans sa mallette. Une douce brise venue de l'eau lui caressait les joues. Le ciel d'un léger bleu pâle offrait le cadre idéal pour illuminer le mont Esja dans toute sa beauté. Une fine couche de neige, la première de l'année, recouvrait le sommet.

Magnús avait besoin de prendre l'air. Après avoir quitté le bureau du commissaire, il s'était rendu directement de l'autre côté de la rue au quartier général de la police. Il expliqua à Vigdís ce qui venait de se produire, et lui fit promettre de le tenir au courant de ce qui se passerait. Le fait qu'on lui ait retiré l'affaire semblait encore plus motiver Vigdís pour la résoudre. Cela impressionna Magnús.

Du moment qu'ils agissaient sans faire de vagues, il y avait de fortes chances qu'elle et Árni progressent, se dit Magnús. Si Baldur ne les en empêchait pas.

Magnús était furieux, contre le commissaire, contre Sharon Piper, et ce qui était bien pire pour son équilibre émotionnel, contre lui-même.

Il continua à marcher en sortant son téléphone pour appeler l'inspectrice.

— Piper.

— Ici Magnús.

— Pas de nouvelles de Virginie Rogeon, malheureusement. Son mari n'a toujours pas repris le travail.

— Bon sang ! J'avais vraiment besoin d'une preuve solide pour lier Ísak à l'affaire.

— On la trouvera.

— Ça risque d'être trop tard...

— Comment ça ?

— Le commissaire principal de la police vient de recevoir un appel de votre brigade antiterroriste.

— Oh...

— Oui, oh.

— Il était fâché ?

— On peut le dire. Il m'a retiré l'affaire.

— Comment ? Oh, Magnús, je suis désolée. Il vous a fait passer un sale quart d'heure ?

— Je ne sais pas exactement ce que vous entendez par « un sale quart d'heure », mais il était plutôt enragé. Sharon, pourquoi en avez-vous parlé alors que je vous avais justement demandé de garder ces informations pour vous ? Je savais ce qui se produirait. Je pensais que je pouvais vous faire confiance.

— Voyons, Magnús, réfléchissez un peu. Il fallait que j'en parle. S'il existe une chance que vous ayez raison, je serais passée pour une idiote si je n'en avais parlé à personne ici. Ne vous en faites pas, ils ne prennent pas cette piste très au sérieux, sinon, ils auraient déjà affrété un avion pour partir à Reykjavík. Ils se concentrent sur la Hollande.

— La Hollande ?

— Oui. Un fermier a vu un type la veille de la fusillade. Il traînait dans les champs juste à l'endroit d'où les coups de feu sont partis. Le fermier pensait qu'il s'était arrêté pour pisser. On a trouvé un trou dans la terre, assez grand pour abriter une carabine. L'homme devait être en train de l'enterrer. La moto du type avait une plaque d'immatriculation hollandaise.

— Le fermier a donné une description ?

— Pas grand-chose. Juste que le type portait une veste bleu clair.

— Qu'est-ce que les Hollandais ont contre votre chancelier ? demanda Magnús.

— Il y a une communauté musulmane en Hollande. Même si ça peut très bien avoir été quelqu'un de passage.

— Al-Qaïda ?

— C'est leur théorie préférée. Même si Al-Qaïda aurait plutôt tendance à faire exploser les gens...

— Intéressant.

— Je suis *vraiment* désolée, Magnús. J'ai beaucoup apprécié que vous me mettiez dans la confidence.

— Épargnez-moi vos foutaises, Sharon ! Je vous faisais confiance et vous m'avez tiré dans le dos, c'est aussi simple que ça.

— J'ai fait ce que j'ai jugé que j'avais à faire...

— Bien sûr. En tout cas, tenez-moi au courant. Et voyez avec Vigdís, elle est toujours sur l'affaire. Surtout si vous obtenez une identification formelle d'Ísak. Je pense qu'il devait préparer le terrain à Londres pour quelqu'un d'autre, celui qui a appuyé sur la gâchette.

— Je vois ce que vous voulez dire. Je garde ça en tête. Je suis désolée, Magnús.

— C'est ça.

Il raccrocha. Les excuses de Sharon apaisèrent un peu la colère de Magnús. Il l'aimait bien. Passer un sale quart d'heure, c'est le moins qu'on pouvait dire.

Bizarrement, le pire dans ce sale quart d'heure, c'était la réflexion du commissaire sur le fait qu'il n'était pas un vrai Islandais. Sans doute parce que ce n'était pas entièrement faux. Mais il savait que même s'il avait passé toute sa vie dans ce pays, il aurait alerté Sharon sur la possibilité qu'Ísak se soit trouvé en Normandie. Il aurait toujours mis la recherche de la vérité avant les impératifs politiques, qu'il se soit trouvé à Boston ou en Islande.

Il était comme ça.

À quoi pensait le commissaire, de toute façon ? Il détestait quand ses supérieurs parlaient du « contexte général », du « point de vue politique ». La justice n'avait rien à voir avec ça. La loi non plus. Si quelqu'un enfreignait une règle, surtout s'il s'agissait d'un meurtre, alors c'était le devoir de Magnús de le traîner devant un tribunal. Pas seulement le devoir de Magnús, mais celui de tout le monde.

C'est simple, quand la politique prenait le dessus sur la loi, tout se cassait la gueule. Il l'avait vu à Boston, il le constatait de nouveau en Islande.

Il se demanda si le commissaire mettrait à exécution sa menace de le renvoyer aux États-Unis. Ce serait sans doute mieux ainsi. Peut-être que le commissaire avait raison, Magnús n'était pas un vrai Islandais. Il n'était pas à sa place : sa place était dans les rues de Boston, à enchaîner les affaires de corps criblés de balles.

Il pourrait retourner à Boston et Ingileif pourrait partir en Allemagne. Ce serait bien pour elle. Mais quel dommage ! Il ne savait toujours pas quel genre de relation il avait avec elle. Qu'elle veuille rester en Islande à cause de lui l'avait surpris. Et réjoui.

Il continua vers Borgartún, l'avenue bordée des nouveaux sièges des banques. Juste devant la rue, dans sa petite île verte, entourée de routes et de bureaux modernes, se situait Höfdi House. Une petite maison blanche élégante en bois du début du XXe siècle, célèbre pour avoir accueilli la rencontre entre Reagan et Gorbatchev en 1986. C'était aussi l'endroit où Ingileif lui avait demandé de la retrouver quand il travaillait sur son affaire à son arrivée en Islande le printemps dernier. L'endroit où Ingileif était devenue pour lui plus qu'un simple témoin.

Il se rendit compte que pour lui, la Höfdi House resterait à jamais liée à Ingileif.

Il traversa et s'assit sur le muret qui entourait la maison, puis sortit son portable et composa son numéro.

— Bonjour, c'est moi.

— Oh, salut Magnús, je suis avec un client.

— D'accord. Tu veux qu'on dîne ensemble ce soir ?

— J'aurais adoré, mais je ne peux pas. Je vais à la réunion publique concernant Icesave sur la place Austurvöllur.

— Ah oui ?

— Oui. Ne sois pas si surpris, je viens chez toi dès que c'est terminé. Ça risque d'être tard. Très tard. Je dois te laisser.

Étrange. Typique, mais étrange. Une expo à la galerie d'art ou une soirée remplie de gens merveilleusement beaux, Magnús aurait compris. Mais un événement politique ? Même si Ingileif partageait la colère de tous les Islandais quant aux prêts de Icesave, jusqu'à ce jour, elle n'avait manifesté aucune volonté de s'impliquer activement dans la politique. Et comment ça, elle allait rentrer tard ?

Magnús secoua la tête. Que trafiquait-elle ? Il ne savait jamais à quoi s'en tenir avec Ingileif. Cela le déstabilisait.

Il se demanda ce qu'il devait faire à présent. Sans doute se montrer à l'académie pour la journée. Ils ne s'attendaient pas à le voir, mais le commissaire principal risquait fort de vérifier s'il s'y trouvait. Il avait annulé ses cours pour la semaine, il était toutefois censé assister à la leçon de droit de l'après-midi. Au moins là, il devrait faire acte de présence. Ce n'était pas avant plusieurs heures.

Mais il ne pouvait pas juste tourner le dos à l'affaire Óskar Gunnarsson. Et il était très curieux de lire les rapports sur la mort de Benedikt Jóhannesson. Le bistrot où il avait bu un verre avec Sibba ne se trouvait pas loin. Il décida d'y jeter un œil en sirotant un café.

Benedikt a été assassiné entre Noël et le Nouvel An de l'année 1985, le 28 décembre pour être plus précis. Il vivait à Bárugata, une rue sur Vesturbaer, à l'ouest de Reykjavík. Il était 5 heures de l'après-midi, il faisait déjà nuit depuis une heure et demie et il neigeait.

La femme de Benedikt était sortie rendre visite à sa mère qui habitait à quelques rues de là. Elle revint deux heures plus tard pour trouver son mari qui gisait sur le sol du couloir, mort.

Bien entendu, une importante enquête a été ouverte, conduite par l'inspecteur Snorri Gudmundsson, le grand commissaire principal en personne. Plus approfondie que cela, c'était impossible. À cause de la neige, très peu de gens sortaient de chez eux et ceux qui étaient quand même dehors ne pouvaient rien voir. Seul un gamin de quatorze ans, qui agissait de façon suspecte autour de l'heure du crime, fut identifié à côté de la maison. Il avait affirmé qu'il essayait de trouver un endroit abrité du vent pour allumer sa cigarette. Rien de ce qu'entreprit Snorri ne parvint à ébranler son témoignage.

Les examens médico-légaux ne donnèrent rien. Même si le dossier datait de plus de vingt-cinq ans, Magnús se serait attendu à trouver un rapport bien plus détaillé. Aucun signe d'effraction, donc Benedikt connaissait son agresseur. Quelques pas dans le couloir sortaient légèrement du commun. En Islande, les invités enlèvent systématiquement leurs chaussures. Taille quarante-trois. Neuf aux États-Unis, se dit Magnús. La moyenne. Si, bien sûr, les empreintes appartenaient au meurtrier.

L'enquête ne mena nulle part, malgré l'acharnement de la police. Snorri était un enquêteur énergique et Magnús imaginait bien avec quelle pression il avait dû travailler. Le dossier croulait sous les interrogatoires, y compris celui du célèbre auteur Halldór Laxness. Benedikt n'avait aucun véritable ennemi, mais tous ses concurrents furent interrogés et leurs alibis scrupuleusement vérifiés. On s'orientait plus particulièrement sur un auteur dont Benedikt avait critiqué le dernier roman avec beaucoup d'ironie. L'écrivain avait affirmé être resté seul chez lui toute la soirée, à lire. Malgré l'absence d'alibi, et les efforts de Snorri, aucune preuve ne le liait au crime.

Il s'avéra que Benedikt avait une tumeur au cerveau. Dans le dossier, on apprenait que son médecin à l'hôpital lui avait révélé en février de la même année qu'il n'avait plus que six mois à vivre. Il a vu un peu court, mais pas de beaucoup, se dit Magnús. Aucun des amis ou des membres de la famille de Benedikt ne semblait au courant. Il l'avait gardé pour lui.

La tumeur avait dû être assez avancée au moment de sa mort. Magnús regretta de ne pas avoir le rapport du médecin légiste. Il était clair que Benedikt avait été poignardé, mais on ne retrouva jamais le couteau de huit centimètres. Avec un peu de chance, le rapport atterrirait sur le bureau de Magnús dans un ou deux jours.

Snorri avait entrepris d'interroger tous les cambrioleurs de la ville, ce qui l'avait occupé plusieurs semaines. Magnús s'amusa de voir que le nom de Baldur Jakobsson apparaissait en bas de bon nombre d'interrogatoires. Il n'était fait mention d'aucun interrogatoire à Bjarnarhöfn. Et pourquoi y en aurait-il eu ? Cela faisait des années que Benedikt ne vivait plus à Hraun.

Snorri ne trouva aucune piste solide. Aucun suspect, rien. Vingt-cinq ans plus tard, le meurtre de Benedikt Jóhannesson restait un mystère complet.

Magnús rangea le dossier dans sa mallette et quitta le bistrot. Il devait vérifier encore une chose au sujet de son grand-père.

Les Archives nationales se situaient justement sur Borgartún. Cœur de la bureaucratie du pays, elles occupaient, comme il se devait, le bâtiment le plus minable de la rue. Magnús eut à en découdre avec l'employée qui regarda d'un mauvais œil son badge de la police de Boston. Il n'avait toujours pas reçu de distinction officielle de la police de Reykjavík et n'allait en obtenir qu'après avoir passé son diplôme. Cependant, l'employée sourit en apprenant qu'il travaillait avec Vigdís Audarsdóttir, qu'elle connaissait bien à l'évidence. Elle lui passa un rapide coup de fil au QG de la police et elle demanda ensuite à Magnús ce qu'il voulait.

Il ne lui fallut que quelques minutes pour confirmer ce que soupçonnait Magnús. Même si Hallgrímur Gunnarsson de Bjarnarhöfn à Helgafellssveit avait une *kennitala*, ou numéro d'identité nationale, il n'avait jamais possédé de passeport.

Björn se commanda une autre tasse de café au comptoir. L'endroit était cher. On ne payait jamais autant pour un café à Grundarfjördur.

Il la ramena à la table qu'il occupait depuis vingt minutes, dans le café au dernier étage du Perlan, un bâtiment hémisphérique au sommet d'un des réservoirs d'eau chaude de Reykjavík. Il se trouvait en haut d'une petite colline qui dominait la ville. Un emplacement idéal parce que la route qui y menait était dégagée et vide. Il aurait été impossible de se faire suivre sans le remarquer.

Il avait mis un peu plus de temps à arriver à Reykjavík dans son pick-up que sur sa moto, mais Björn avait conduit vite. Il conduisait toujours vite quand il se sentait tendu. Et il avait toutes les raisons d'être tendu. Il allait bientôt retrouver Harpa, il espérait qu'il aurait le courage de mener à bien son plan.

À travers l'immense baie vitrée, il regarda vers l'ouest, vers la mer au scintillement gris perle sous le soleil. Au premier plan, il apercevait le triangle irrégulier que formaient les pistes d'atterrissage de l'aéroport de Reykjavík. Et l'endroit où il avait jeté le corps de Gabríel Örn neuf mois plus tôt.

Mais avant de voir Harpa, Björn devait rencontrer certaines personnes. Bon sang, mais où étaient-ils ?

— Björn ! Comment tu vas ?

Björn sentit une main puissante se poser sur son épaule. Il se tourna pour voir Sindri et derrière lui, Ísak.

— Je vais me chercher un café, annonça Sindri. On a beaucoup de choses à se dire.

29

— On t'a suivi ? demanda Sindri à Björn en s'installant avec son café.

— Non. Tu avais raison, c'est un bon endroit.

— Il ne faut pas que les flics nous voient ensemble, affirma Sindri.

— Je ne comprends pas ce qu'Ísak fait ici, remarqua Björn en fronçant les sourcils.

— Il est arrivé en Islande hier.

— Pourquoi ?

— La police britannique s'intéresse d'un peu trop près à moi. Une de leurs inspectrices est venue chez moi pour m'interroger. Elle voulait savoir si c'était moi qu'on avait vu demander l'adresse d'Óskar aux voisins. Elle n'a pas insisté, mais elle n'a pas caché qu'elle me soupçonnait. Alors je me suis dit que je ferais bien de revenir, ça lui rendra la tâche un peu moins facile.

— Les flics posent pas mal de questions ici aussi, déclara Sindri. Il y a un grand connard de rouquin, appelé Magnús, qui ne nous lâche pas la grappe. Un Américain.

— J'ai dit à ma mère que j'avais besoin de prendre l'air. Un peu de camping dans les collines. Pour me retrouver. Je lui ai emprunté sa voiture, elle est trop malade pour conduire.

— Elle t'a cru ?

— Elle a trouvé que j'agissais bizarrement, mais elle ne sait pas pourquoi et je ne lui ai pas expliqué. C'est comme ça qu'il faut faire avec les parents. Ne jamais s'expliquer, les laisser se poser des questions.

Ísak sirota son café puis fixa Björn.

— Alors, Sindri m'a dit qu'il y avait un problème avec Harpa ?

Björn n'aimait pas Ísak. Il ne l'avait jamais aimé. Il était trop froid pour un étudiant. Il gardait une parfaite maîtrise de lui-même. Sindri affichait clairement sa fougue. Ísak, lui, l'intériorisait – il le fallait pour qu'ils réalisent leur projet – d'une façon bien trop calculée, suivant un plan parfaitement orchestré. Comme si Ísak essayait de gagner une bataille intellectuelle et qu'il était prêt à tout pour prouver qu'il avait raison. Björn ne voulait rien prouver : il se vengeait juste de ces gens qui avaient détruit sa vie et celle de tant d'Islandais.

— Oui, elle s'est mis en tête que nous, ou plutôt toi, Sindri, tu as abattu Óskar et Lister. Elle a parlé au gamin, Frikki, l'autre jour. C'est lui qui a suggéré cette idée. Elle me soupçonnait, moi aussi, mais je pense qu'elle me croit innocent maintenant. En tout cas, elle veut parler à la police.

— Il faut que tu l'en dissuades, déclara Sindri. Elle va se retrouver derrière les barreaux.

— Elle pense qu'il pourrait y avoir une autre victime. Elle veut nous arrêter avant qu'on ne commette un autre meurtre.

— Elle *pense*, souligna Sindri. Elle ne *sait* pas.

— Oui, mais elle va leur parler. J'en suis sûr.

— Alors qu'est-ce que tu comptes faire ? demanda Ísak posément.

— Je vais l'emmener loin d'ici pendant quelques jours. Je connais une cabane dans un des cols de la montagne à côté de Grundarfjördur. Elle est totalement isolée. Si j'arrive à la garder là-bas demain et le jour suivant, ce sera largement suffisant.

— Jusqu'à ce qu'on s'occupe d'Ingólfur Arnarson, tu veux dire ? demanda Sindri.

Björn acquiesça d'un hochement de tête.

— Comment vas-tu la convaincre de t'y accompagner ?

— Charme, persuasion, et si ça ne marche pas... Rohypnol.

— Rohypnol ? Comment t'en es-tu procuré ?

— Un copain à Reykjavík. Un pêcheur.

— Tu as des potes louches.

— On en a tous, non ?

— D'accord, ça marche pour les deux prochains jours, mais après ?

L'étudiant tapait vraiment sur les nerfs de Björn. Mais c'était une bonne question.

— Ingólfur Arnarson est notre dernière cible, n'est-ce pas ? L'apothéose. Une fois qu'on se sera chargés de lui, j'arriverai à la convaincre que ça ne sert plus à rien de parler à la police, que plus personne ne court de danger. Tout ce qu'elle ferait c'est se mettre elle-même et nous autres en danger de finir en prison.

— Tu crois qu'elle va marcher ? demanda Sindri.

— Je pense, oui.

— Et sinon ?

— Je ne sais pas, répondit Björn dans un haussement d'épaules. Selon moi, la police va nous mettre la main dessus de toute façon. Ils se rapprochent. Ils commencent à poser des questions sur Ísak. Une fois que nous en aurons fini avec Ingólfur Arnarson, peut-être qu'il faudra juste accepter notre sort.

— Non ! Quand on a commencé ça, il n'a jamais été question de se livrer à la police à la fin. C'est pour cela qu'on a décidé d'opérer à l'étranger. Le but a toujours été de nous éloigner quand tout serait terminé.

— Peut-être que nous commençons quelque chose, affirma Sindri. Une vraie révolution, pas juste une blague de casseroles.

— Je pense qu'il faudra encore du temps, ajouta Ísak. Les gens ici sont trop occupés à s'excuser auprès des Anglais.

— Comment le sais-tu ? demanda Sindri. Tu étais à Londres.

— J'ai lu les sites d'information islandais sur le Web.

— Oui, eh bien, il n'y a pas que ça sur Internet. Les habitants commencent à être vraiment en colère. Une réunion a lieu sur Icesave cet après-midi, on verra bien ce qui s'y passe.

— Tu y vas ? demanda Ísak.

— Bien sûr que oui, répondit Sindri. Je ne vais pas louper ça.

— Écoute Sindri, dit Ísak en se penchant vers le vieil anarchiste, je crois autant que toi le capitalisme mort. Mais contrairement à Marx et Engels qui pensaient qu'il allait mourir en opprimant le travailleur, il s'avère qu'il s'étrangle lui-même avec ses dettes. Et ça se passe ici, en Islande, où on est bien trop endetté. Cela mettra du temps avant que les gens le comprennent. Et c'est pour cela qu'il ne faut pas qu'on se fasse prendre. On doit rester présents encore plusieurs années pour accompagner la révolution.

Björn regarda ses deux compères disserter. Il n'avait aucune prétention à déclencher une révolution. L'idée lui avait plu au début, mais son but était simplement que les ordures qui avaient ruiné son pays soient punis. Pas tous, c'était impossible, mais suffisamment pour qu'on comprenne le message.

— Ce qui me ramène à Harpa, continua Ísak. Nous avons besoin d'un meilleur plan.

— Comme quoi ? s'enquit Björn. Tu n'essayes pas de dire qu'il faudra la tuer ?

Ísak soutint le regard de Björn.

— Bien sûr que ce n'est pas ce que veut dire Ísak, intervint Sindri. N'est-ce pas Ísak ?

— Non, répondit ce dernier sans conviction.

— Parce qu'elle n'est vraiment qu'un témoin innocent, renchérit Björn. Je veux dire, Julian Lister le méritait. Óskar aussi. Et même Gabríel Örn le méritait. Mais pas Harpa.

— Bien sûr que non, acquiesça Sindri. Réfléchissons à la marche à suivre une fois qu'on en aura fini avec Ingólfur Arnarson.

Ils se mirent d'accord pour quitter le Perlan l'un après l'autre.

Björn partit en premier, il avait du pain sur la planche.

Sindri et Ísak fixaient l'aéroport et l'Atlantique au-delà.

— Tu sais qu'il faudra qu'on s'occupe de Harpa, affirma Ísak. Même après qu'il la drogue et qu'il l'emmène dans la montagne, elle ne va pas se taire.

— Peut-être que si...

— Mais non, tu le sais bien.

— On ne peut pas la tuer, Ísak. Björn a raison, elle n'y est pour rien. Je peux me convaincre que tuer Óskar et Julian Lister était nécessaire, qu'ils méritaient de mourir. Mais pas Harpa. Elle était juste là au mauvais moment, au mauvais endroit.

— Sindri, ce serait merveilleux si le monde fonctionnait comme ça, mais tu sais bien que ce n'est pas le cas. Si on veut qu'une révolution aboutisse, il faut que ceux qui la mènent soient impitoyables. Tu le sais. Tu as lu les livres d'histoire. Lénine, Trotski, Mao, Che Guevara, Fidel Castro, et même le Congrès national africain en Afrique du Sud. Il arrive que des innocents doivent mourir pour qu'une révolution réussisse. Bien sûr, ces morts doivent être limitées au minimum. Mais il ne faut pas reculer. Si on le fait, on laisse tomber tout le monde.

— Oui, mais on est en Islande ici, pas en Russie.

— Sindri, j'ai lu ton livre. Trois fois. Il est excellent, vraiment. Mon père est membre du parti indépendantiste. Il était ministre. J'ai vu la complaisance de l'establishment islandais, la façon dont les capitalistes les ont séduits, la façon dont l'une des sociétés les plus égalitaires et les plus justes d'Europe s'est transformée en l'une des moins équitables. Mon père et ses amis sont responsables de ce changement. Le capitalisme est une maladie et notre pays est sérieusement contaminé. Nous sommes proches de la mort.

Sindri fronça les sourcils.

— Tu ne peux pas te permettre de faire le délicat, Sindri. Tu es le premier qui devrait savoir ça, c'est toi qui me l'as appris. Au moment où le banquier Gabríel Örn est mort, on a franchi une ligne. On ne peut pas revenir en arrière maintenant, pas après Óskar Gunnarsson. On s'est engagés. Mais au moins, on le fait dans un but. Ne gâche pas tout maintenant, sinon, tout ce qu'on a fait jusqu'ici n'est qu'une perte de temps. C'est là qu'on sera vraiment des meurtriers.

Sindri secoua la tête et croisa les bras.

— Je ne tue personne. Aucun innocent, se corrigea-t-il.

— OK, lança Ísak dans un sourire. Je m'en charge. Je dois disparaître, de toute façon, autant que j'aille à Grundar-fjördur. Si je ne le fais pas, la révolution n'aura pas lieu, le capitalisme va écraser l'Islande. Et ce sera de notre faute. Nous en serons responsables. Tu vas m'arrêter ?

Sindri ne dit rien. Il évita le regard d'Ísak.

— J'y vais maintenant, déclara Ísak. Toi, tu pars dans dix minutes.

30

Retrouver l'infirmière fut simple. Árni montra la photo à la réceptionniste de l'hôpital national.

— Oh, c'est Íris, déclara-t-elle.

Après quelques minutes, Árni discutait dans le coin d'un des interminables couloirs avec la femme au visage rond et au petit nez.

— Je me souviens de lui, affirma l'infirmière. Il avait du gaz lacrymogène dans les yeux. Il souffrait beaucoup, ce n'est pas de la blague ce truc. Il ne démordait pas de l'idée idiote qu'il fallait que je lui place deux steaks sur le visage. Il disait qu'il savait où s'en procurer. Il insistait lourdement.

— Vous l'avez fait ?

— Bien sûr que non, répondit l'infirmière en jetant un regard plein de mépris à Árni.

Celui-ci sourit pour l'encourager à continuer. Cela lui arrivait souvent. Sa devise : souris et va de l'avant.

— Je lui ai appliqué une solution d'eau et d'hydrogéno-sulfate de sodium. L'effet du gaz se dissipe après quelques minutes.

— Le gamin vous a dit son nom ?

— Peut-être, je ne m'en souviens pas.

— Vous n'avez gardé aucune note nulle part ?

— Non, je soignais les manifestants et les policiers, les uns après les autres.

Dommage, se dit Árni.

— Reconnaissez-vous l'une de ces personnes ? demanda Árni en lui montrant les photos de Harpa, Björn et Sindri.

— Non, répondit Íris en les regardant avec attention. En fait, je crois que je reconnais le gros gars avec la queue-de-cheval. Je l'ai vu errer dans plusieurs manifestations.

— Et l'avez-vous vu parler au jeune ?

— Non, répondit l'infirmière en secouant la tête.

Árni sortit un autre cliché, une image tirée de la vidéo de la RÚV, montrant Sindri qui se tenait à côté du gamin pendant que l'infirmière le soignait.

— Je le vois bien maintenant, mais à l'époque je ne l'avais pas remarqué. Et je n'ai pas non plus entendu ce qu'il lui disait.

Árni rangea ses photos.

— Merci pour votre aide.

En s'éloignant, il se demanda comment agir maintenant. Il n'avait pas avancé d'un pouce dans l'identification du jeune type.

Soudain, il eut une illumination.

Il se tourna vers l'infirmière qui venait de disparaître au bout du couloir.

— Íris ? appela-t-il en lui courant après.

— Oui ?

— Une dernière question. Où le gamin pensait-il pouvoir se procurer les steaks ?

— Oh, ça, je m'en souviens. À l'Hôtel 101. Il a dit qu'il y avait été cuistot avant.

Björn roula jusqu'à la boulangerie sur Nordurströnd. Il savait que ce qu'il s'apprêtait à faire changerait pour toujours sa relation avec Harpa.

Mais il n'avait pas le choix.

Bien sûr, Ísak avait raison. Une fois Ingólfur Arnarson mort, il resterait à voir ce qu'on ferait avec Harpa. Mais Björn avait un plan. Utopique sans doute, mais il fallait qu'il essaye.

Il aimait Harpa et il savait qu'elle l'aimait aussi. Ils partageaient les mêmes valeurs. Elle détestait autant que lui l'effondrement des crédits et ceux qui en étaient responsables. Elle comprendrait pourquoi il avait agi ainsi. Peut-être même qu'elle se joindrait à sa cause.

Dans la cabane où il l'emmenait, ils auraient largement le temps de parler. Peut-être qu'il parviendrait à la convaincre. Oui, il pourrait la convaincre. Il le fallait.

Il se rappelait sa rencontre fortuite avec Sindri au Grand Rokk trois mois plus tôt. Les choses auraient été bien différentes s'il s'était contenté de passer sa route. Mais il ne regrettait rien de ce que lui et les autres avaient fait durant ces deux dernières semaines. Il fallait bien que quelqu'un punisse ces ordures !

Björn et Gulli prenaient une bière à la terrasse du Grand Rokk, pour que Gulli puisse fumer. Comme c'était le mois de juin, à 11 heures du soir il faisait encore jour. Les clients débordaient de l'hyperactivité estivale qui frappe l'Islande à cette période de l'année : une nation qui allait de plus en plus vite par manque de sommeil.

— Björn ? C'est bien Björn ?

Björn pivota pour voir un grand type avec un chapeau en cuir et une queue-de-cheval.

— Sindri !

Björn se leva pour serrer la grosse main que l'homme lui tendait.

Sindri jeta un œil en direction de son frère et Björn le lui présenta. Sindri était un peu soûl, Björn était un peu soûl et Gulli était très soûl. Sindri et Björn discutèrent de choses et d'autres, mais pas de la nuit de janvier. Ils déversèrent tout le mal qu'ils pensaient des banquiers. Gulli les regardait, vidant ses bières, sans vraiment écouter.

— Tu te souviens, je t'avais raconté que mon frère risquait de perdre sa ferme ?

— Ça y est ?

— Il n'a pas attendu. Il s'est tiré une balle dans la tête. Il y a trois mois.

— Je suis désolé…

— Ouais. Une femme, deux filles. Elles vont perdre la ferme. Comment ça va, toi ? Tu as réussi à garder ton bateau ?

— J'ai dû le vendre. Je n'ai pas beaucoup d'espoir de pouvoir jamais m'en repayer un.

Les deux hommes se regardèrent en silence. Gulli se grilla une nouvelle cigarette.

— Nous n'avions pas tort, hein ?

— Non, en effet, acquiesça Björn après une légère hésitation.

— Écoute, je retrouve un vieil ami à nous demain. Au Grey Cat. À 10 heures, pour le petit déjeuner. Ça te dirait de te joindre à nous ?

— Un vieil ami ?

Sindri haussa les épaules. Pas devant Gulli.

— D'accord, à demain alors.

Le Grey Cat était un charmant salon de thé-librairie, en bas de Hverfisgata, juste devant la Banque centrale, aussi appelée le « fort noir ». Construite dans un style brut, type bunker, c'était le bâtiment le plus haï d'Islande. Ingólfur Arnarson se tenait sur son bouclier devant la façade, contemplant le port.

Björn vit le grand chapeau en cuir de Sindri dès qu'il entra. Il était installé dans un box vers le fond, son gros corps calé entre la table orange et la banquette en cuir rouge. Devant lui, Björn vit un homme plus petit et plus svelte, qu'il mit un moment à reconnaître. Ísak, l'étudiant.

Björn s'installa à côté d'Ísak et commanda un café. Sindri, lui, demanda un grand petit déjeuner américain avec pancakes et bacon, la spécialité du Grey Cat, servi toute la journée, et Ísak, un bagel.

— Vous avez gardé le contact ? demanda Björn. On avait décidé de rester loin les uns des autres.

— Non, on ne s'est pas revus, enfin pas avant la semaine dernière. Ísak est passé à mon appart. On a discuté.

— De ce qu'on a fait en janvier ?

— Plutôt de ce que nous allons faire cet automne, contredit Ísak.

— Nous ?

— Ísak et moi, expliqua Sindri. Et toi. Si tu veux être des nôtres.

Björn gara son pick-up devant la boulangerie. Il hésita, jetant un regard à Hallgrímskirkja qui dominait le centre-ville de Reykjavík. Il ne pouvait plus faire marche arrière. Il prit une profonde inspiration et poussa la porte.

L'endroit était vide. Le visage de Harpa s'illumina en le voyant. Elle fit le tour du comptoir pour se jeter dans ses bras.

— Oh, Björn, je regrette tellement d'avoir douté de toi. Pourras-tu me le pardonner ?

— Il n'y a rien à pardonner. J'ai besoin d'un café. Tu en veux un ?

— D'accord.

— Je vais nous en chercher.

Björn servit deux tasses d'une des cafetières qui attendaient contre un mur. Ils s'assirent à une table.

— Alors tu as décidé d'aller parler aux policiers ?

Harpa hocha la tête.

— Tu en es absolument sûre ? Malgré les conséquences ?

— Il le faut. Si quelqu'un d'autre devait mourir, je ne le supporterais pas.

— Je comprends, assura Björn en se détendant.

Il ne servait à rien d'essayer de l'en dissuader. Il s'était engagé, maintenant. Il prit quelques gorgées de son café. Harpa ne toucha pas au sien.

Il lui sourit.

— Je suis contente que tu me comprennes. Ce qui m'attriste le plus, c'est que je risque de te causer des ennuis.

— Et à Sindri et à Ísak. Et au gamin, Frikki.

— Je me fiche d'eux. Enfin, peut-être pas du gamin. Quant à moi, je m'en fiche plus que tout. Mais toi, je me fais du souci pour toi.

Björn sourit. Cela le toucha. Il se dit que finalement il pourrait peut-être la convaincre. Plus tard.

— Tu peux m'aider à trouver comment présenter les choses ? Je veux dire, ce serait bien si je pouvais en parler à la police sans t'envoyer en prison. J'ai pensé à les prévenir anonymement, mais je ne sais pas comment faire sans donner des détails qui t'incrimineraient.

— C'est pour cela que je suis ici. Pour réfléchir à un plan. Mais d'abord je voudrais te présenter quelqu'un.

Il finit son café. Harpa n'avait toujours pas touché au sien. Qu'est-ce qu'elle avait aujourd'hui ? Elle buvait toujours son café d'habitude. Surtout quand elle était nerveuse.

— Qui ?

— Tu verras.

Harpa sirota un peu de sa tasse. Björn lui prit la main.

— On trouvera un moyen, Harpa. J'en suis sûr.

Harpa leva les yeux vers lui en souriant.

— Oh, j'espère.

— Allez, finis ton café et partons.

Harpa s'exécuta à la hâte.

— D'accord, attends. Je vais juste m'assurer que ça ne dérange pas Dísa que je parte tôt.

Björn attendit Harpa pendant qu'elle parla rapidement à sa patronne.

— Tout va bien, on peut y aller, annonça-t-elle en revenant.

Ils sortirent. Harpa vit le pick-up de Björn.

— Et ta moto ?

— Elle est en réparation.

Ils montèrent et Björn prit la direction du périphérique. Il allait vers l'est. Il n'avait pas de destination spécifique en tête. Juste rouler. Le Rohypnol est un somnifère et l'une des plus célèbres drogues de violeurs parce qu'elle n'a pas de goût et provoque une amnésie temporaire, surtout associée à l'alcool. Le type qui la lui avait donnée affirmait qu'elle agissait entre vingt minutes et une demi-heure environ. Et bien sûr, Harpa n'avait pas bu d'alcool. Björn ne faisait pas vraiment confiance à ce type, il espérait qu'il lui avait indiqué le bon dosage.

Björn glissa un CD dans le lecteur et monta le son. Nirvana. Il voulait discuter le moins possible avec Harpa.

Au bout d'un quart d'heure, elle se mit à bâiller.

— Dis donc, j'ai sommeil. On en a encore pour longtemps ?

Le temps qu'il faudra, se dit Björn.

— Encore une demi-heure, sans doute, répondit Björn.

— Pourquoi tu ne me dis pas où on va ?

— Tu verras.

Dix minutes plus tard, Harpa était appuyée contre la portière du pick-up. Cinq minutes plus tard, elle dormait.

Magnús était assis au fond de la classe. Il écoutait l'enseignant, un superintendant, parler de fraude et du code pénal. Magnús portait l'uniforme des policiers de Boston. Tous à l'académie devaient être en uniforme, enseignants comme élèves, à moins bien sûr qu'ils ne soient des civils. Le superintendant en chef, responsable de l'académie, avait estimé qu'il serait plus judicieux que Magnús arbore un uniforme de la police de Boston, plutôt que celui d'un non-gradé. Magnús en avait donc ramené un dans ses bagages lors d'un court séjour aux États-Unis en mai, où il avait emballé toute sa vie pour l'emporter avec lui en Islande. Ça ne lui avait pas pris très longtemps.

Il savait qu'il devait se concentrer, la dernière chose qu'il voulait, c'était rater l'examen et redoubler. Mais maintenant, il avait toutes les chances de reprendre le premier avion vers l'Amérique avant même d'avoir eu l'occasion de passer cette fichue épreuve.

Une partie de lui désirait oublier Harpa et Björn et Sindri. Si Snorri ne voulait pas en entendre parler, à quoi bon s'entêter ?

Sauf que Magnús ne parvenait pas à penser ainsi. S'il avait raison, et il en était pratiquement sûr, alors ceux qui avaient tiré sur Julian Lister, abattu Óskar et sans doute aussi Gabríel Örn, seraient libres d'agir à leur guise. Un autre pauvre gars, sans doute père de famille, risquait de se retrouver entre quatre planches, dans les jours à venir.

Son portable vibra contre sa hanche. En douce, Magnús le sortit de sa poche pour vérifier qui l'appelait. Il se sentait comme un écolier. Vigdís.

Il était strictement interdit de prendre un appel pendant un cours ou de quitter la salle avant la fin. Il quitta la pièce discrètement.

— Magnús ? s'interrompit le superintendant.

— Je reviens, lança Magnús en souriant.

Il était dans le couloir avant que l'enseignant ne puisse le réprimander.

— Oui, Vigdís, qu'y a-t-il ?

— On a identifié le môme qui s'est fait soigner lors de la manif. Frikki Eiríkson. Il travaillait comme assistant cuistot à l'Hôtel 101. Il s'est fait virer en décembre. On a une adresse à Breidholt. On va le chercher ?

Magnús appréciait que Vigdís le lui demande.

— Oui, mais vérifiez avec Baldur d'abord. Et tenez-moi au courant de comment se passe l'entretien.

— À plus tard.

Magnús afficha sur ses lèvres un petit sourire contrit en regagnant sa place dans la classe.

Il rentrait chez lui au volant de sa voiture quand il reçut un texto de Vigdís. Frikki était en balade quelque part avec sa petite amie, sa mère ne savait pas où. Ils informeraient Magnús quand ils lui mettraient la main dessus.

Il se pencha pour regarder l'image magnifique qu'il voyait à travers l'appareil photo posé sur son trépied. Le long objectif s'orientait vers le Tjörnin, le grand lac au centre de Reykjavík et la plaque tournante de nombreux oiseaux migrateurs dans l'Atlantique nord. Dans ses eaux bleu pâle réfléchissant le ciel de la même couleur, des cygnes, des oies, plusieurs espèces de canards, des hirondelles de mer, des foulques et toute une variété d'autres oiseaux flottaient, glissaient, plongeaient, bref, s'affairaient dans tous les sens.

Un groupe particulièrement bruyant s'était rassemblé tout au bout du lac, derrière le bâtiment du Parlement et le gros bloc de chrome, d'acier et de verre qui servait d'hôtel de ville. C'était là que les habitants et les touristes se retrouvaient pour nourrir les oiseaux. Derrière ce brouhaha lui parvint le murmure de la foule qui s'entassait sur la place Austurvöllur pour la réunion publique au sujet de Icesave.

Mais en dépit des apparences qu'il s'efforçait de donner, il n'observait pas la faune. Il surveillait une des grandes maisons blanches à l'autre bout de la rive.

Cela faisait déjà quelques heures qu'il observait la bâtisse. Pas de protection, pas de voiture de police qui patrouillait, pas d'homme en uniforme. Il était content de constater que le véhicule de leur prochaine cible, une Mercedes SUV noire, stationnait à côté de la maison, pratiquement invisible depuis la route. Derrière, on voyait une haie et quelques petits arbres. Une entrée possible. Ça valait la peine de vérifier plus tard.

Alors qu'il regardait et attendait, un plan se dessina dans sa tête.

La cible sortit par la porte de devant et monta dans sa voiture.

Il démonta l'appareil photo de son trépied pour le ranger, et partit.

Il savait comment procéder.

Ingileif se fraya un chemin dans la foule sur la place devant le Parlement, à la recherche du grand Sindri. Quelques centaines de personnes s'étaient rassemblées. L'ambiance ne ressemblait pas à celle des manifestations auxquelles elle avait assisté pendant l'hiver. La foule affichait un air plus sérieux. La colère était toujours palpable, mais se taisait. Pas de casseroles, pas de cornes de brume, pas d'anarchistes sous des passe-montagnes et très peu de policiers. Moins d'excitation, une plus forte détermination muette.

Après avoir repéré le grand chapeau de cuir de Sindri et sa queue-de-cheval grise, elle se planta derrière lui. Sindri était en train de discuter à droite et à gauche quand il la vit.

— Ingileif ?

Elle se tourna vers lui et le gratifia d'un large sourire.

— Sindri ! Ça ne me surprend pas de te voir ici.

— C'est une cause importante.

— Bien sûr. Tu connais les intervenants ?

— Des vieux bavards. Je ne sais pas pourquoi j'ai pris la peine de me déranger. Ils disent qu'il faut refuser de rembourser les Anglais, mais ça en restera là, de la parlote.

Il fit un signe vers la foule.

— Regarde autour de toi : j'attendais un esprit révolutionnaire, des gens prêts à changer les choses. Eux, ils ont plutôt l'air d'être à l'église en train d'écouter un sermon.

— Je comprends ce que tu veux dire. Il faut les effrayer...

Sindri la fixa avec intérêt.

— Effrayer qui ?

— Les Anglais, bien sûr. Leur montrer que sans un meilleur marché, les gens ici sont prêts à se révolter. On l'a déjà fait par le passé, on peut recommencer.

— Tu as tout à fait raison.

Ingileif voyait bien qu'il la regardait avec un mélange d'admiration et de désir. Cela ne la dérangeait pas.

Une femme, l'une des organisatrices, s'empara d'un haut-parleur expliquant qu'elle s'adressait au nom de chacun ici présent, avant d'adresser toutes les pensées du peuple islandais à Julian Lister et de condamner l'acte méprisable dont il avait été victime.

— Nous ne sommes pas des terroristes, monsieur Lister ! mugit Sindri dans l'oreille d'Ingileif.

Tout le monde connaissait le refrain, mais personne ne le reprit. Les personnes directement autour de lui froncèrent les sourcils en signe de désapprobation. Certains « chut ! » s'élevèrent.

— Pitoyable, grogna Sindri.

Ingileif grogna également pour l'accompagner.

Une série de discours suivirent l'introduction. Ingileif en trouva certains stimulants, mais Sindri n'appréciait pas. Il grommela de plus en plus fort.

— J'ai eu ma dose ! finit-il par s'exclamer.

— Moi aussi, acquiesça Ingileif.

— Ce pays est tellement mou !

— Tu as écrit un livre là-dessus, n'est-ce pas ? Tu peux m'en parler ?

— Avec plaisir, répondit Sindri en souriant. Allons prendre un café.

31

L a cabane attendait seule dans la vallée isolée. Björn roula dans sa direction, rebondissant sur les nids-de-poule. L'état de la route était catastrophique et Björn n'en revenait pas que cela n'ait pas encore réveillé Harpa.

Cette voie avait toujours été mauvaise. Depuis des années, ou plutôt des siècles, c'était le chemin le plus court entre le sud de Stykkishólmur et Borgarnes. Elle serpentait autour de rochers volcaniques sinueux, incluant la fameuse troll de Kerlingin avec son butin de bébés transformés en pierres sur l'épaule. Mais le gouvernement avait construit une route sur un col parallèle à quelques kilomètres de là, vers l'ouest. Maintenant qu'il ne restait plus aucune raison pour passer par ici, la route s'était rapidement détériorée.

La cabane était vieille, peut-être de cent ans, et avait été construite pour offrir un abri aux voyageurs perdus dans le col. Enfant, Björn y avait passé du temps avec son oncle et sa tante, juste pour s'amuser. Elle était bâtie sur un tertre pour la maintenir au-dessus de la hauteur des congères, à quelques mètres de ce qui restait de la route. Des murs de pierres s'élevaient de chaque côté de la vallée, au bas desquels se jetaient rus et cascades pour former un ruisseau qui longeait la route. Malgré quelques carrés d'herbe et de mousse, la vallée était principalement constituée de gravillons, de pierre et de rochers nus. Bien que le ciel ait été dégagé pendant le trajet depuis Reykjavík, ici dans la montagne, l'humidité régnait. La brume encerclait les rochers, l'air transpirait de microscopiques gouttes d'eau.

La porte de la cabane était ouverte, on ne la fermait jamais à clé, au cas où les voyageurs auraient besoin d'un abri. À l'intérieur, elle rayonnait d'une propreté étonnante. Björn vit des signes d'un passage récent : un papier de chewing-gum par terre, une bouteille de vodka à moitié vide sur le rebord de la fenêtre. Des bergers, assurément. Björn se doutait que le *réttir* avait eu lieu la semaine passée autour de Helgafellssveit. La cabane était équipée d'un fourneau et une échelle menait vers un coin-couchette. Björn avait roulé de Reykjavík directement jusqu'à sa maison de Grundarfjördur pour ravitailler son pick-up. Il avait pris des sacs de couchage, du bois pour le four, de la nourriture et du matériel de camping. Assez pour leur permettre de rester sur place trois jours.

Il avait aussi ramené suffisamment de cordes.

Il déposa Harpa toujours endormie sur le sac de couchage dans la mezzanine et alluma le fourneau. Il mit de l'eau à bouillir pour du café.

Il consulta son téléphone. Pas de réseau, sans surprise. Cela pourrait poser problème : il aurait besoin de communiquer avec les autres dans les prochains jours, et pour cela il devrait descendre le col vers Stykkishólmur.

Il prépara le café qu'il emporta dehors. Il s'assit sur les marches de la cabane et observa la lumière décliner dans la vallée humide. Un corbeau battait des ailes au-dessus de lui, son croassement se perdant dans la moiteur de la soirée.

L'endroit donnait le frisson. Björn sourit en repensant à la nuit qu'il avait passée dans la cabane avec ses cousins. La chair de poule. Il n'y avait pas que la troll de Kerlingin qui rôdait, il y avait une histoire bien connue chez les enfants du coin, d'un chauffeur de bus qui avait conduit son véhicule dans le col. Il avait ressenti la présence de quelque chose derrière lui et s'était tourné pour voir son véhicule rempli de fantômes.

Mais Björn se sentait en sécurité ici. Plus important encore, il pensait Harpa en sécurité. Il aurait voulu qu'elle et lui puissent rester ici pour toujours, loin du monde, le monde du *kreppa*, des banquiers et des politiciens corrompus. Le monde contre lequel il avait décidé de se battre.

Pourrait-il faire comprendre à Harpa ce que les autres et lui avaient fait ? Il pouvait essayer.

Elle ne produisait aucun son. En théorie, les effets de la drogue se dissipaient en huit heures. En pratique, Björn se dit que Harpa était partie pour dormir toute la nuit.

Le pub sur Shoreditch était bondé et les huit étudiants trouvèrent de la place avec difficulté, s'agglutinant sur deux tables mises côte à côte. Sophie connaissait à peine la plupart des autres, mais quand son amie Tori lui avait proposé de sortir boire un verre, elle avait accepté. Elle avait passé l'après-midi à la bibliothèque sans avancer dans son travail.

Elle s'inquiétait pour Zak. La seule réponse qu'elle avait reçue à ses textos jusque-là était : « Ça ne se présente pas bien. » Elle aurait voulu qu'il lui parle davantage.

Elle était entourée de trois filles et de quatre garçons. Elle ne connaissait pas très bien les gars, même s'ils étudiaient tous la politique avec elle. La conversation avait dérivé de Big Brother à Julian Lister. Elle écoutait à peine.

— Alors, il va s'en sortir ?

— C'est ce qu'on dit.

— Moi, j'ai entendu qu'il se trouvait toujours dans un état critique.

— Non, c'était à la radio aujourd'hui. Ils pensent maintenant qu'il va se rétablir complètement.

— Qui a pu faire ça ?

— Al-Qaïda.

— Mais ils se servent de bombes, pas de balles.

— Al-Qaïda qui opère depuis la Hollande.

— La Hollande ?

— Oui, une moto avec une plaque d'immatriculation hollandaise a été repérée à l'endroit de la fusillade.

— C'est un coup des Islandais.

Cette dernière remarque attira l'attention de Sophie. Le type qui parlait était grand avec de longs cheveux bouclés. Il s'appelait Jeff, si sa mémoire était bonne.

— Les Islandais ! Ne sois pas ridicule, Josh. Et pourquoi pas Greenpeace, puisque tu y es ?

Pas Jeff, Josh.

— Non, je suis sérieux, affirma Josh, penché en avant, une étincelle dans les yeux. J'ai bien réfléchi au problème. Les Islandais détestent Julian Lister. Depuis l'effondrement des crédits. Il leur a confisqué tous leurs avoirs et les a traités de terroristes.

— Oui, eh bien, ce ne sont pas les seuls à le détester, alors qu'est-ce que ça prouve ?

— Vous savez, je travaillais comme assistant chercheur à la Chambre des communes pendant l'été, déclara Josh en baissant la voix. Je travaillais pour Anita Norris qui est la ministre de la Trésorerie. Eh bien Zak Samuelson, vous voyez qui c'est, l'Islandais, m'a demandé où Julian Lister allait passer ses vacances cet été. Franchement, c'est quoi cette question ?

— Alors qu'est-ce que tu sous-entends ? Que c'est Zak qui lui a tiré dessus ?

— Ou alors il en a parlé à un de ses potes en Islande...

Sophie se sentit rougir. Tout le monde autour de la table la fixait, à l'exception de Josh, qui à l'évidence était le seul à ne pas savoir qu'elle sortait avec Zak.

— Quoi ? demanda Josh, conscient qu'il se passait quelque chose.

— T'es vraiment qu'un abruti, Josh, lança Tori.

— Qu'est-ce que tu en penses, Sophie ? demanda Eddie, un des autres gars présents.

La question était bien intentionnée, il voulait donner à Sophie l'occasion de défendre son petit ami.

— C'est n'importe quoi, déclara Sophie. Les Islandais ne font pas ce genre de chose.

— Je suis sûr que Zak s'est réjoui de ce qui est arrivé à Julian Lister, paria Josh, qui n'avait toujours pas compris.

— C'est faux, contredit Sophie. Je le connais bien et pas toi. Il n'a rien à voir avec tout ça.

— Oui, Josh, renchérit Tori. Tu ne dis que des conneries. Arrête de parler de ce que tu ne connais pas.

Josh vit enfin clair. Il jeta un œil à son groupe d'amis.

— Désolé. Je ne savais pas que c'était un de tes amis, Sophie.

— Ce n'est pas grave, assura-t-elle avec un timide sourire.

La conversation passa à un autre sujet. Dès qu'elle eut fini son verre, elle se sauva discrètement. Elle n'avait qu'une envie : sortir de ce pub.

Magnús faisait les cent pas dans sa petite chambre, il se sentait comme un lion en cage. Árni avait attendu Frikki et quand celui-ci était enfin rentré chez lui avec sa petite amie, le policier l'avait emmené au poste. Árni et Vigdís étaient en train de l'interroger à cet instant précis. Magnús aurait voulu y être aussi. Et si ce n'était pas possible, il voulait savoir ce que disait Frikki. Mais il ne pouvait pas les déranger, il n'avait qu'une seule chose à faire : attendre.

Il avait appelé Sharon Piper pour lui demander si elle avait des nouvelles du couple français en vacances en Inde. Toujours rien. Magnús lâcha un juron en raccrochant. Une description orale ne suffisait pas. Magnús avait vraiment besoin d'une identification formelle d'Ísak s'il voulait qu'on le remette sur l'affaire.

Il se faisait tard et il avait faim. Il attrapa son manteau pour sortir. Au coin de la rue, en haut de la colline vers l'église, se trouvait Vitabar, le restaurant le plus proche du quartier. Magnús commanda un hamburger et une bière, qu'il avala bien trop vite.

Plutôt que de rentrer dans son appartement, il décida de se balader. Il recevrait les appels sur son portable de toute façon. Il se retrouva sur la place devant Hallgrímskirkja. L'église s'élevait au-dessus de lui, illuminée dans la nuit. Dessous, la statue de Leifur Eiríksson, le premier Européen à avoir découvert l'Amérique, regardait vers l'ouest de la ville.

Il renvoyait peut-être Magnús chez lui.

Son téléphone sonna. Vigdís.

— Alors, il a parlé ?

— Non.

— Comment ça, non ? Il n'a rien dit du tout ?

— Rien. Rien du tout.

— Quoi, il a un avocat, ou quelque chose ?

— Il n'en veut pas. C'est bizarre, il regarde devant lui, l'air malheureux. Pas arrogant ni effronté, tu sais comme ils sont parfois quand ils pensent qu'ils peuvent se taire et qu'on n'a aucun moyen de les toucher. On dirait qu'il va fondre en larmes d'une minute à l'autre.

— Alors, vous n'avez pas réussi à le faire pleurer ?

— Eh Magnús, tout doux !

— D'accord, d'accord.

Magnús savait que Vigdís avait raison. C'était une bonne inspectrice, il devait lui faire confiance. Et il n'y avait pas de suspect plus difficile à interroger que ceux qui refusaient de parler.

— Désolé, Vigdís. Qu'est-ce que tu en penses ?

— Il est coupable à cent pour cent. Rien de ce que nous lui disons n'est nouveau pour lui. Je lui ai parlé de Gabríel Örn et d'Óskar et de Julian Lister. Il n'a affiché aucune surprise. Il connaît les noms de Harpa, Björn et Sindri. Et on dirait bien qu'il sait qu'il va aller en prison.

— Alors pourquoi ne parle-t-il pas ?

— Je n'en sais rien. Je pense que l'approche en douceur marchera mieux avec lui. Et si ça ne fonctionne pas, on peut toujours le garder jusqu'à demain.

— Baldur est d'accord ?

— J'ai vérifié avec lui.

— Une nuit dans une cellule peut faire des miracles, concéda Magnús. Je regrette de ne pouvoir être avec vous. Appelle-moi si tu obtiens quelque chose, d'accord ?

Magnús rentra chez lui, attendant le coup de fil de Vigdís. Rien. Et rien d'Ingileif non plus. Étrange. La réunion sur Icesave avait eu lieu en fin d'après-midi, qu'est-ce qu'elle fichait ?

Magnús n'en avait aucune idée.

En fin de compte, il trouva refuge dans une saga, le remède éprouvé de son adolescence. Il choisit *La Saga du peuple d'Eyri*. En quelques minutes, il se plongea dans le monde des conquérants nordiques : Ketil au Nez Plat, Björn l'Homme de l'Est qui avait construit la ferme de Bjarnarhöfn, Arnkel, Snorri Godi et Thorolf le Boiteux. La campagne autour de Bjarnarhöfn semblait plus réelle dans la saga que dans ses propres souvenirs.

Vers 11 heures, la sonnette de sa porte résonna. C'était Ingileif.

— Hello, salua-t-elle en l'embrassant. Bonjour Katrín, lança-t-elle en direction de la propriétaire de Magnús, alors que celle-ci gravissait l'escalier vers sa chambre.

Katrín trébucha sur une marche.

Quand Ingileif arriva enfin dans sa chambre, elle l'embrassa de nouveau.

— Désolée d'arriver si tard.

— Pas grave.

— Je suis tellement soûle !

Magnús avait deviné.

— Où étais-tu ? demanda-t-il, essayant de ne mettre aucune pointe d'accusation dans sa voix.

— En train de résoudre ton affaire.

— Comment ça ?

Ingileif commença à déboutonner la chemise de Magnús.

— Je te le dirai après.

— Comment ça, tu étais en train de résoudre mon affaire ? Tu as vu Sindri à la réunion sur Icesave ?

— Yep !

La chemise de Magnús était entièrement déboutonnée à présent. Elle glissa les mains vers son pantalon.

— Tu avais l'intention de le voir depuis le début ?

— Yep !

Magnús sentit la colère monter en lui. Il avait explicitement demandé à Ingileif de ne pas le faire. Il recula.

— Quel mal y a-t-il ? Tu aurais été si fier de moi ! Il m'a tout raconté !

— Quoi ? Qu'est-ce qu'il t'a raconté ?

Ingileif s'assit sur le lit de Magnús.

— Tout ! Comment il a abattu Óskar. Et le chancelier de l'Échiquier. Tout !

— C'est lui qui a abattu le chancelier de l'Échiquier ?

— Non, pas lui en personne, lui et ses amis.

Magnús se posa à côté d'Ingileif sur le lit. Malgré sa colère, il voulait savoir ce qu'elle avait découvert.

— Qui sont ses amis ?

— Je ne sais pas, je n'ai pas demandé. Mais ils forment un groupe. C'est lui le chef. Ils pensent que le capitalisme est mal. Je peux t'expliquer tout ce qui est mal dans le capitalisme, je l'ai écouté pendant des heures.

Elle se tortilla sur le lit et sembla sur le point de s'écrouler quand elle se redressa.

— Je me suis mise derrière lui sur la place d'Austurvöllur. Il a commencé à me parler, on est allés boire un café. Ensuite on a bu quelques verres, il a bu encore plus de verres. Et il a commencé à me déshabiller.

— Et ?

— Et alors, je suis rentrée ici, qu'est-ce que tu crois ? gloussa Ingileif. Il était un peu contrarié, il trouve sans doute que je me suis servie de lui.

— Il n'a pas tort, non ?

— Eh ! Il a admis avoir planifié l'assassinat des gens qu'ils pensent responsables du *kreppa*. Le directeur général de la banque, l'ex-chancelier de l'Échiquier britannique. Et d'autres gens.

— Quels gens ? Tu l'as découvert ?

— Oh oui ! J'ai réussi à le lui arracher. Ingólfur Arnarson.

— C'est qui ? À part le gars qui a découvert l'Islande ?

— Je ne sais pas. Je te suggère de le trouver sur l'annuaire pour lui conseiller de bien fermer sa porte !

— Je ne peux pas arrêter Sindri.

— Pourquoi pas ? Il a avoué, non ? Je peux témoigner devant une cour !

— Comme pièce à conviction, ça ne sert à rien, affirma Magnús, tranchant.

— Comment ça, ça ne sert à rien ? Tu es juste jaloux.

— Jaloux ? Pourquoi serais-je jaloux ?

— Oui, jaloux. Parce que j'en ai découvert plus en une nuit que toi en une semaine.

— C'est ridicule !

Ce qui le mettait hors de lui surtout, c'était qu'il y avait un fond de vérité dans ce que disait Ingileif. Il était jaloux. Et elle avait employé des méthodes illégales : elle avait menti, pas seulement à la loi, mais à lui.

— On ne peut pas utiliser ces preuves. Et si l'avocat de la défense découvre que nous sommes liés, ce qu'il ne tardera pas à faire, alors il y a de fortes chances que l'affaire soit classée pour vice de procédure.

En fait, Magnús n'avait aucune idée de si les choses se déroulaient comme ça aussi en Islande. Mais en Amérique, cela aurait causé des tas de problèmes.

— Comment peux-tu te fâcher contre moi alors que je t'ai autant aidé ? Tu n'imagines pas comme c'était répugnant de parler à ce vieux libidineux pendant des heures, avec ses mains partout sur mon corps, pendant que moi, j'essayais de t'aider.

— Ses mains partout sur quoi ?

— Tu vois, tu *es* jaloux.

— Eh bien oui, je suis carrément jaloux ! hurla Magnús. Je ne t'ai pas demandé de le faire. Je ne t'ai pas demandé de séduire Sindri pour lui tirer les vers du nez.

— Je ne l'ai pas tout à fait séduit. Et de toute façon, j'ai le droit de parler à qui je veux.

— Parler, oui. Mais le reste ?

— Tu m'accuses de coucher avec d'autres hommes ?

— Je ne sais pas... (Cette question lui avait toujours trotté dans la tête.) Peut-être. C'est le cas ?

Ingileif le fixa.

— Tu peux reboutonner ta chemise, je m'en vais.

L'espace d'un instant, Magnús faillit lui demander de rester. Selon ses règles à elle, elle pouvait aller et venir à sa guise. Alors qu'elle fasse ce qu'elle voulait.

Elle s'en alla, claquant la porte derrière elle.

32

Mercredi 23 septembre 2009

Harpa sentit l'odeur du café. Elle ouvrit les yeux. Sa tête pesait une tonne et elle ne savait pas où elle était. Au-dessus d'elle, à quelques centimètres seulement, elle vit des poutres en bois et le plafond. Elle était allongée dans un sac de couchage. À côté d'elle se trouvait un autre sac, vide.

Mais il avait le parfum de Björn qu'elle connaissait bien : de la sueur d'homme et une légère odeur de poisson.

Elle s'appuya sur un coude. Le café sentait bon.

Elle était dans une cabane. Une lumière grise matinale filtrait par la fenêtre au plafond. Elle entendit quelqu'un se déplacer en dessous.

— Björn ?

— Bonjour.

Elle passa la tête par-dessus l'échelle. Elle se rendit compte qu'elle se trouvait dans une mezzanine à l'intérieur d'une cabane. Elle fut soudain saisie de panique, mais se calma en voyant le sourire rassurant de Björn.

— Allez, viens, descends prendre une tasse de café. Tu veux manger quelque chose ?

Prudemment, elle descendit l'échelle. Elle ne portait qu'un tee-shirt et une culotte, mais il faisait chaud dans la cabane. Du bois brûlait dans le fourneau.

Elle avait encore le cerveau embrouillé, comme si elle venait de se réveiller d'un rêve, sauf que là, elle se réveillait *dans* un rêve.

— Björn, où sommes-nous ?

Il déposa un baiser furtif sur ses lèvres.

— Dans une cabane de montagne. Je me suis dit que cela nous ferait du bien de prendre l'air quelques jours.

— Tu sais que je ne me souviens pas être arrivée ici.

— Tu étais épuisée. Tu t'es endormie dans la voiture.

— Vraiment ?

Harpa s'efforçait de trouver un sens à tout ça. Elle se rappelait que Björn était venu dans la boulangerie, puis plus rien. Très étrange.

— Où est Markús ?

— Avec tes parents. On leur a laissé un mot.

— Je ne m'en souviens pas...

— Enfin, c'est moi qui leur ai laissé le mot.

Harpa s'assit sur une chaise à côté de la table et sirota son café. Elle commençait à y voir un peu plus clair.

— Où se trouve cette cabane, Björn ?

— Pas loin de Grundarfjördur. Sur une vieille route qui mène de Stykkishólmur à Borgarnes. Mais plus personne ne la prend de nos jours. C'est très calme.

— Je ne comprends pas...

— Tu as subi trop de pression ces derniers temps, déclara Björn en lui prenant la main. Tu as besoin de te reposer.

Il lui serra encore la main et sourit. Elle fut tout d'abord apaisée par ce sourire.

Mais elle retira vite sa main.

— Attends une minute. On n'en a jamais parlé, n'est-ce pas ? On devait aller à la police, pour leur parler de Sindri et de l'étudiant. Ce n'est pas là qu'on se rendait ?

— Non.

— Björn, qu'est-ce qui se passe exactement ?

Harpa ouvrit soudain de grands yeux.

— Tu m'as kidnappée, c'est bien ça ?

— Non !

— D'accord. Alors dans ce cas, laisse-moi prendre mon téléphone pour appeler la police.

Elle s'empara de son sac à main qui était posé à côté de la porte et fouilla à l'intérieur.

— On ne capte pas, ici.

— Où est mon téléphone, Björn ?

— Tu n'en as pas besoin. Il n'y a pas de réseau.

Harpa leva les yeux de son sac.

— Tu l'as pris, n'est-ce pas ? Mon Dieu, mais tu m'as vraiment kidnappée ! Björn, qu'est-ce qui se passe, bon sang ?

— Je pense que nous devrions passer un peu de temps...

— Arrête tes conneries !

La panique déformait les traits de Harpa.

— Tu as tué Óskar et Lister, c'est bien ça ? Tu veux m'empêcher d'aller à la police !

— Je n'ai tué personne !

— Alors qu'est-ce qu'on fiche ici, bordel ? cria Harpa.

— Assieds-toi, je vais t'expliquer.

— Tu as intérêt, oui !

Elle s'assit et reprit sa tasse de café.

— Pour commencer, je n'ai tué personne, je te le jure.

— Mais tu sais qui l'a fait ?

— Je sais, oui, confirma Björn en hochant la tête.

— Et tu es allé en France ?

— Oui, reconnut-il en hochant la tête de nouveau. J'ai pris l'avion jusqu'à Amsterdam et ensuite une moto vers la Normandie pour préparer le terrain pour quelqu'un d'autre.

— Qui ?

Björn ne répondit rien.

— Sindri ? Ísak ?

— Sindri et Ísak sont aussi impliqués, en effet.

— Alors Frikki avait raison ?

— Mais nous avons fait tout cela pour une bonne raison.

— Oh, je t'en prie, comment peut-on tuer pour une bonne raison ?

— Tu as tué quelqu'un, Harpa.

— Oui, et je n'ai pas arrêté de le regretter depuis cette horrible nuit.

— Moi non, lâcha Björn, tout bas.

Harpa le dévisagea. Dans ses yeux bleus, elle ne lut que force et détermination.

— Plus j'y pense, plus je trouve que Gabríel Örn méritait de mourir, avoua Björn. C'était un homme mauvais. Il te traitait comme de la merde.

— Ce n'est pas une raison suffisante pour tuer quelqu'un ! s'offusqua Harpa.

— Peut-être pas, mais ruiner notre pays, ça l'est. Les gens comme Gabríel Örn ont détruit l'Islande et ses habitants. Les travailleurs honnêtes comme moi. Tu sais comme j'ai travaillé dur pour développer mon entreprise de pêche. Pourquoi fallait-il que je la perde ? Pourquoi des milliers de gens comme moi ont-ils également tout perdu ? Les fermiers ont perdu leur domaine, les commerçants, leur boutique, et oui, les pêcheurs ont perdu leur bateau. De jeunes familles ont dû quitter leur maison. Tu te souviens que Sindri nous avait parlé de son frère le soir de la manif ?

Harpa fit oui de la tête.

— Eh bien, il a perdu sa ferme finalement. Et il s'est suicidé. Et maintenant la femme et les filles de son frère se retrouvent à la rue, sans travail. Ces gens ont travaillé dur toute leur vie. Ce n'est pas de leur faute ! Et ce n'est que le début. On annonce une hausse du chômage. Nous serons une nation de pauvres pour des générations et des générations. À cause d'ordures comme Gabríel Örn.

— Mais ce n'est pas que de la faute de Gabríel Örn !

— Justement ! s'exclama Björn en tapant la table du plat de la main. Qu'est-ce qu'on dit ? Il y a trente personnes qui ont détruit l'Islande.

— Des gens comme Óskar ?

— Oui.

— Et Julian Lister ?

— Oui.

— Tu es fou. Vous êtes tous fous…

— Vraiment ? Bien sûr, les Islandais protestent, mais ils ne font rien d'autre. Quand les Américains se battent contre le terrorisme, ils se concentrent sur un ou deux pays et massacrent des dizaines de milliers de gens. Nous devrions déclarer la guerre à ces types. Et nous ne parlons que de quatre personnes, ici.

— Quatre ? Gabríel Örn, Óskar, Julian Lister, qui est le quatrième ?

Björn secoua la tête, refusant de répondre.

— Alors Frikki avait raison ? Encore un ?

Björn ne répondit pas.

Une larme coula sur la joue de Harpa.

— Je ne te comprends pas, Björn. Sindri, d'accord, il a toujours cru en la violence et a fini par mettre en pratique ce qu'il a toujours prôné. Mais toi ? Tu es l'un des hommes les plus pragmatiques que je connaisse.

— C'est ce que je croyais. Mais j'ai beaucoup appris ces dernières années.

— Comme quoi ?

— Des gens comme mon père et Sindri ont raison. Ils ont toujours dit que le capitalisme faisait du mal à ceux qui travaillaient dur et économisaient sou après sou. C'est une arme des riches pour nous écraser. Je n'ai jamais écouté mon père, mais maintenant, je vois à quel point il avait raison. Je pensais que c'était un dinosaure du mauvais camp de la guerre froide, je croyais au parti indépendantiste, que le capitalisme permettrait aux gens comme moi de travailler dur pour développer leur entreprise. Bon sang, j'avais tort ! Mais au moins, je m'en rends compte maintenant. Et je compte bien ne pas rester les bras croisés et agir.

— Parce que tuer des gens, c'est la meilleure façon d'agir ?

— Harpa...

Björn essaya de lui prendre la main, mais elle se dégagea aussitôt.

— Harpa, tu as souffert tout autant. Tu as perdu ton travail, ton père a perdu ses économies, Gabríel Örn t'a humiliée, tout comme Óskar. Tu ne vois pas que c'est nous les bons ici ?

— Tu es un meurtrier, Björn. D'accord, ce n'est pas toi qui as pressé la gâchette, mais tu es un meurtrier. Attends une minute ! s'exclama Harpa en ouvrant de grands yeux. Est-ce que tu as choisi Óskar à cause de moi ? Tu savais qu'il était le père de Markús ?

— La police me l'a dit dimanche dernier seulement. Mais oui, quand on a discuté de quel directeur de banque viser, Ódinsbanki m'a paru un bon choix.

— Donc tu l'as tué pour moi ?

— Pour toi, pour moi et pour tous les autres citoyens ordinaires d'Islande.

Harpa pinça les lèvres. La colère grandissait, coulant dans les larmes qui embuaient ses yeux.

— Alors qu'est-ce que tu fais de moi ? Tu me retiens prisonnière ?

— J'aimerais que tu restes ici les prochaines vingt-quatre heures.

— Jusqu'à ce que le suivant sur la liste soit abattu ?

Björn haussa les épaules.

— Et après ?

— Je pense que c'est inévitable, la police nous coincera, lança-t-il en soupirant. Les autres pensent qu'une révolution va éclater, mais je ne sais pas trop. Ce n'est pas le genre des Islandais. Donc je pense que j'irai en prison.

Un instant, Harpa se sentit presque désolée pour lui. Un instant seulement.

— Tu ne mérites pas mieux...

— Peut-être. Peut-être que je devrai payer pour ce que j'ai fait. Je l'ai fait en connaissance de cause. Il ne me reste plus qu'à en assumer les conséquences.

Il parlait d'une voix calme.

— Oui, tu devrais.

— Dans un jour, cela n'aura plus d'importance. Les autres pensent qu'ils ont encore une chance de s'en tirer. Je voudrais que tu ne parles pas pendant deux jours, jusqu'à ce que la police nous coffre. Ensuite tu pourras dire ce que tu veux. Je veillerai à ce que tu ne sois pas impliquée dans tout ça.

— Tu es fou si tu penses que je peux accepter.

— S'il te plaît, Harpa, fais-le pour moi.

— Tu me rends malade, déclara Harpa en le fixant. Allez, donne-moi mon portable et laisse-moi passer un coup de fil.

— Non.

— Dans ce cas, je pars maintenant, annonça Harpa en se levant.

— Il faut que tu restes dans la cabane.

— Non, pas question. Tu vas m'arrêter ?

Elle fit quelques pas vers la porte. Björn bondit de sa chaise, l'attrapa et la cloua au sol. Harpa hurlait et tapait. Björn tendit le bras pour s'emparer du bout de corde sur la chaise.

Il l'enroula autour de son corps, lui attachant les bras sur le côté avant de serrer le nœud fermement. Harpa hurla de plus belle en se contorsionnant dans tous les sens. Björn la laissa à terre et se planta devant le four pour la regarder.

— Je te déteste, Björn ! cria Harpa. Je te déteste !

Les hurlements étaient étouffés par les murs de la cabane et le brouillard à l'extérieur. Au moment où ils atteignirent les pentes rocailleuses de la vallée, ils furent à peine assez puissants pour créer un écho.

33

M agnús se réveilla en pensant à Ingileif. Ou plutôt il ne savait pas quoi penser d'Ingileif.

Elle l'avait accusé d'être jaloux d'elle, de la soupçonner de coucher avec d'autres hommes, ce qui était ironique. Dans sa relation précédente, Colby, l'avocate de Boston, le contrôlait tout le temps. Elle voulait qu'ils officialisent leur couple, qu'ils se marient, qu'il entreprenne des études de droit. C'était un soulagement pour lui d'avoir échappé à ça. Et en effet, c'était une des choses qui lui plaisaient le plus chez Ingileif. Elle était indépendante, elle faisait ce qui lui chantait et elle lui permettait d'en faire autant.

Et alors, si elle sortait avec ses amis éblouissants de beauté, en quoi cela le regardait-il ?

Mais il n'aimait pas l'idée qu'elle couche avec d'autres hommes. Et il ne savait pas si sa colère contre lui-même venait du fait qu'elle le faisait à l'occasion et qu'elle trouvait que ce n'étaient pas ses affaires, ou parce qu'elle jugeait qu'il ne la connaissait pas assez pour lui faire confiance.

En tout cas, elle n'avait pas tort, il ne la connaissait pas vraiment.

Elle voulait aller en Allemagne. Il risquait fort d'être renvoyé aux États-Unis. Ils avaient pris du bon temps, mais c'était terminé. Il devait l'accepter et tourner la page.

Loin de lui remonter le moral, cela le déprimait.

Ingileif faisait partie de la vie qu'il s'était construite en Islande. Imprévisible, belle et indomptable.

Bien sûr, il avait eu raison d'être en colère contre elle. Un avocat de la défense en Amérique ne ferait qu'une bouchée du procureur s'il découvrait ce qui s'était tramé. L'Islande avait un système moins agressif. Ce serait le juge qui remettrait en question les preuves et les moyens pour les obtenir.

Mais si toute l'affaire capotait à cause d'Ingileif, Magnús pourrait bien écoper d'un aller simple pour Boston.

Pourtant elle avait mis la main sur quelque chose. Il y aurait une autre victime : Ingólfur Arnarson.

Il existait une infime chance qu'il s'agisse du vrai nom de la cible. Plus vraisemblablement, c'était un code.

Ingólfur Arnarson était connu pour avoir été le premier Scandinave à résider de manière permanente en Islande. Partant de Norvège, il était arrivé là en 874 et en approchant de l'île, il avait jeté à l'eau sa maison en piliers de bois pour s'installer où les flots la porteraient. Cela prit trois ans à ses esclaves pour la retrouver dans une baie fumante, Reykjavík : *reykur* signifiant fumée, et *vík*, baie. Voilà pourquoi une grande statue du Viking s'érige sur un monticule dans le centre-ville de la capitale.

La question qu'il fallait se poser : qui représentait Ingólfur Arnarson au XXIᵉ siècle ?

Un certain nombre de candidats s'imposaient. Les jeunes cadres qui avaient établi leur empire financier à l'étranger dans les dix dernières années étaient appelés en Islande *útrásarvíkingar*, littéralement les « Vikings conquérants ». Ils rappelaient les fameux Vikings qui avaient quitté la Norvège un millier d'années plus tôt et avaient employé leur jeunesse, leur vitalité et leur agressivité à faire fortune. Des hommes comme Ingólfur Arnarson.

Et comme Óskar Gunnarsson. Ainsi qu'il l'avait lui-même suggéré en installant dans le hall de ses bureaux la statue d'un Viking conduisant une Harley-Davidson.

Malheureusement, les candidats ne manquaient pas. Mais lequel Sindri visait-il ?

On devait prévenir les gens, ce qui signifiait que Magnús devrait révéler comment il avait eu ses informations. Il voyait déjà Baldur se moquer, à juste titre, de ses méthodes d'investigation. Un instant, Magnús considéra la possibilité d'évoquer un informateur anonyme. Mais ça ne passerait pas.

Il se fit une tasse de café et appela Vigdís au poste. Elle venait d'arriver. Il lui raconta les prouesses d'Ingileif la veille au soir.

— Impressionnant ! déclara Vigdís. Original.

— Complètement stupide, si tu veux mon avis.

— Celui de Baldur aussi sans doute, si tu lui demandes ! Mais au moins, on est sûrs maintenant que Sindri est dans le coup.

— Tu aurais une idée de qui pourrait être Ingólfur Arnarson ?

Il lui fit part de ses réflexions au sujet des Vikings nouvelle génération.

— Tu dois avoir raison. Mais je ne vois pas lequel est le plus susceptible d'être Ingólfur Arnarson, je ne les connais pas assez bien. Ils me paraissent tous le même genre de gros matou vénal. Le procureur spécial pourrait avoir une idée sur la question.

— Oui, je me souviens qu'il m'avait parlé d'eux. Il y a aussi la sœur d'Óskar, Emília. Elle les connaît sans doute tous personnellement. Essaye de voir ce qu'elle en pense.

— D'accord. On devrait quand même vérifier l'annuaire. Il y a sûrement des gens dont le vrai nom est Ingólfur Arnarson.

— Ça vaut la peine de jeter un œil, concéda Magnús. Et tu peux demander à Frikki quand tu l'interrogeras de nouveau ce matin. Espérons qu'il sera un peu plus bavard après sa nuit passée en cellule.

— Il va falloir qu'on le dise à Baldur. Ces gens courent un vrai danger. Enfin, l'un d'eux. Et nous ne savons pas lequel.

— Laisse-moi faire.

— Avant que tu partes, j'ai vu le frère de Björn hier. Il était à Ténériffe pendant une semaine avec sa petite amie et il est rentré lundi. Iceland Express l'a confirmé. Ils sont partis ensemble et revenus ensemble.

— Alors on peut dire que ça le disqualifie. À plus tard.

Prenant son courage à deux mains, il appela Baldur. Il lui expliqua pour Ingileif, Sindri et Ingólfur Arnarson. Baldur se moqua de lui, comme il l'avait imaginé, mais pas pour la raison attendue.

— Vous croyez vraiment que je vais tenir compte de ces bêtises ?

— Bien sûr que oui ! Nous devons prévenir tous les Vikings que nous trouverons. Leur vie est potentiellement en danger.

— Ce sont les gens les plus puissants du pays. Et vous voudriez que je les mette en état d'alerte à cause des propos d'un soûlard fantaisiste qui essaye d'attirer une femme dans son lit ?

— Rien ne dit que c'est un fantaisiste.

— Oh que si ! Nous surveillons Sindri depuis au moins dix ans. Il parle beaucoup, mais ne fait rien. Les gens comme Sindri brassent beaucoup d'air. Et quand ils sont bourrés, ils parlent encore plus.

— Donc vous pensez que Sindri se faisait simplement mousser.

— Prouvez-moi le contraire...

— On l'a vu en compagnie de Harpa et de Björn lors des manifestations de janvier.

— Ça ne prouve rien.

— D'accord.

Il avait hésité à passer ce coup de fil. Si Baldur refusait de le prendre au sérieux, à quoi bon continuer à discuter ?

Peut-être que Vigdís réussirait à tirer quelque chose du gamin.

Sophie était installée au fond d'un petit amphi. Les droits de l'homme en Europe. Elle n'avait pas écouté un traître mot de ce que disait l'enseignant, sa concentration avait disparu dès la première minute.

Le siège à côté d'elle était vide. C'était en général la place de Zak, mais Zak était... Où était-il exactement ? Elle n'en savait rien.

Elle avait à peine fermé l'œil de la nuit. Elle lui avait téléphoné et lui avait envoyé des textos régulièrement, mais n'avait reçu aucune réponse. À la première heure, ce matin, elle avait composé le numéro de ses parents.

Sa mère lui avait répondu. À la question de politesse « Comment allez-vous ? », elle avait répondu « Bien ». Elle n'était pas censée aller bien, elle était censée être mourante, mais peut-être qu'elle se montrait juste polie, elle aussi. Et pourtant, quand Sophie demanda à parler à Ísak, elle lui annonça qu'il était parti camper.

Ensuite sa mère avait demandé si Ísak avait des problèmes. Et Sophie avait répondu, sincère : « Je ne sais pas. »

Sophie se faisait du souci au sujet de ce que Josh avait dit la veille. Pourquoi Zak s'intéressait-il aux vacances de Julian Lister ? Très bizarre, elle ne pouvait penser à aucune explication plausible. Elle savait que Zak n'avait pas pu tirer sur l'ex-chancelier, il était à la maison la journée du dimanche. Même si ce jour-là, il était allé à l'église. Et Sophie savait que Zak ne croyait pas en Dieu.

Quelque chose ne tournait pas rond. Son instinct le lui soufflait.

Mais quoi ? Sophie ne pouvait pas croire que Zak était vraiment un terroriste ou qu'il jouait un rôle dans une conspiration terroriste. Pourquoi ne pas informer la police de ses doutes ? Comme ça, elle en aurait le cœur net. Elle avait gardé dans la poche de son jean la carte de la policière qui était venue interroger son ami.

Parce que ce serait déloyal vis-à-vis de Zak, voilà pourquoi. Elle ne pourrait plus le regarder dans les yeux après ça.

Josh était assis dans les premiers rangs de l'amphi, prenant des notes sur son ordinateur portable. Il avait vraiment l'air concentré, pas le genre à surfer sur Facebook pendant un cours.

C'était un type brillant, malgré son trop-plein d'enthousiasme. Sophie le connaissait à peine. Elle se souvenait de certaines questions très fines qu'il avait posées en classe et certaines un peu à côté de la plaque.

Elle avait une idée.

Quand le cours fut enfin terminé, Sophie sortit parmi les premiers. Elle patienta, prête à bondir. Josh pointa le bout de son nez dans les trois derniers.

— Josh !

— Tiens, salut. Sophie, c'est ça ?

Il se ratatina un peu.

— Je peux te parler rapidement ?

— Si c'est au sujet de ce que j'ai dit hier soir sur ton petit ami, je suis désolé. Je ne savais pas. Je suis sûr que je me trompe.

— C'est à ce sujet, en effet. Et franchement, je ne sais pas si tu as raison ou tort. Mais si Zak t'a vraiment interrogé sur Julian Lister, je pense que tu devrais en parler à la police.

— Je suis certain qu'il n'avait rien de précis en tête, quand il m'a demandé ça.

— Écoute, Josh, dit Sophie en le regardant droit dans les yeux. Je n'en suis pas sûre du tout, tu comprends ? Il se pourrait que tu aies raison, je n'en sais rien. Voilà le numéro de la policière qui est venue interroger Zak il y a deux jours. Si tu as toujours des doutes, appelle-la, d'accord ?

— D'accord, acquiesça Josh, les yeux rivés sur la carte que Sophie venait de lui tendre.

Il la laissa partir, puis après avoir traversé sans se presser Clare Market, le cœur de l'imbroglio de bâtiments serrés qui constituaient la London School of Economics, il sortit son portable et composa le numéro. L'inspectrice Piper ne répondit pas mais il laissa un message.

Josh imaginait toujours des théories rocambolesques, dont aucune ne s'était jamais vérifiée. Est-ce que ça allait enfin changer ?

Magnús parcourut la petite distance qui le séparait de la galerie d'Ingileif, sur Skólavördustígur, une petite rue qui menait depuis Laugavegur directement vers Hallgrímskirkja et ses échafaudages. Des galeries et des magasins d'art bordaient la rue, même si depuis le *kreppa*, un bon nombre avaient fermé leurs portes. La galerie d'Ingileif survivait de peu. Elle en était propriétaire en partenariat avec cinq femmes artistes. Elles vendaient des peintures, des bijoux, quelques meubles, des sacs en peau de poisson conçus par Ingileif en personne, des bougeoirs en lave et un peu de mobilier. Tout hors de prix.

En passant à côté de la vitrine, Magnús la vit qui regardait dehors, une expression éteinte sur le visage. Même si elle le fixait, elle ne semblait pas le voir. Ce n'est que lorsqu'il franchit la porte qu'elle remarqua sa présence.

Elle afficha un bref sourire. Il la prit dans les bras. Après quelques secondes, ils se séparèrent. Elle s'éloigna de lui, se dirigeant vers le fond de la galerie.

— Je suis désolée de m'être mise en colère contre toi hier soir, s'excusa Ingileif. J'étais soûle.

— J'ai remarqué.

— Mais pourquoi ne me fais-tu pas confiance, Magnús ?

— Mais si !

— Non, c'est faux.

Des taches roses apparurent sur ses joues pâles, signe évident qu'elle était soit en colère, soit gênée. Magnús opta pour la colère.

— Reconnais que tu ne me fais pas confiance.

— Mais si. Hier peut-être pas, mais aujourd'hui, si.

— Et pourquoi ? Qu'est-ce qui a changé ? Magnús, j'ai fait tout ça pour toi, tu ne comprends pas ? Tu crois que ça m'a fait plaisir d'entendre ce vieux gros déblatérer pendant des heures ? Tu crois vraiment que je voulais coucher avec lui ? J'essayais de t'aider. Je croyais que tu allais être ravi. Mais au lieu de ça, tu es dans tous tes états parce que je n'ai pas respecté les règles et que tu penses que j'aime séduire les vieillards. Je suis désolée, mais si c'est ce que tu penses, on n'a pas beaucoup d'avenir, toi et moi.

— Je n'ai jamais cru ça, Ingileif. Tu as raison, j'ai tout faux. Je n'avais pas compris ce que tu faisais. Et c'est vrai que je ne te comprends pas complètement. C'est une des raisons pour lesquelles je t'aime.

Les yeux gris d'Ingileif se perdirent dans ceux de Magnús. Il ne savait pas si elle y trouvait les réponses qu'elle cherchait.

— Je crois que je vais partir en Allemagne, Magnús.

Magnús faillit dire « ne fais pas ça », mais il se retint. Il ne pouvait pas l'en empêcher, elle était libre de faire ce qu'elle désirait.

— Dommage...

— Tu as dit qu'il y avait de fortes chances qu'on te renvoie à Boston. Pourquoi resterais-je pour toi, si toi tu ne restes pas pour moi ?

— C'est vrai.

— Ce n'est pas qu'à cause de toi, Magnús, déclara-t-elle, l'expression sur son visage se radoucissant. Je ferais mieux de partir. C'est une excellente opportunité pour moi. Et ça me fera du bien de m'échapper de ce pays pour quelque temps. Tout ce qui s'est passé au début de l'année avec le meurtre d'Agnar, tout ce que j'ai appris sur mon père, mon frère... J'ai besoin de prendre l'air.

— Je croyais que je t'avais aidée, pour ça...

— Moi aussi, je croyais. Mais une part de moi t'en tient responsable. Ce n'est pas juste, mais c'est vrai. J'ai besoin de partir, Magnús.

Magnús regarda Ingileif. Ses yeux gris, la petite cicatrice au-dessus du sourcil gauche, celle plus petite encore sur sa joue. Il avait eu de la chance de la connaître, de l'aimer même. Mais il n'avait pas le droit de la contrôler. Il ne pouvait pas la retenir, il ne devait surtout pas. Pourquoi une personne comme elle resterait-elle seulement pour lui ?

— Fais ce que tu as à faire, lança-t-il avant de se tourner et de quitter la galerie.

Ísak sortit de la boutique avec un sac rempli d'une douzaine d'articles : du matériel de pêche et un couteau bien aiguisé pour vider le poisson. Ou pour autre chose. C'était d'ailleurs le seul but de son achat.

Son téléphone bipa. Il le sortit. Encore un message de Sophie qui lui demandait où il était. Il n'avait pas l'intention de répondre. Dommage pour Sophie, elle était mignonne, mais leur relation n'avait pas d'avenir. Elle finirait par comprendre ce qu'il tramait, et elle était bien trop fille de bonne famille pour le garder pour elle.

L'arrière de la Honda de sa mère croulait sous l'équipement de camping de ses parents. Ísak l'avait garée sous l'affleurement rocheux sur lequel l'église de Borgarnes s'élevait. La ville était à environ un tiers de la distance entre Reykjavík et Grundarfjördur. Il sortit un plan pour étudier la route.

Björn avait parlé d'une cabane sur le col de la montagne derrière Grundarfjördur. Grundarfjördur était sur la côte est de la péninsule de Snaefells, la base d'une série de montagnes. Il n'existait pas de col directement vers le sud de Grundarfjördur, mais il trouva deux possibilités un peu plus loin, l'une vers l'est et l'autre vers l'ouest. Ísak commencerait par là.

Il se sentait tendu et étrangement euphorique. La mort de Gabríel Örn l'avait réellement choqué. Mais avec le temps, il s'était fait à l'idée, et sa colère à l'encontre de l'establishment islandais, y compris contre son père, avait grandi. Quand Björn, Sindri et lui s'étaient rencontrés pendant l'été pour envisager d'aller plus loin, intellectuellement, il avait été cent pour cent partant. Comme les deux autres, il ne s'était toutefois pas senti de taille à appuyer sur la gâchette. Ils avaient trouvé quelqu'un d'autre pour le faire.

Mais maintenant, après Óskar et Julian Lister, il était prêt pour cette mission.

Et dans son esprit le doute n'était plus permis : il fallait tuer Harpa.

Il avait passé tellement de temps à lire et à discuter des concepts tels que « la fin justifie les moyens » et l'« élite du peuple » qu'il se glorifiait de désormais vivre pour et par ces préceptes. Lénine, Trotski, Castro, Che Guevara, ils avaient tous commencé leur carrière comme lui, de jeunes intellectuels avec des idées et de l'enthousiasme sans aucune expérience de la violence. Et soudain, à un certain point, les idées s'étaient transformées en actions. Pour lui, le moment était venu.

Il savait que Björn avait renoncé à l'espoir de s'en tirer et il soupçonnait Sindri d'en être au même point. Mais lui croyait qu'ils avaient encore de grandes chances d'échapper à la police. Aucun des trois n'avait lui-même tué qui que ce soit et rien ne prouvait le contraire. Le complot serait bien plus difficile à prouver, surtout si la police ignorait qui avait appuyé sur la détente. Et ça, Ísak était pratiquement certain qu'ils l'ignoraient.

Sindri, dans sa naïveté, pensait que le temps de la révolution était arrivé. Il arriverait, cela prendrait des années, mais la société civile finirait par s'écrouler sous le poids des contradictions du capitalisme. Et quand cela arriverait, Ísak serait prêt. Il passerait les années à venir à préparer une élite de révolutionnaires, une véritable avant-garde de prolétaires qui seraient capables de conduire des gens comme Björn vers un monde meilleur.

Le moment viendrait. Il était jeune, il pouvait patienter.

Tout se passerait bien, tant qu'ils sauraient tous se taire. Il pensait pouvoir compter sur Björn et sur Sindri pour cela. Mais pas sur Harpa. Harpa, elle, parlerait.

Il lui faudrait rester prudent. Tuer Harpa ouvrirait une nouvelle enquête dans laquelle il serait le principal suspect. Il devrait s'assurer qu'il ne laisserait aucune pièce à conviction dans la Honda. Il faudrait qu'il se débarrasse du corps à des kilomètres de Grundarfjördur et de tous les endroits où on aurait pu le voir.

Il ne pourrait pas fournir un alibi parfait, mais il avait passé la nuit d'avant dans un petit camping en dehors de Reykjavík sur la route qui menait vers le sud-est, en signifiant bien son nom au propriétaire. Il s'était levé tôt pour repartir dans l'autre direction, vers le nord. Une fois Harpa hors d'état de nuire, il comptait traverser l'Islande, de nuit, s'il le fallait. Si on le voyait camper à Thórsmörk, bien à l'est de Reykjavík, le lendemain matin de la mort de Harpa, la police pourrait penser qu'il avait passé tout ce temps dans le coin.

Ísak se fiait à son intelligence. Il trouverait la solution.

34

Vigdís examina le gamin de dix-neuf ans en face d'elle. Ses yeux étaient cernés de rouge et il avait l'air malheureux comme les pierres.

Il n'avait pas parlé après sa nuit en cellule, ce qui surprit Vigdís. Elle avait usé de toute sa gentillesse pour l'amener à avouer. Elle avait parlé de Gabríel Örn, de Sindri, de Björn, de Harpa. Rien.

Ensuite, c'est Árni qui avait essayé. Lui, c'était par les cris et les grands coups de poing sur la table qu'il avait essayé de le faire flancher. Franchement embarrassant. Un instant Vigdís avait même cru échanger avec Frikki un sourire complice d'amusement. Elle priait pour qu'ils n'aient pas à visionner la vidéo de l'interrogatoire. Pas de doute : Árni avait trop regardé la télé.

On frappa à la porte. Un des agents de l'accueil entra.

— Vigdís ? Quelqu'un demande à te voir.

Vigdís laissa Árni avec le gosse et suivit l'agent dans une salle d'interrogatoire voisine. Une jeune fille brune d'une vingtaine d'années attendait, assise à la table.

— Je suis Magda, la petite amie de Frikki, se présenta-t-elle en anglais.

Vigdís se souvint qu'Árni lui avait parlé d'une petite amie quand il était venu chercher Frikki chez sa mère.

— Vous parlez islandais ? demanda Vigdís.

— Un peu. Je peux lui parler ?

— C'est impossible. Nous l'interrogeons au sujet d'un incident très grave.

— S'il vous plaît, juste cinq minutes.

Vigdís secoua la tête.

— Je suis désolée. Mais vous pourriez peut-être nous aider. Sauriez-vous quelque chose au sujet de la mort de Gabríel Örn en janvier de cette année ?

— J'étais en Pologne à cette période.

— Frikki vous en a-t-il parlé ?

Magda hésita. Le silence se fit dans la petite salle d'interrogatoire. Vigdís attendit. Elle avait presque l'impression de voir les rouages tourner dans la tête de Magda qui essayait de prendre une décision.

— Oui, il m'en a parlé. Mais ce serait mieux qu'il vous en parle directement.

— Je suis d'accord. Mais il refuse d'ouvrir la bouche.

— Laissez-moi lui parler, alors. Seuls.

Vigdís réfléchit. La règle voulait qu'il valait mieux séparer les témoins, pour repérer les divergences dans leurs versions et les empêcher de se mettre d'accord. Mais c'était différent ici. Elle hocha la tête.

Dix minutes plus tard, Magda frappa à la porte de la salle d'interrogatoire. Vigdís vint ouvrir.

— Frikki est d'accord pour parler.

Vigdís était assise tout au fond du café sur Hverfisgata, à quelques mètres du commissariat. Dans des occasions comme celle-là, Magnús avait du mal à se souvenir qu'elle était islandaise et pas américaine. Une séduisante femme noire en jean et polaire, elle aurait très bien pu travailler pour la police de Boston.

Après son entrevue avec Ingileif, il avait erré sans but dans les rues. Il n'avait nulle part où aller : il n'avait pas le courage d'affronter les collègues de l'académie de police et il imaginait bien que Baldur ne l'accueillerait pas les bras ouverts au poste. Ses pensées voguaient entre Ingileif et l'affaire Óskar Gunnarsson. Les deux le déprimaient. Aucune idée lumineuse ne naquit de ses réflexions.

La décision d'Ingileif semblait désormais inévitable. La mort de son père dans les années quatre-vingt-dix avait été très pénible pour elle. C'était à cette occasion qu'Ingileif avait rencontré Magnús, et maintenant, il était à jamais lié à cette tragédie dans son esprit. Il comprenait son désir de s'évader. De recommencer ailleurs. Elle suivait son instinct.

Pour l'enquête, c'était différent. Même s'il avait été mis sur la touche, il savait qu'il avait raison.

Et il ne pouvait pas abandonner une affaire comme cela.

Quand Vigdís l'avait appelé, il avait accouru pour la retrouver.

— Qu'est-ce que tu as, alors ?

— Frikki a parlé.

— La nuit en cellule a porté ses fruits ?

— C'est plus sa petite amie. Elle l'a convaincu d'avouer.

— Et ?

— Et tu avais raison. Gabríel Örn ne s'est pas suicidé.

— Qui l'a tué ? Björn ?

— Peut-être Frikki. Sans doute Harpa, annonça Vigdís, expliquant tout ce que Frikki avait confessé.

La nuit de janvier, le verre chez Sindri, le coup de fil de Harpa pour attirer Gabríel Örn, l'échauffourée, Harpa le frappant derrière le crâne. Et le plan pour faire passer l'incident pour un suicide, plan pour lequel Frikki n'avait pas tellement eu son mot à dire.

— On les tient ! se réjouit Magnús, triomphant. Et Óskar ? Et Lister ?

— Frikki ne savait rien pour eux. Il soupçonne quelque chose, comme nous, mais n'a aucune preuve.

— Un indice sur l'identité d'Ingólfur Arnarson ?

— Il n'en a jamais entendu parler. On a cherché dans l'annuaire, au fait. Il y a une douzaine de vrais Ingólfur Arnarson répertoriés. Róbert les examine un par un.

Róbert était un autre inspecteur de la brigade des crimes avec violence.

— Frikki a-t-il revu les autres depuis la nuit en question ?

— Seulement Harpa. Il est tombé sur elle par hasard à la boulangerie de Seltjarnarnes. Quand il lui a fait part de sa théorie sur Sindri et Björn et l'assassinat d'Óskar et de l'ex-chancelier, elle n'a pas paru plus surprise que ça.

— Ce qui voudrait dire qu'elle est de mèche ?

— Frikki ne le pense pas. Et sa petite amie non plus, pour ce que ça vaut.

— Alors, vous les arrêtez maintenant ?

— Baldur se tâte. Il en discute en ce moment avec Thorkell.

— Mais on a une affaire de meurtre, là ! Ou du moins, d'homicide involontaire. Baldur ne peut pas fermer les yeux là-dessus !

— Oui, l'affaire Gabríel Örn devra être rouverte, ça c'est sûr. Mais ils s'interrogent également pour savoir s'il est possible que tu aies raison. S'il peut y avoir un lien avec l'enquête sur Óskar.

— On ne peut pas le prouver avant d'obtenir une identification formelle d'Ísak à Londres, affirma Magnús. Mais il faut mettre ces personnes en état d'arrestation sur-le-champ, avant que quelqu'un d'autre se fasse tuer !

— Peut-être. Il faut que j'y retourne. S'ils prennent la décision d'arrêter quelqu'un, ils vont me chercher.

— Oui, bien sûr. Bien joué, Vigdís. Et merci de m'avoir tenu au courant.

Magnús termina son café alors que Vigdís retournait au commissariat sans avoir touché au sien. Il sourit. Cela faisait du bien d'avoir raison, aucun doute là-dessus. Et maintenant il était persuadé qu'il existait un lien entre le petit groupe et les récents assassinats.

Son téléphone sonna. Sharon Piper.

Il répondit.

— Bonjour Sharon, vous avez l'identification d'Ísak ?

— Pas encore. Le mari de la voisine n'est toujours pas réapparu dans son bureau.

— Alors pourquoi ne pas mettre la police indienne sur l'affaire ? C'est d'une extrême importance !

— Du calme Magnús, tout doux. J'ai des nouvelles de Normandie.

— Oh, vraiment ?

— Une jeune fille travaillant dans la boulangerie d'un village à quelques kilomètres du lieu où Lister s'est fait tirer dessus a servi un client la veille de la fusillade. Il portait une veste bleu clair et il conduisait une moto avec une plaque hollandaise.

— Le même type que celui que le fermier a vu ?

— On dirait bien.

— Elle en a donné une meilleure description ?

— Oui. Mais le plus intéressant, c'est la pièce que le gars lui a donnée. Au début, elle pensait que c'était vingt cents, mais non, pas du tout.

— Laissez-moi deviner. Une couronne islandaise ?

— Exactement. Une pièce de cinquante krónur.

— Bon sang ! Et la description ?

— Un beau mec. Cheveux noirs, mal rasé. Yeux bleus. Mince mais bien bâti. Dans les trente, trente-cinq ans. Plutôt grand, un mètre quatre-vingt-cinq environ. C'est-à-dire six pieds, un pouce.

— Je sais.

— Ce n'est pas Ísak, affirma Sharon. Mais c'est le petit ami de Harpa, Björn.

— Ça pourrait très bien l'être en effet, la description correspond.

— D'accord, j'en parle au SO 15.

— SO 15 ?

— La cellule antiterroriste. Beaucoup de gens commencent à s'énerver ici. Je pense que vos supérieurs vont très bientôt entendre parler de nous. Ou des Français. Vous pouvez m'envoyer une photo de Björn ?

— Oui, peut-être. Techniquement, je ne suis plus sur l'affaire et je suis *persona non grata* au commissariat. Les Islandais ne vont pas très bien vivre tout ça. Vous savez comment peut être la coopération transfrontalière quand on touche à des sujets sensibles...

— Vous risquez d'avoir vite de nos nouvelles en tout cas.

— Merci, Sharon.

Donc, c'était Björn qui avait préparé le terrain en Normandie. En passant par Amsterdam sans doute. Il avait loué une moto là-bas, ou alors, il l'avait volée. Ou empruntée. Il s'était procuré une carabine qu'il avait enterrée en Normandie.

Et Ísak avait fait le même genre de travail de repérage à Londres. Il avait trouvé l'adresse d'Óskar. Peut-être qu'il avait fourni l'arme et la moto.

Mais pour qui ? Aucun des deux n'avait tiré. Et Sindri non plus : tout ce temps, il se trouvait en Islande. Il y avait quelqu'un d'autre. Quelqu'un qui savait se servir d'une arme à feu, qui n'avait pas peur de tuer, mais qui était incapable de se charger des préparatifs. Peut-être qu'il n'avait pas l'habitude des voyages. Peut-être qu'il ne parlait pas anglais.

Qui cela pouvait-il être ? Magnús ne voyait vraiment pas.

Ça ne poserait pas de problème de vérifier si Björn s'était rendu à Amsterdam.

Magnús devait parler à Baldur sur-le-champ. Il se dépêcha de quitter le café pour filer au poste.

— Où est Baldur ? demanda-t-il à Vigdís.

— Avec le commissaire principal. Je pense que Thorkell est avec eux. Ils se demandent s'il faut arrêter Björn et Sindri.

— Je dois lui parler.

— Je ne sais pas pour combien de temps il en a.

— Alors je vais l'interrompre. Árni, vois si Björn était sur un vol pour Amsterdam jeudi ou vendredi dernier. Et s'il est rentré à Reykjavík samedi.

— Qu'est-ce qui se passe ?

— C'est le gars que le fermier a vu le jour où Lister s'est fait tirer dessus. Le Hollandais. Sauf qu'il n'était pas du tout hollandais, il avait de la monnaie islandaise dans ses poches. Vigdís, viens avec moi, j'ai besoin de ton aide.

Magnús remarqua un fin dossier sur son bureau. Il y jeta un œil. Le compte-rendu du médecin légiste sur le meurtre de Benedikt Jóhannesson. Il le laissa là où il était et se dirigea vers la porte.

Le bureau du commissaire principal n'était qu'à deux cents mètres, de l'autre côté d'un carrefour très passant, dans un bâtiment moderne sur une route qui dominait la baie. En chemin, Magnús en dit plus à Vigdís sur le coup de fil de Sharon.

Ils traversaient la rue quand le téléphone de Magnús se mit à vibrer. Il jeta un œil à l'écran. Sharon Piper.

— Hello Sharon.

— Les choses s'accélèrent. Je viens de recevoir un appel d'un étudiant de la London School of Economics, un ami d'Ísak. Cet étudiant a fait un stage auprès du Trésor public cet été. Bref, Ísak lui a demandé s'il savait où Lister passait ses vacances. L'étudiant a trouvé ça un peu étrange, mais il lui a parlé de sa maison en Normandie.

— Bon sang ! Vous allez arrêter Ísak ?

— J'imagine. Je n'ai pas encore contacté le SO 15, je voulais vous tenir au courant d'abord. Ça va chauffer ici. Oh, et on a fini par obtenir l'identification formelle par la voisine en Inde. C'est bien Ísak qu'elle a vu.

— Quelle surprise, ironisa Magnús. Merci Sharon. Avant que vous ne raccrochiez... J'ai réfléchi, je pense qu'Ísak et Björn ont tous les deux servi à préparer le terrain pour une troisième personne, celui qui a appuyé sur la gâchette. Ísak à Kensington et Björn en Normandie.

— Qui est cette troisième personne ?

— Aucune idée. Mais je parie que c'est un Islandais. Et vraisemblablement quelqu'un qui ne parle pas anglais.

— Pas bête. Je dois y aller maintenant, Magnús.

Magnús raccrocha et courut dans le bâtiment du commissaire principal. Son bureau était gardé par une secrétaire. Alors qu'elle prenait le combiné pour l'informer de la visite de Magnús, celui-ci la bouscula pour entrer, Vigdís sur les talons.

Ils étaient quatre dans le bureau : Baldur, Thorkell, le commissaire principal et un homme aux cheveux grisonnants que

Magnús reconnut comme étant le procureur, l'avocat supérieur du département de police.

Snorri Gudmundsson dévisagea Magnús quand il entra.

— Qu'est-ce qui vous prend ?

— Je viens de recevoir un appel de Londres. Björn Helgason a été identifié en Normandie la veille du jour où on a tiré sur Julian Lister. Et Ísak Samúelsson a demandé à un stagiaire qui travaillait auprès du Trésor public où Lister passait ses vacances. Je suis désolé de faire irruption comme ça, mais je me disais que vous voudriez le savoir avant que la police britannique ne vous appelle. Ou la police française.

Snorri prit une grande inspiration. Il réfléchit.

— L'identification de Björn est formelle ?

— Pas encore. Mais ça le deviendra quand on aura envoyé la photo.

— Vous ne pouvez pas en être sûr, affirma Baldur.

Snorri leva la tête pour faire taire l'inspecteur.

— Ça change tout. Baldur, je veux voir Björn et Sindri arrêtés sur-le-champ. Et Harpa Einarsdóttir.

— Pour quel chef d'accusation ?

— Le meurtre de Gabríel Örn pour commencer. Une fois qu'ils seront en garde à vue, on verra si on peut inclure les deux autres affaires. Je dois devancer l'appel des Anglais. Magnús, vous, vous restez ici.

Magnús resta, alors que Baldur et Vigdís quittaient le bureau. Il s'assit sur la chaise de Baldur. Thorkell et le procureur écoutaient attentivement.

— Bien, Magnús, s'il y a eu un complot pour tuer Óskar et Lister, et je dis bien *si*, qu'en est-il exactement ?

— Si l'on en croit les aveux de Frikki, un groupe de cinq personnes s'est retrouvé pendant les manifestations de janvier. Sindri, Björn, Harpa, Ísak et Frikki. À l'époque, ils ne se connaissaient pas et ils étaient très remontés contre ceux qu'ils tenaient pour responsables du *kreppa*. Ils ont beaucoup bu, Harpa a tendu un piège à son ex-petit ami, Gabríel Örn. Ils l'ont battu et tué. Sans doute par accident, mais il faut encore qu'on étudie ce point. Ils ont fait passer sa mort pour un suicide. Ça a fonctionné.

Snorri ne perdait pas un mot de l'histoire de Magnús.

— Plus tard, nous ne savons pas quand, certains d'entre eux se sont revus et ont décidé d'aller plus loin. Comme ils avaient déjà tué une fois, ils voulaient renouveler l'expérience, toujours contre ceux qu'ils accusaient d'avoir ruiné le pays. Óskar Gunnarsson et Julian Lister.

— Qui est impliqué à ce moment-là ?

— Des cinq de départ, sans doute seulement Björn, Sindri et Ísak, qui était à Londres. Mais je suis convaincu qu'un autre complice s'est joint à eux. L'homme qui a appuyé sur la gâchette.

— Qui est-ce ?

— Aucune idée. Je dirais un Islandais qui ne parle pas de langue étrangère, mais ce n'est qu'une supposition. Ísak parle anglais, j'imagine que Björn également. Et je pense que ce sont eux qui ont préparé le terrain.

— Et il n'y a que ces deux cibles ?

— Je pense qu'une troisième est en danger. Un de mes... euh... contacts a parlé avec Sindri.

— Par « contact », vous voulez dire « petite amie » ? Baldur m'en a parlé.

— Oui, admit Magnús. Ils étaient tous les deux soûls, mais Sindri a laissé entendre qu'ils allaient s'attaquer à quelqu'un d'autre, Ingólfur Arnarson.

— Le premier colon ?

— J'ai pensé aux nouveaux Vikings...

— Je vois ce que vous voulez dire.

— Et même si on arrête Björn et Sindri, l'assassin sera toujours en liberté, donc le danger toujours existant.

— Vous pensez qu'il faut prévenir les Vikings ? demanda Snorri.

— En effet.

— Qui ?

— Tous. Ou du moins les plus en vue.

Snorri soupira bruyamment comme s'il pesait les conséquences de tout cela.

— Ces hommes sont des terroristes. Des terroristes islandais...

Magnús voyait se profiler la honte nationale.

— Je dirais plutôt des criminels, corrigea-t-il. Un groupe de trois ou quatre personnes, pas un mouvement politique. On parle de cinglés, ici, pas de terroristes.

Snorri lui adressa un demi-sourire.

— Peut-être. Mais si on ne fait pas très attention, ça risque de compromettre les négociations pour Icesave.

— On n'est pas obligés de coopérer avec les Britanniques, intervint le procureur. Nous pourrions les forcer à faire une demande officielle d'assistance. Et la fusillade de Lister a eu lieu sur la juridiction française.

— On devrait coopérer. Magnús, laissez-moi me charger de la politique, je vais devoir parler au ministre. Pour l'instant, aidez Baldur à arrêter ces gens et à trouver leur complice. Celui qui a appuyé sur la gâchette.

Le téléphone de Snorri résonna. C'était sa secrétaire.

— Passez-le-moi, pria-t-il avant de parler en anglais. Bonjour, commissaire Watts.

35

Quand Magnús revint à la brigade, Baldur avait réuni toute une équipe pour les briefer. Magnús entra dans la salle de conférences et s'installa. Baldur lui fit comprendre qu'il l'avait vu par un coup d'œil rapide.

— Árni, je veux que tu te charges d'arrêter Harpa, ordonna l'inspecteur. Tu sais où la trouver ?

— Elle doit être à la boulangerie, j'imagine. Ou chez elle. J'ai les deux adresses.

— Vigdís, prends quelques gars en uniforme avec toi et pars arrêter Sindri. Magnús, tu es en contact avec la police de Grundarfjördur ?

Magnús hocha la tête.

— Demande-leur d'arrêter Björn sur-le-champ. Et fais-le venir au poste.

— J'ai un résultat pour Icelandair, annonça Árni.

— Oui ?

— Björn était sur un vol de Reykjavík vers Amsterdam ce vendredi. Il est revenu samedi soir.

— À temps pour être à Grundarfjördur dimanche quand je l'ai vu, déclara Magnús.

— Et au moment où Julian Lister se faisait abattre, continua Baldur.

— Et Ísak ? demanda Magnús.

— Les Anglais ne l'arrêtent pas ?

— Si, sans doute. Je les appelle pour m'en assurer ? demanda Magnús.

Baldur prit un instant pour réfléchir à la question.

— Non. Laissons le commissaire principal traiter avec les Anglais pour l'instant. Ça risque de devenir tendu.

Magnús n'allait pas dire le contraire.

— Allez, on s'active, lança Baldur. Et quand vous les aurez tous ramenés, on commencera à leur poser des questions. Comme par exemple, qui est Ingólfur Arnarson.

— On doit prévenir les Vikings, affirma Magnús.

— Je vais voir avec le commissaire et Thorkell pour ça.

— Ça ne vous dérange pas que ce soit moi qui interroge Sindri ? demanda Magnús à Baldur après que tout le monde eut quitté la salle de conférences.

— Je le ferai moi-même, avec Vigdís, riposta Baldur. Je veux que vous soyez disponible.

— Disponible ? répéta Magnús, frustré.

Baldur avait beau être le chef, c'est Magnús qui connaissait le mieux l'affaire.

— Écoutez, Magnús, on a du pain sur la planche. Vous pourriez commencer par appeler Grundarfjördur.

Magnús retourna dans son bureau et appela l'officier Páll pour lui demander d'arrêter Björn pour le meurtre de Gabríel Örn Bergsson et de le ramener à Reykjavík au QG le plus vite possible. Magnús avait l'impression que Páll attendait son appel. C'était quelqu'un de bien, Magnús n'avait aucun doute qu'il arrêterait son ami.

Magnús luttait pour maîtriser son impatience. Vigdís appela pour dire qu'ils avaient trouvé Sindri chez lui et qu'il les suivait sans opposer de résistance. Ensuite, Baldur arriva dans le bureau de Magnús.

— Árni a appelé. Harpa n'était pas à la boulangerie. Elle est partie avec Björn hier après-midi et n'est pas venue travailler ce matin. Personne ne répond chez elle et son portable est coupé.

— Elle avait l'air comment quand on l'a vue avec Björn ?

— Je ne sais pas. Árni est en train de vérifier chez elle.

— Elle a un petit garçon. Il a trois ans, je crois. Árni devrait chercher le petit : celui qui le garde pourrait savoir où se trouve Harpa.

Baldur ravala sa frustration. À l'évidence, il n'aimait pas recevoir des ordres de Magnús, mais ce dernier avait raison.

Magnús rappela Páll.

— Páll, c'est Magnús. Apparemment, Björn était avec Harpa à Reykjavík, hier après-midi. Ils sont partis ensemble.

— D'accord. Il n'est pas chez lui, je viens d'y aller. Mais je suis avec sa voisine la plus proche, là. Je crois qu'elle a vu quelque chose. Je vous rappelle.

Magnús tambourina avec ses doigts sur la table. Le compte rendu du médecin légiste pour l'affaire de Benedikt Jóhannesson attira son attention. Il l'étudierait plus tard, quand il pourrait se concentrer.

Il ne fallut que cinq minutes à Páll pour rappeler, mais cela sembla une éternité à Magnús.

— La voisine a vu Björn revenir hier soir. Vers 18 heures. Elle l'a aperçu au volant de son pick-up alors qu'elle sortait elle-même de sa voiture. Elle s'en souvient parce qu'elle a vu sa petite amie profondément endormie sur le siège passager.

— Endormie ?

— C'est ce qu'elle a dit.

— Et elle a reconnu Harpa ?

— Oui, cheveux noirs bouclés. Elle l'a vue ici une ou deux fois. Sa cuisine donne sur l'allée de la maison de Björn et elle l'a vu mettre des choses dans son pick-up. Il est reparti environ un quart d'heure plus tard.

— Quel genre de chose ?

— De la nourriture, des sacs de couchage. Elle a supposé qu'ils partaient faire du camping. Elle n'a pas vu de tente, mais elle n'a pas non plus surveillé les moindres gestes de Björn.

— Pas loin tout de même. J'adore les voisins curieux.

Magnús réfléchit rapidement.

— D'accord. Essayez de le trouver. Votre QG de région est à Stykkishólmur, n'est-ce pas ?

— Oui.

— Je vais demander à ce que ma hiérarchie voie ça avec votre sergent-chef.

Magnús gambergeait. L'inactivité ici le tuait. Il aurait bien aimé interroger Sindri lui-même, mais il savait qu'il n'apprécierait pas d'être le second de Baldur lors de l'interrogatoire.

Et si Sindri avait un minimum de sens commun, il ne dirait rien, surtout s'il restait une troisième cible. Harpa était la seule susceptible de parler. Et elle se trouvait avec Björn.

L'instinct de Magnús lui hurlait d'aller à Grundarfjördur.

— Páll, je vous retrouve dans deux heures.

Il hésita un instant, attrapa le compte rendu sur Benedikt Jóhannesson et fila vers la sortie.

Árni roulait sur la petite rue Bakkavör, l'une des plus chics de Reykjavík, qui montait depuis la rive ouest de Seltjarnarnes. Les maisons étaient bien moins somptueuses que les palaces des élites aux États-Unis, et d'ailleurs aux yeux d'un Américain, elles n'avaient sans doute rien de spécial, mais à Reykjavík, ville aux petits pavillons simples et sans prétention, elles en mettaient plein la vue.

La rue était divisée en deux. D'un côté, les maisons étaient plus grandes et la vue sur la mer un peu plus belle. Beaucoup de ces demeures appartenaient aux nouveaux riches, y compris les propriétaires d'une multinationale alimentaire qu'ils avaient appelée « Bakkavör ». De l'autre côté de la rue, on trouvait des maisons un peu plus modestes, d'où la vue sur la mer était partiellement obstruée. Plusieurs d'entre elles appartenaient aux « rois des quotas », ces pêcheurs qui avaient eu la chance d'exercer leur métier au début des années quatre-vingt, quand les quotas de pêche furent attribués.

Árni s'arrêta devant l'une d'elles et sonna à la porte.

Une version plus âgée et plus empâtée de Harpa vint ouvrir.

— Bonjour, je m'appelle Árni et je travaille pour la police de Reykjavík. Je suis à la recherche de Harpa.

— Oh, bonjour. Entrez, invita la vieille dame en fronçant les sourcils.

En retirant ses chaussures, Árni vit un petit garçon qui le regardait. La ressemblance avec Óskar Gunnarsson était frappante.

La mère de Harpa, Gudný, conduisit Árni dans la cuisine. Son petit-fils disparut dans le salon.

— Quelque chose ne va pas avec Harpa ? demanda Gudný.

— Non, assura Árni, évitant de justesse d'ajouter, « du moins, on l'espère ». Vous savez où elle se trouve ?

— Elle est partie avec Björn, son petit ami.

— Je vois. Et où ça ?

— Elle a des ennuis ?

— Nous avons besoin de son aide, au sujet d'une enquête, c'est tout. La mort de Gabríel Örn Bergsson.

— Oh, ça ! lança-t-elle, le froncement de sourcils s'accentuant. Non, je ne sais pas où elle est. Mon mari est allé déposer Markús chez elle et il a trouvé un mot qui disait seulement qu'elle était partie avec Björn pour quelques jours.

— Ça ne disait pas où ?

— Non.

— Vous lui avez parlé depuis ?

— Non, répondit Gudný, sans cesser de froncer les sourcils.

— Et Markús ? Il n'a pas demandé à lui parler ? À lui dire bonne nuit, par exemple ?

— Non. J'ai essayé d'appeler sur son portable, mais il était éteint.

— Vous ne trouvez pas cela étrange ?

Gudný laissa échapper un soupir.

— Oui, un peu. Je veux dire, elle appelle toujours quand elle part avec Björn. Pour parler à Markús surtout. Elle va bien ?

— Nous ne le savons pas, déclara Árni, voyant l'inquiétude s'afficher dans les yeux de Gudný. Nous pensons qu'elle est à Grundarfjördur avec Björn. Ou en tout cas, elle y était. Björn a été vu en train de remplir sa camionnette de provisions. Où pensez-vous qu'ils aient pu partir ?

— Je ne sais pas. Faire du camping peut-être ? Peut-être qu'il l'a emmenée sur un bateau ? Je n'en sais rien…

Árni réfléchit un instant aux réponses de la vieille dame. Elles semblaient sincères.

— Vous pensez qu'elle a pu se disputer avec Björn ?

— Non, déclara Gudný. Du moins, pas à ma connaissance. Je ne pense pas qu'il leur arrive de se disputer.

Árni ouvrit de grands yeux. Tous les couples se disputent.

— Harpa admire Björn. Elle lui fait confiance. Elle a eu une très mauvaise année. D'abord elle a perdu son travail, ensuite son petit ami s'est suicidé. Björn a été celui sur lequel elle a pu s'appuyer.

Árni sentit qu'il n'obtiendrait rien de plus de la mère de Harpa. Il était persuadé que Harpa ne lui avait pas confié ce qui la tracassait vraiment.

— C'est votre mari qui a trouvé la note, vous disiez ?

— Oui.

— Il est ici ?

— Oui, il bricole dans le garage.

— Je peux lui parler ?

Gudný conduisit Árni vers l'arrière de la maison.

— Il teste les mouches. Sa nouvelle passion, c'est la pêche à la mouche. Il ne peut plus partir en mer, alors la pêche à la mouche est ce qu'il a trouvé de mieux comme substitut. Il revient juste de quelques jours dans le Nord.

Einar, le père de Harpa, lui ressemblait à peine. Un vieil homme trapu et fort, avec des cheveux gris, des yeux bleus de pierre et le visage ravagé de quelqu'un qui avait passé le plus clair de son temps en mer.

Quelque chose dans sa gestuelle prouva à Árni qu'il en savait plus que sa femme au sujet de Harpa. La visite de la police ne le surprenait pas. Il savait que Harpa avait des ennuis.

— Ça ne vous dérange pas que je m'entretienne avec votre mari en privé ?

Gudný hésita avant de les laisser seuls.

Árni regarda par-dessus l'épaule d'Einar, où il vit en effet une collection de mouches. Il s'approcha d'une loupe pour examiner quelques pennes ternes attachées autour d'un crochet.

— Ça ne ressemble pas beaucoup à une mouche selon moi.

— Ce n'est pas un saumon...

— Pas faux.

— Vous avez déjà pêché à la ligne ?

— Non. Ça m'a toujours semblé trop cher.

— C'est devenu meilleur marché depuis quelques années, avec le *kreppa*. Maintenant les gens n'ont plus les moyens de dépenser beaucoup d'argent. Je ne peux plus me permettre les bonnes rivières.

— Votre femme m'a dit que vous veniez de rentrer d'un voyage. Ça a mordu ?

— Un peu. C'est plus le défi que le gain qui me motive. Ce qui m'amuse, c'est de pêcher. Du moment qu'on ramène aussi quelques poissons. Cette fois, j'en ai ramené. Mais asseyez-vous.

Árni s'installa sur une chaise en plastique, pendant qu'Einar retirait des câbles d'une autre pour s'asseoir à son tour. Árni examina le garage. Pas de place pour une voiture. Il était rempli d'outils et d'accessoires en tout genre, y compris, dans un coin, des clubs de golf, belle distraction pour un homme à la retraite qui avait besoin de s'occuper.

— Qu'est-ce que vous savez ? demanda Árni.

— À quel sujet ?

— Les ennuis que traversent Harpa ?

— Quels ennuis ?

La question sonnait plus comme une bravade que comme la réaction d'un parent inquiet d'entendre une mauvaise nouvelle. Le visage d'Einar restait d'une dureté inébranlable. Impassible.

— Je pense que vous êtes au courant que Harpa a des problèmes et que vous en savez plus que votre femme. On pourrait en parler en sa présence, sauf si vous préférez que cela reste entre nous. Que savez-vous exactement ?

Einar laissa échapper un soupir. Il esquissa une grimace.

— Très peu de chose. Je suis allé déposer Markús l'autre jour et j'ai trouvé Harpa écroulée sur le sol de la cuisine, en larmes. Elle m'a tout avoué.

— C'est-à-dire ?

Einar avait l'air mal à l'aise.

— Je ne peux pas le dire. C'est à elle de vous en parler.

— Vous ne voulez pas l'incriminer ?

Einar haussa les épaules. Tout son corps se raidit. Mais il ne cédait pas.

— Elle vous a parlé de Gabríel Örn ? De ce qui lui est vraiment arrivé ?

Einar ne répondit pas.

— Écoutez, Einar, nous avons besoin de retrouver Harpa de toute urgence. Nous savons qu'elle est avec Björn. Auriez-vous une idée d'où elle pourrait se trouver ?

Einar fit non de la tête.

— Nous savons que Gabríel Örn ne s'est pas suicidé. Nous savons que votre fille l'a frappé, qu'il est tombé et qu'il s'est cogné la tête. Je ne vais pas vous interroger à ce sujet, en tout cas, pas maintenant. Nous en parlerons plus tard. Mais nous pensons que certaines des personnes avec lesquelles elle était cette nuit-là sont impliquées dans l'assassinat d'Óskar Gunnarsson et de Julian Lister, le ministre anglais.

Árni obtint enfin une réaction.

— C'est ridicule ! Je connais Björn, c'est un type bien. En fait...

Il hésita. Árni patienta.

— En fait, Harpa m'a demandé de vérifier où était Björn quand ces deux hommes ont été abattus. Je l'ai fait. Il était en mer en train de pêcher lors du premier assassinat, et dans le port de Grundarfjördur au cours du deuxième.

Árni ne crut pas utile de signaler que Björn avait été vu en Normandie la veille de la tentative d'assassinat de l'ex-chancelier. Mais il était intéressant de constater que même Harpa avait eu des soupçons au point de demander à son père d'aller traquer son petit ami.

— Einar, même si nous savons que ce n'est pas Björn qui a tué ces personnes, nous pensons qu'il est impliqué dans les deux affaires. Auquel cas, votre fille pourrait bien être en danger. Où qu'elle soit. Alors, aucune idée de l'endroit où elle pourrait se trouver ?

— Je ne vous crois pas au sujet de Björn.

— Je suis désolé, mais c'est la vérité. Alors, où est Harpa ?

— Je ne sais pas. Le mot disait seulement qu'ils partaient pour quelques jours. Ce n'était pas écrit où.

— Qui a signé le mot ? Harpa ?

— Non, c'était Björn.

36

M agnús se faisait plaisir. La route qui partait de Borgarnes était pratiquement vide et sur les longues
lignes droites, il n'hésitait pas à enfoncer l'accélérateur.

À sa gauche, la mer scintillait sous les rayons de soleil qui
filtraient à travers les nuages. À sa droite, un champ de lave
s'étendait jusqu'au bord de la route. Plus loin, à peine visibles
derrière le rideau de brouillard, on apercevait les flancs de la
montagne, tels des remparts gris avec des vallées vertes entre
leurs tourelles.

Devant lui, toujours plus gigantesque à mesure qu'il approchait, s'élevait le cratère Eldborg, cercle parfait de rochers
enracinés dans la plaine.

Ce n'était pas uniquement l'urgence d'arrêter Björn qui
propulsait Magnús à une telle vitesse sur la route. C'était
Ingileif. Son grand-père. Le meurtre de Benedikt. L'assassinat
de son père. La détresse d'Ollie. Toutes ces pensées qui le
harcelaient et exigeaient son attention.

Il devait se concentrer. Sur Björn, sur Harpa, et sur Ingólfur
Arnarson, qui qu'il puisse être.

Il regrettait de ne pas être armé, il se sentait nu ainsi. Il
n'imaginait pas Björn porter une arme, mais qu'en savait-il ?
Ils avaient utilisé un pistolet à Londres et une carabine en
Normandie, pourquoi n'aurait-il pas d'arme à feu en
Islande ? Pour Magnús, un flic sans arme n'était pas un vrai
flic.

Après deux kilomètres de ligne droite, un virage arriva
devant lui, plus vite qu'il ne s'y était attendu, et le Range
Rover faillit se renverser en tournant.

Il leva le pied de la pédale.

Son téléphone sonna. Il vérifia de qui venait l'appel avant
de décrocher.

— Bonjour Sharon.

— Ísak est parti.

— Quoi ?

— On est allés le chercher, sa petite amie nous a dit qu'il avait quitté le pays hier. Il devait retourner en Islande pour rendre visite à sa mère malade. Son état empirait, du moins c'est ce qu'il lui a dit.

— Ouais, d'accord.

— Sa petite amie a appelé la mère d'Ísak en Islande, qui lui a dit qu'elle allait bien.

— Est-ce qu'elle a vu Ísak ?

— Rapidement. Il est passé par la maison avant de repartir. Apparemment il est allé camper seul, pour se ressourcer.

— Où ça ?

— Sa mère ne l'a pas précisé à sa petite amie. Je vous conseille d'envoyer quelqu'un le lui demander.

— Je vais le faire. Merci, Sharon.

Ísak était pris dans un dilemme. En passant par les deux cols qui menaient à Grundarfjördur, il n'avait vu aucun signe du pick-up de Björn. Or il avait déjà beaucoup roulé. Il retourna à Grundarfjördur, sans savoir ce qu'il devait faire à présent. La carte n'indiquait pas d'autre col avec des routes qui sortaient du sud de la ville. Grundarfjördur était niché dans une crique de la forme d'un fer à cheval, avec des pentes vertes qui s'élevaient tout autour. Beaucoup de chutes d'eau, mais rien qui ressemble de près ou de loin à un col. Il existait bien d'autres possibilités plus loin, mais laquelle essayer ?

Il roulait lentement dans le petit port de pêche. Même si son réservoir était encore à moitié plein, il s'arrêta à une station service.

Le type au comptoir lisait un livre. Il devait avoir l'âge d'Ísak, ou peut-être un ou deux ans de moins. Un peu mou, il avait des cheveux blonds fins et une peau terreuse. Ísak se demandait comment des gens comme lui survivaient coincés au milieu de nulle part toute leur vie. Une telle existence l'aurait rendu fou : il se serait échappé dès qu'il aurait pu se payer le billet de car pour Reykjavík.

Il paya son essence.

— Pourriez-vous m'aider ? demanda-t-il au gars. Je cherche un col de montagne par ici. Un de mes amis m'a dit qu'il y avait une vieille cabane qui vaut le détour.

— Il n'y a pas de col ici à Grundarfjördur. Il faut que vous alliez à Ólafsvík ou vers Stykkishólmur pour ça.

— J'ai essayé les deux, mais je n'ai pas vu de cabane.

— Désolé, dit le jeune homme avant de retourner à son livre, *Les Raisins de la colère*.

Ísak se dirigea vers la sortie.

— Attendez une minute, l'arrêta le gars. Il y a le col de Kerlingin. Là où se trouve la troll.

— La troll ?

— Oui, vous n'avez jamais entendu parler de la troll de Kerlingin ? s'indigna le pompiste face à l'ignorance des gens de Reykjavík. C'est juste à l'est de la nouvelle route vers Stykkishólmur. Il y a une vieille cabane là-bas, j'en suis à peu près sûr.

Björn était assis à l'extérieur de la cabane et il écoutait Harpa à l'intérieur. Les hurlements se transformèrent en sanglots, puis en silence.

Sa réaction l'avait choqué. Il avait espéré qu'elle comprendrait au moins son point de vue. Peut-être qu'avec le temps, elle y arriverait. Björn savait à quel point il comptait pour elle, comme elle lui faisait confiance.

Après une quarantaine de minutes, il retourna dans la cabane.

Harpa s'était traînée vers le mur et s'appuyait maintenant contre celui-ci.

Björn la détacha.

— Assieds-toi sur la chaise.

Il le lui suggérait plus qu'il ne l'y obligeait.

Harpa l'ignora. Alors il s'assit contre le mur à côté d'elle.

— Je peux te laisser détachée ? demanda-t-il. Tu ne peux t'enfuir nulle part de toute façon. On est à des kilomètres de la route principale.

Harpa hocha la tête.

Finalement elle parla. Björn imaginait qu'elle le ferait.

— Alors que s'est-il passé ? Vous vous êtes réunis juste après la mort de Gabríel Örn ? Je croyais qu'on s'était mis d'accord pour ne plus se revoir. Pour que la police ne puisse pas reconstituer de lien.

— Pas juste après, non. Je crois que c'était en juin. Je suis allé dans un bar avec mon frère, un soir, le Grand Rokk. Et je suis tombé sur Sindri. Je l'ai revu le lendemain avec Ísak. On était tous d'accord. Ce qui était arrivé à Gabríel Örn n'était pas une mauvaise chose. Il le méritait. Et les autres méritaient aussi de mourir.

— Alors, tu es parti en France. Mais si ce n'est pas toi qui as tiré sur Julian Lister, pourquoi y es-tu allé ?

— Pour préparer le terrain. Les copains dealers de Sindri avaient des contacts à Amsterdam qui pouvaient lui procurer une carabine et une moto. Je devais les rencontrer et les payer. Ensuite, j'ai vérifié où se trouvait la maison de Lister en Normandie et j'ai enterré la carabine. Ísak a fait le même genre de préparatif à Londres.

— Vous les avez payés ? Mais où avez-vous trouvé l'argent ?

— En grande partie chez Ísak. Je ne sais pas où il le trouve. Ses parents, sans doute.

— Et tu ne me diras pas qui a tiré ?

— Non.

Silence.

— Mais tu ne vois pas que c'est un meurtre, ce que tu as fait ? Ce que vous avez tous fait ?

— Je ne crois pas, Harpa, contredit-il en soupirant. Pas vraiment.

— Comment ça, tu ne crois pas ?

— Les gens meurent en Islande, c'est un pays dangereux. Les fermiers meurent dans les avalanches en cherchant leurs moutons. Les pêcheurs meurent en mer.

— Non, plus maintenant. Cela fait des années qu'un fermier n'est pas mort de froid. Et mon père n'a jamais perdu aucun homme de son équipage.

— Il a eu de la chance. J'ai perdu mon frère aîné et mon cousin sur le bateau de mon oncle quand il a coulé. Seuls mon oncle et deux autres membres d'équipage ont survécu.

— Je ne savais pas, commenta Harpa en ouvrant de grands yeux.

— J'avais quatorze ans. J'aurais dû être sur le bateau moi aussi, mais mon équipe de foot avait un match important à jouer. Je me suis toujours senti atrocement coupable depuis.

— Tu ne me l'avais jamais dit...

Björn vit une étincelle de compassion s'allumer dans les yeux de Harpa qui s'éteignit aussitôt.

— Mais ces gens n'ont pas été assassinés, rétorqua Harpa.

— Pas directement, non. Ils sont morts en essayant de subvenir aux besoins de leur famille. Contrairement aux banquiers qui n'ont jamais pris aucun risque de leur vie.

— Ça ne justifie rien, Björn.

— Ce que je veux dire, Harpa, c'est que les gens meurent. Et Gabríel Örn et Óskar sont morts pour une meilleure cause que mon frère.

— Je ne trouve pas.

Björn arrivait à bout de patience.

— Ces gens ont détruit notre pays ! Ils nous ont mis nous, nos enfants et les enfants de nos enfants dans la misère pour un siècle. Et ils s'en tirent, avec ça ! Aucun n'est allé en prison. Quelqu'un devait agir !

Björn luttait pour se contrôler. Il voulait convaincre Harpa, pas lui crier dessus.

— Et on s'en est chargé.

Björn inspira profondément. Il avait un autre argument qui pourrait lui faire changer d'avis, mais ce n'était pas encore le moment d'en parler. Il devait attendre qu'on en finisse avec Ingólfur Arnarson.

— Je dois passer un coup de fil.

Il s'empara de la corde.

— Je vais t'attacher les mains et les pieds. Je suis désolé, je n'en ai pas pour longtemps.

Il serra deux nœuds de marin compliqués autour des poignets et des chevilles de Harpa. Aucun moyen qu'elle ne se libère. Et même si elle y parvenait, où pourrait-elle aller ?

Il prit son portable, celui de Harpa et le couteau qu'il avait apporté avec lui, et partit vers son pick-up. Il roula vers le haut du col et descendit de l'autre côté. Devant lui, baignée de soleil, s'ouvrait une vue magnifique : tout Breidafjördur avec ses petites îles éparpillées, la butte sacrée de Helgafell et derrière, la ville de Stykkishólmur à sa droite, les montagnes des fjords de l'Ouest au loin, et au premier plan, Berserkja-hraun qui se déversait dans la mer.

Sur la corniche au-dessus de lui, se profilait la silhouette de la troll en pierre, sa tête à quelques mètres seulement sous de lourds nuages.

Il sortit de sa camionnette pour vérifier s'il captait déjà du réseau. Oui !

Il passa son coup de fil et, au moment de retourner vers la cabane, il s'arrêta. Il entendait le grondement d'un moteur. Il regarda plus bas et aperçut une petite voiture de tourisme monter la route cahoteuse dans sa direction. Une voiture comme celle-là n'était pas assez robuste pour rouler sur les cratères qui menaient à la cabane. Sans doute un touriste venu voir la troll.

Björn décida d'attendre pour en avoir le cœur net.

La route était un véritable cauchemar. Ísak n'en revenait pas qu'autrefois elle ait été la seule voie vers Stykkishólmur. Il faisait de son mieux pour contourner les cratères, avec la petite Honda qui peinait et rebondissait, incapable de les éviter tous.

Il n'était plus qu'à quelques centaines de mètres quand il repéra le pick-up rouge de Björn et celui-ci en personne, appuyé contre la portière.

Réfléchis.

Ísak ralentit. Aucune chance que Björn l'ait déjà reconnu derrière le volant.

Il s'arrêta, fit un demi-tour en trois manœuvres, et doucement redescendit la colline, comme s'il abandonnait à cause de l'état catastrophique de la route.

Il conduisait lentement, les yeux scrutant régulièrement le rétroviseur pour voir le pick-up de Björn derrière lui. Après quelques minutes, Björn retournerait sûrement dans son véhicule. Une minute plus tard, le pick-up ne se dessinait plus dans le rétroviseur.

Ísak attendit encore un moment, puis fit demi-tour une nouvelle fois pour suivre son complice.

Il avança prudemment, sortant de sa voiture avant chaque virage pour s'assurer à pied que Björn ne pourrait pas le voir quand il serait à découvert. Après une demi-heure environ à ce rythme de tortue, Ísak se cacha derrière un rocher et vit la cabane, isolée sur un tertre dans la vallée de pierres, de rochers, de mousse et d'eau, avec le pick-up de Björn garé devant.

Harpa avait passé une bonne partie de son enfance à défaire les nœuds marins. Elle avait des doigts solides et savait comment les pêcheurs attachaient leurs nœuds.

Elle n'avait rien perdu de la façon dont Björn avait lié ses poignets et ses chevilles. Ce n'était pas un amateur. Elle ne pouvait atteindre le nœud autour de ses poignets et celui autour de ses chevilles serait extrêmement difficile à défaire. En fait, même Björn aurait sans doute besoin d'un couteau.

Mais elle pouvait toujours essayer. Elle tira, poussa, frotta et réfléchit. Au bout d'un moment, elle sentit qu'elle progressait, le nœud devenait plus lâche. Mais au moment où elle allait se détacher, elle entendit le véhicule de Björn qui approchait.

Elle hésita, puis resserra le nœud.

La prochaine fois.

37

A nna Ösk fit courir son petit poney au galop autour de sa chambre. Elle avait le poney depuis trois semaines, depuis son anniversaire, et elle ne se lassait pas de jouer avec.

Sa mère lui avait promis qu'elle pourrait en avoir un vrai pour ses neuf ans. Son père, lui, n'en était pas aussi sûr. Il s'inquiétait pour l'argent. Il s'inquiétait toujours pour l'argent. Qu'il était bête ! Maman lui avait dit qu'ils étaient riches. C'était évident : ils vivaient dans une très grande maison en plein centre de Reykjavík, au bord du lac.

Mais quand elle aurait son poney, ils ne pourraient pas le garder à la maison. Apparemment, leur jardin n'était pas assez grand. Ça aussi, c'était bête. Leur jardin était vraiment *très* grand, bien plus grand que celui de Sara Rós, la meilleure amie d'Anna Ösk.

Anna Ösk souleva son poney pour qu'il regarde par la fenêtre. Sa chambre se trouvait au deuxième étage, elle avait une bonne vue. Elle voyait exactement où on pourrait installer une étable, dans le coin, à la place du petit arbre. Rien de plus simple.

Alors qu'elle étudiait l'emplacement exact de la bâtisse, Anna Ösk remarqua du mouvement dans le jardin d'à côté. Quelqu'un rampait sous les buissons du fond. Un homme. Pas facile à voir, mais Anna Ösk reconnut que ce n'était pas celui qui habitait dans cette maison. Elle se demandait s'il jouait à cache-cache.

Sans doute, parce qu'il était agenouillé à côté de la voiture du voisin, garée en haut de l'allée, et se glissa presque entièrement en dessous.

Anna Ösk chercha du regard un enfant. En principe, les adultes ne jouent pas seuls à cache-cache. Elle n'en voyait pas, mais elle était persuadée qu'il devait être quelque part. Peut-être à l'avant de la maison. L'homme était bien dissimulé de la route et du devant.

Étrange. Elle raconterait à sa mère ce qu'elle avait vu.

— Anna Ösk ! retentit la voix de sa mère dans l'escalier.

Elle n'avait pas sa voix des bons jours.

— Anna Ösk, descends tout de suite ! Combien de fois t'ai-je dit de ramasser tes jouets dans la cuisine quand tu as fini de jouer ? J'en ai assez ! Pas de télé cet après-midi, tu m'entends ?

Anna Ösk se mit à pleurer.

Magnús se gara devant le commissariat en bois de Grundarfjördur et sortit de son Range Rover.

— Magnús !

Il se tourna pour voir la silhouette rondouillette de Páll dans son uniforme noir qui se dirigeait à grands pas vers lui depuis le port.

— Vous avez fait vite, remarqua le policier.

— Peu de circulation.

Páll sourit.

— Toujours pas de signe de Björn ? demanda Magnús.

— Pas pour l'instant. Personne ne l'a vu sur le port depuis deux jours au moins. On ne pense pas qu'il ait pris un bateau : personne en tout cas ne l'a vu partir en mer. Le responsable du port a dit qu'il allait vérifier si un petit navire manque à l'appel. J'ai interrogé rapidement ses parents et sa sœur, ils n'ont pas eu de nouvelles. Pareil au café où les pêcheurs le voient souvent. J'ai lancé un avis de recherche à Stykkishólmur et à Ólafsvík aussi. Les policiers ont installé des barrages sur toutes les routes.

Au moins, ça, c'était faisable. Il ne devait pas y avoir plus de deux routes dans la péninsule de Snaefells. Mais la péninsule elle-même était grande, peut-être quatre-vingts kilomètres de long sur quinze de large et recouverts de nombreuses montagnes. Impossible de lancer des recherches exhaustives.

Magnús réfléchit à l'utilité de faire appel à un hélicoptère. Malgré le soleil qui brillait sur la côte, un voile de nuages enveloppait les montagnes.

Bien sûr, si Björn avait quitté l'endroit la veille au soir, il pouvait être de l'autre côté de l'Islande à l'heure qu'il était. Mais pour cacher Harpa, il choisirait un endroit qu'il connaissait, pas trop loin de chez lui.

— Qu'est-ce qu'on fait maintenant ?

— Je pensais aux magasins et aux stations essence, répondit Páll. Il a dû faire des provisions et le plein. On n'en a pas énormément en ville. Vous voulez qu'on se sépare, ou vous faites la tournée avec moi ?

— On reste ensemble. Vous connaissez les gens et la ville. Seul, je risque de perdre mon temps.

— Très bien, lança Páll en se dirigeant vers sa voiture de police blanche. Montez, vous m'expliquerez ce qui se passe.

Ísak traîna la pauvre petite Honda de sa mère sur ce qui restait de route, avant de la garer derrière un grand rocher conique. Par miracle, l'essieu ne se cassa pas. Il brouilla les marques de pneus au sol avec les pieds pour éviter que Björn ne remarque les empreintes, s'il décidait de repartir dans le col.

Il sortit de son sachet plastique le couteau qu'il avait acheté à Borgarnes et le rangea dans la poche de son manteau. Ensuite il se cacha derrière le rocher. La cabane était à deux cents mètres environ de l'ouverture de la route. Il n'avait nulle part où se cacher, mais une seule des fenêtres de la cabane donnait dans sa direction, et elle était en hauteur, sans doute au-dessus du niveau des yeux.

Il remarqua que le nuage s'épaississait et descendait contre les murs de la vallée.

De l'autre côté de la bâtisse, se trouvait une falaise d'environ trente mètres de haut. Une cascade coulait sur son flanc. Il y aperçut une fissure verticale assez large pour abriter un homme sans qu'il puisse être vu depuis la cabane.

Ísak s'y lança. Accroupi, il contourna la cabane en courant, se tenant hors du champ de vision des plus grandes fenêtres sur le côté. Il se faufila dans la fissure. Il voyait mieux la cabane d'ici et Björn ne pourrait pas le repérer. Le seul problème était que l'eau de la cascade l'éclaboussait sans arrêt et elle était froide. Très froide.

Il attendrait que Björn quitte la cabane. Ensuite il se glisserait à l'intérieur et s'occuperait de Harpa. Puis, quand Björn reviendrait pour trouver le corps ensanglanté, il crèverait les pneus de son pick-up et reprendrait sa voiture.

Il laisserait à Björn le soin de disposer du corps.

Mais si celui-ci arrivait à l'attraper avant qu'il n'atteigne son pick-up, ce qui risquait fort d'être le cas, alors ils devraient discuter.

Non. Ísak n'aurait qu'à tuer Björn comme il tuerait Harpa. Soit attendre que Björn quitte la cabane et le surprendre à son retour, soit, si Björn ne partait pas, se glisser à l'intérieur dans la nuit et les poignarder dans leur sommeil. Si Ísak n'était pas congelé d'ici là.

Ce n'étaient pas les conditions idéales, mais Ísak ne pouvait plus faire marche arrière.

Magnús attendit dans la voiture pendant que Páll entrait dans Samkaup, le plus grand supermarché de la ville. Il appela Baldur pour lui dire qu'il n'avait toujours pas retrouvé Björn, sachant qu'il lui avait déjà transmis le message de Sharon sur la disparition d'Ísak.

Baldur prit un ton professionnel. Sindri refusait de parler. Pas un mot. Il ne s'était même pas embêté à faire appel à un avocat. Magnús n'en fut pas surpris : s'il restait un attentat à commettre, pas étonnant que Sindri essaye de gagner du temps.

Árni était allé rendre visite aux parents d'Ísak. Ce dernier avait quitté la maison à 9 heures la veille au soir dans la voiture de sa mère, une petite Honda, qu'il avait chargée d'équipement de camping. Elle lui avait expliqué que la famille était souvent partie camper à Thórsmörk, à cent cinquante kilomètres à l'est de Reykjavík.

Bingo ! En appelant les campings de la région, ils avaient découvert qu'Ísak avait été vu à côté de Hveragerdi, au sud-est de Reykjavík, dans la direction de Thórsmörk. Même si Baldur et Magnús doutaient qu'il soit parti prendre l'air, ils s'accordèrent à dire que s'il voulait se cacher, il était logique qu'il choisisse une région qu'il connaissait bien.

Ou alors, il se trouvait dans la péninsule de Snaefells avec Björn et Harpa.

Magnús suggéra qu'ils interrogent Gulli. Peut-être avait-il fait le voyage de Ténériffe à Londres et Paris, avant de retourner à Ténériffe. Peu probable, mais on ne pouvait écarter aucune hypothèse. En garde à vue, il ne pourrait assassiner personne. Baldur accepta. Il avait renoncé à condamner les idées saugrenues de Magnús. L'enjeu était bien trop important.

Páll revint dans la voiture.

— Rien, on continue.

Grundarfjördur était une petite ville, compacte, et il ne fallut pas longtemps à Páll pour aller d'un endroit à l'autre. Ils vérifièrent à Vínbúd, le magasin de spiritueux, avant de se rendre à la station-service.

Le gamin derrière le comptoir connaissait Björn Helgason, mais il ne l'avait pas revu depuis qu'il avait fait le plein la veille au matin.

— Ça devait sans doute être pour aller à Reykjavík, commenta Magnús.

Après réflexion, il s'arrêta avant de franchir la porte de sortie.

— Vous n'avez pas vu un jeune type ici ? Un étudiant, d'une vingtaine d'années, bien habillé, environ un mètre soixante-quinze, châtain, petite fossette sur le menton ? Il conduisait une petite Honda bleue ?

— Si. Un type de ce genre est entré ici il y a une heure environ. Il m'a demandé où était le col avec la cabane. Je lui ai parlé du col de Kerlingin. Il n'avait jamais entendu parler de la troll. Vous vous rendez compte ? Ces types de Reykjavík, ils ne connaissent rien à rien.

38

Assise par terre, Harpa examina l'homme que, quelques heures auparavant, elle avait aimé plus qu'aucun autre. Elle savait que son regard le déconcertait, mais elle s'en fichait. Elle n'avait que faire de ce qu'il pensait désormais.

Parce que soudain, pour la première fois depuis un an, elle se sentait de nouveau forte. Le trouble, la culpabilité, la perte de confiance, le doute, tous ces sentiments destructeurs qui la hantaient s'étaient envolés.

Elle savait différencier le bien du mal. Et elle savait ce qu'elle devait faire.

Comparé à la torture qu'elle avait endurée après la mort de Gabríel Örn, le crime que Björn avait commis était bien plus simple. Il avait conspiré pour assassiner quelqu'un. Ça, c'était mal et sans équivoque. C'était son devoir de réparer cela.

Elle ne pouvait pas rendre la vie à Óskar, mais peut-être, avec beaucoup de chance, elle pouvait sauver le prochain sur la liste et ensuite faire condamner Sindri, Ísak et Björn. Et leur complice, qui que ce soit.

Elle savait ce qui lui restait à faire et elle était décidée à le faire.

S'enfuir.

Quand Björn quitterait la cabane, la prochaine fois, il lui faudrait moins d'une minute pour libérer ses chevilles. Elle devrait se débrouiller avec les poignets attachés, mais au moins elle pourrait courir. Elle avait essayé de se remémorer la géographie de la péninsule de Snaefells. Elle pensait savoir où ils se trouvaient. Selon elle, la route principale se trouvait sur un col parallèle non loin de là. Mais vers l'est ou vers l'ouest, elle n'arrivait pas à se le rappeler. Vers l'ouest, plutôt.

Elle projetait d'escalader le flanc de la vallée, jusqu'au sommet pour rejoindre la route de l'autre côté et ensuite de se jeter sur la première voiture qui passerait. N'importe qui s'arrêterait pour sauver une femme en détresse, les mains liées.

Mais d'abord, Björn devait quitter la cabane. Elle ne savait pas quand, et elle craignait d'éveiller ses soupçons en le lui demandant.

Elle pensa à ce qu'elle allait dire à la police. Elle aurait bien aimé leur révéler les noms de la prochaine victime et de son assassin. Cependant, Björn n'avait pas voulu les lui avouer. Elle allait essayer encore.

— Donc quand vous vous serez occupés du prochain sur la liste, tu me laisseras partir ?

— Je ne sais pas, répondit Björn, apparemment content de la question. Ça dépend. De toi.

— Hmmm…

Harpa laissa le silence peser. Elle savait que Björn voulait croire qu'elle se laisserait convaincre après quelques jours.

— Et ça se passera quand ? demanda-t-elle.

— Je ne peux pas te le dire.

— Aujourd'hui ? Ce soir ? Demain ? La semaine prochaine ?

— Cet après-midi sans doute. Peut-être ce soir. En tout cas, pas plus tard que demain matin.

— Comment le sauras-tu ?

— Texto.

— C'est pour ça que tu pars passer tes coups de fil ?

— Une fois que je serai sûr que tout se déroule comme prévu, il ne me restera plus qu'à attendre le message.

— De qui ?

— Je ne peux pas te le dire Harpa, répondit Björn en secouant la tête.

— D'accord. Dis-moi au moins qui est visé.

Björn secoua de nouveau la tête. Harpa voyait bien qu'il ne prenait plus autant de plaisir à lui parler.

— Je ne vois pas pourquoi tu ne me le dis pas. Après tout, je ne peux rien faire d'ici. Tu pourrais tout autant me le dire.

— Je te le dirai quand ce sera terminé, déclara Björn d'un ton ferme.

Harpa ne voulut pas insister de peur qu'il comprenne ce qu'elle manigançait.

Ils restèrent silencieux pendant cinq, peut-être dix minutes. Par la fenêtre, Harpa regarda les nuages tourbillonner au-dessus de la vallée, emportant un épais brouillard un instant et un grand soleil l'instant d'après.

Le brouillard serait excellent pour s'évader. Mais ce serait plus facile de se perdre dans la montagne. Il fallait juste qu'elle saisisse l'occasion quand elle se présenterait.

Björn consulta sa montre.

— Je vais voir si j'ai reçu le texto.

Harpa poussa un petit grognement.

Björn jeta un œil aux chevilles et aux poignets de Harpa avant de s'en aller. Quelques secondes plus tard, elle entendit le moteur gronder et le pick-up cahoter vers la route.

Elle se pencha pour s'attaquer au nœud. Il résistait, bon sang ! Pourtant, elle était certaine qu'elle l'avait presque défait.

Doucement, Harpa. Elle s'arrêta, prit une profonde respiration, examina le nœud, réfléchit, tira sur la corde d'un côté, desserra de l'autre.

Enfin libre !

Elle balaya la pièce du regard à la recherche de son téléphone, ou d'un couteau, mais elle ne vit aucun des deux. Pas le temps de traîner. Elle tira la porte avec ses mains liées et courut dehors.

Ísak vit Björn quitter la cabane. Le rythme de son cœur s'accéléra en voyant le pick-up rebondir vers le chemin, avant de remonter le col. Un banc de nuages passa sur la vallée, l'humidité s'étalant sur les rochers devant lui, le précédant en silence. Le sommet du col s'obscurcit. Excellent. Il attendrait que le pick-up de Björn disparaisse dans la brume avant de passer à l'action.

Le véhicule fut avalé par le nuage. Ísak hésita. Il agrippa le couteau de sa main gantée et s'élança vers la cabane. Il avait à peine fait cinq mètres qu'il entendit la porte s'ouvrir et un instant plus tard, il vit Harpa s'éloigner du tertre pour courir vers le ruisseau en bas de la vallée.

Elle était en train de s'enfuir ! Il partit à sa poursuite en trombe. Elle ne l'avait pas encore vu. Il essayait de ne pas faire de bruit pour ne pas l'alerter. Il valait mieux qu'il s'approche le plus possible d'elle. Avant d'entamer le sprint final.

Mais Harpa courait déjà aussi vite qu'elle le pouvait. Elle dévala le côté du tertre, traversa le sentier et passa le ruisseau. Elle glissa sur un rocher et tomba dans l'eau en poussant un petit cri. Elle se redressa, et en se tournant, elle aperçut Ísak.

Celui-ci hésita. S'il ne l'effrayait pas, elle pourrait peut-être croire qu'il venait la sauver. Ils ne s'étaient rencontrés qu'une seule fois, en janvier, il était probable qu'elle ne le reconnaîtrait pas à cette distance.

Il ralentit.

— Tout va bien ? cria-t-il.

— Qui êtes-vous ? demanda Harpa, ne sachant pas trop quoi décider.

— Je faisais de la randonnée et je vous ai vue tomber. Vous ne vous êtes pas blessée ?

Prudente, Harpa fit un pas vers lui. Ísak n'était plus très loin du ruisseau maintenant. Il serra le couteau dans la poche de son manteau.

— Ísak ! Tu es Ísak, n'est-ce pas ? cria Harpa, en reculant de quelques pas, avant de monter le flanc de la montagne en courant.

Ísak sauta dans le ruisseau. L'eau était glacée et le courant plus froid qu'il ne l'imaginait. Il glissa sur un rocher et tomba, sa tête cognant une pierre. Le choc de l'eau froide lui coupa le souffle. Il paniqua. Les courants rapides des montagnes islandaises sont beaucoup plus dangereux qu'il n'y paraît. Il lutta pour se calmer et agrippa une pierre pour se relever.

Il vit Harpa gravir le versant rocailleux de la vallée, à quelques mètres devant lui, se dépêchant vers le bas du nuage.

Ensuite, il entendit le son d'un véhicule derrière lui.

Björn pensait à Harpa en roulant vers le brouillard en haut du col. Son calme le déstabilisait. Il était habitué à son état de confusion perpétuel, à ses angoisses. Cela ne lui ressemblait pas ce changement d'attitude et ce flegme soudain.

Mais qu'allait-il faire d'elle ?

Il jeta un coup d'œil à l'écran de son portable. Deux barres s'affichaient. Peut-être qu'il capterait un signal ici sans avoir à faire tout le chemin de l'autre côté du col. Il arrêta la voiture, juste à l'endroit où la route disparaissait derrière un gros rocher, mais il ne pouvait pas voir la cabane derrière lui à cause de la brume. Les deux barres clignotèrent avant de s'éteindre. Il sortit et fit le tour du sol volcanique à côté du chemin, pour obtenir du réseau, en vain.

Une moiteur épaisse l'entourait, mais au-dessus de sa tête, à travers une fine couche blanche, il entrevit le bleu du ciel.

Il retourna à son pick-up.

C'est là qu'il la vit. Une empreinte dans la terre, à quelques mètres de là où il avait marché. Il posa son pied dans la marque. Plus petite, certainement pas sa chaussure.

Il suivit les empreintes dans le brouillard. La terre avait été écrasée. Il vit une marque de pneus.

Une petite pierre conique se trouvait à une vingtaine de mètres du chemin. Il partit vérifier derrière. Une voiture, la même que celle qu'il avait vue s'acharner à gravir le col.

Que se passait-il, enfin ? Un randonneur qui, pour une raison inconnue, avait décidé de cacher sa voiture avant de partir se balader ? Sûrement pas.

La police ? La petite Honda n'avait pas l'air d'un véhicule de police, et du matériel de camping encombrait tout l'arrière.

Et si c'était Ísak ? Qui en avait après Harpa ?

Björn retourna à son pick-up en courant, fit demi-tour et dévala la colline en trombe.

Il fonça dans le nuage et la vallée s'ouvrit devant lui. Il remarqua que la porte de la cabane était béante. Il scruta la vallée, toujours au volant de sa voiture. Un homme sortait du ruisseau et montait la colline sur le flanc opposé. Ísak !

Plus haut il vit Harpa, quelques mètres seulement sous la base du nuage.

Il quitta le chemin pour rouler vers le ruisseau. Après quelques secondes, il s'arrêta dans un fracas métallique. Ísak s'était retourné vers lui, mais continuait à monter.

Björn sauta de pierre en pierre dans le ruisseau, et atteignit vite l'autre côté. Il ne voyait plus Harpa. Le nuage descendait encore. Dans un instant, il avalerait aussi Ísak.

Björn garda les yeux sur l'endroit où il avait vu Ísak sans s'arrêter d'avancer. Il était robuste, bien plus qu'Ísak, à n'en pas douter.

Il dépassa un rocher. Une bécasse passa à sa droite dans un battement d'ailes. Il vit un éclair d'acier, se tourna et leva le bras pour parer le coup. Le sifflement du tissu déchiré résonna dans la vallée, alors que le couteau fendait le haut de la veste de Björn. Il recula de quelques pas, prêt à affronter son agresseur, mais il glissa.

Ísak était rapide et étonnamment fort. Alors que Björn tombait en arrière, la lame du couteau traversa ses vêtements et sa peau pour se loger entre ses côtes.

Björn sentit le coup, mais pas la douleur. Il se leva pour attraper Ísak par le cou. Surpris, Ísak ouvrit de grands yeux. Il essaya de se dégager, mais Björn tenait bon. Les deux hommes dévalèrent la pente, les doigts de Björn se resserrant autour du cou de l'étudiant. Un rocher arrêta leur chute, Björn se tenant au-dessus d'Ísak.

Il augmenta la pression. Ísak étouffait, cherchait de l'air. Björn commençait à perdre la vue. Il s'obligea à se concentrer sur Ísak, à garder ses doigts serrés encore quelques minutes. Mais il sentait la force quitter ses bras et tout son corps.

Ísak le remarqua. Il repoussa Björn qui lâcha prise, avant de tomber sur le côté. Il resta allongé sur la mousse. À côté de lui, Ísak reprenait sa respiration avec peine. Mais à chaque seconde qui passait, Ísak prenait des forces et Björn en perdait.

Björn baissa les yeux vers la poignée du couteau qui sortait de sa poitrine. Bizarrement, ça ne lui faisait toujours pas mal.

Ísak se pencha sur lui et ressortit le couteau d'un coup sec.

Björn poussa un hurlement. C'était à présent horriblement douloureux. Mais son hurlement n'avait plus de consistance.

Il tenta de se redresser. Rien à faire. Il ouvrit la bouche, essaya de parler.

— Viens par là, connard !

Mais ce n'était déjà plus qu'un murmure.

Sindri aurait voulu qu'on lui propose une cigarette. Ce serait plus facile de rester en veille avec une cigarette. Un grand signe « interdit de fumer » en rouge était accroché au mur, et pourtant un mégot baignait dans un fond de gobelet en plastique sur le rebord de la fenêtre. Ces salopards pouvaient bien lui offrir une cigarette, mais il n'allait pas demander.

Depuis qu'on l'avait emmené ici, il n'avait pas prononcé un mot, ni demandé l'assistance d'un avocat. Il n'avait besoin de personne pour lui dire de ne pas parler. Il ne restait plus beaucoup de temps, juste quelques heures et il pourrait parler. Mais jusque-là, ce ne serait pas un problème de se taire.

C'était la Noire qui parlait maintenant. Le chauve le fixait. Il essayait de ne pas se concentrer sur ce qu'elle disait, mais ne put s'empêcher d'entendre le nom « Ingólfur Arnarson ». S'ils étaient intelligents, ils auraient déjà découvert de qui il s'agissait. Si Sindri avait été intelligent, il aurait choisi un nom de code sans signification. Les autres trouvaient que toute cette histoire de code était ridicule, mais ils s'étaient bien trompés. Il se demanda comment la police avait trouvé ce nom. Quelqu'un l'avait peut-être noté quelque part. Ou alors ils avaient été mis sur écoute.

Sindri savait qu'il finirait en prison. Mais plus il y pensait, plus l'idée lui plaisait. Une petite cellule, ça ne pouvait pas être pire que son taudis. Il aurait de la compagnie, l'autorisation d'écrire et il serait célèbre. Enfin, il se ferait remarquer.

Ce matin, malgré sa gueule de bois, il avait posté son manifeste sur son blog. Il s'en était vraiment bien sorti. À la fois un appel aux armes, et l'essence de dix années de réflexion. Lors de son procès, les gens le liraient dans le monde entier.

Il avait été bien déçu de la réunion au sujet de Icesave, la veille. C'était pour cela qu'il avait bu autant. Ísak avait raison, les Islandais étaient trop gentils, trop polis pour descendre dans la rue et se battre. Au moins Ingileif, elle, l'avait écouté. Elle était sublime. Et intelligente. Il avait vraiment cru qu'il aurait de la chance cette fois-ci, mais en fait, elle n'en avait qu'après son esprit, pas après son corps. Peut-être plus tard. Quand elle entendrait parler de son procès à la télé nationale.

Il y avait tout de même un problème avec la prison. Pas de sexe. En même temps, cela faisait près d'un an qu'il n'avait pas fait l'amour. Avant, il trouvait ça si facile.

Peut-être avec Ingileif ?

Non. Il devrait supporter ces années en prison. Mais il deviendrait un héros pour son peuple. Et avec le temps, le nombre de personnes qui croyaient en sa cause augmenterait, il en était sûr. Il serait une sorte de Nelson Mandela islandais.

— Qu'est-ce que tu trouves si drôle ? demanda le chauve en tapant sur la table.

Sindri ne répondit rien, mais effaça le sourire de ses lèvres. Pas besoin de le provoquer.

— Où est Harpa ?

Je ne te le dirai pas, mon gars.

— Et Ísak ? demanda la femme noire. Où est Ísak ? Sont-ils ensemble ?

Je ne te le dirai pas non plus.

Mais Sindri répondit à ces questions dans sa tête. Ísak cherchait Harpa avec l'intention de la tuer.

Cela ne cadrait pas dans l'esprit de Sindri avec l'image du héros du peuple. Il aurait dû arrêter Ísak, prévenir Björn. La mort de Harpa était un vrai gâchis. Et Björn avait raison, elle était entièrement innocente.

Sindri pouvait regarder tout le monde dans les yeux et leur dire qu'il était fier de ce qu'ils avaient fait à Óskar Gunnarson, ou à Julian Lister et de ce qu'ils allaient faire à Ingólfur Arnarson. Même la mort de Gabríel Örn se justifiait.

Pas celle de Harpa. Tuer Harpa était mal. Et il serait impliqué dans cet assassinat aussi, à juste titre. Ce n'était pas la loi qui l'inquiétait, il savait bien qu'elle le considérait comme un meurtrier, c'était l'opinion des gens. Il ne pourrait justifier la mort de Harpa auprès d'eux. Ou de lui-même.

— Quel est le problème, Sindri ? demanda le chauve. Vous avez l'air inquiet. Nous savons que Björn est avec Harpa. Ísak est avec eux ? Ou quelqu'un d'autre ?

Sindri prit une profonde inspiration.

— Dis-nous, pria le chauve, gentiment.

Lui et la Noire s'appuyèrent contre le mur, patients.

Sindri réfléchit. Puis il réfléchit encore un peu. Et il parla.

Páll roulait vite, Magnús n'aurait pu dire le contraire. Son gyrophare projetait sa lumière crue, même si seuls quelques moutons et un ou deux chevaux étaient là pour l'admirer, l'air intrigués.

Ils risquaient fort d'arriver les premiers au col de Kerlingin. Le peu de renfort situé à Stykkishólmur se partageait toute la péninsule, et certains établissaient des barrages sur les routes.

Páll traversa Berserkjahraun en trombe, passant la nouvelle route vers Borgarnes, et tourna à droite sur le vieux chemin du col de Kerlingin. À leur gauche, vers Helgafell dans la direction de Stykkishólmur, Magnús vit la lumière bleue d'un autre véhicule de police.

— Je suppose que vous n'avez pas de carabine dans le coffre ? demanda Magnús.

— Non, bien sûr que non. Vous savez bien que les policiers islandais ne portent pas d'arme.

— Et si Björn était armé ?

— Pourquoi le serait-il ? C'est un pêcheur. Et je sais qu'il n'a pas de permis de port d'arme.

— Ces gars-là étaient armés, à Londres. Et en Normandie.

— Il n'a pas d'arme sur lui.

— Mais un couteau, peut-être.

Páll ne répondit pas tout d'abord.

— Il a sûrement un couteau, finit-il par admettre.

— Oh, super.

La voiture ruait comme un étalon endiablé en cahotant sur les nids-de-poule du chemin.

— Avec quoi vous abattez les ours polaires, alors ?

Trois fois, dans l'espace des deux dernières années, des ours polaires avait fait le long voyage jusqu'en Islande sur des icebergs en dérive, pour, dès leur arrivée, se faire tirer dessus par des policiers ravis d'appuyer sur la gâchette.

— C'est différent, rétorqua Páll. Bon sang ! s'exclama-t-il, reprenant de justesse le contrôle de sa voiture qui avait failli passer par-dessus bord.

Magnús décida de laisser Páll se concentrer sur la route.

Son téléphone sonna.

— Magnús, c'est Baldur. Vous avez trouvé Ísak ?

— Nous roulons en direction du col.

— Sindri vient de passer à table. Il dit qu'Ísak a l'intention de tuer Harpa pour l'empêcher de parler.

— Björn le sait ?

— Non. Et Sindri pense qu'il ne va pas beaucoup apprécier l'idée.

— Intéressant. Il vous a dit qui est Ingólfur Arnarson ? Ou l'assassin ?

— Non. Rien.

— Vous avez mis la main sur le frère de Björn ?

— Oui, on l'a emmené au poste, lui aussi. Il a l'air surpris, c'est tout. Il peint dans une boutique sur Laugavegur depuis 8 heures ce matin. Pas vraiment à préparer un assassinat.

La voiture plongea dans le brouillard. La voix de Baldur s'entrecoupait maintenant que la réception baissait.

— Prévenez-moi quand vous mettrez la main sur Ísak, dit-il avant de raccrocher.

La voiture suivit le chemin, serpentant autour des rochers volcaniques avant d'entamer la descente. Il était impossible de voir la troll de Kerlingin à cause du brouillard, même si Magnús savait qu'elle les dominait maintenant.

Soudain le nuage sembla se dissiper, et ils se retrouvèrent dans une vallée de pierres et de mousse. Sur leur gauche, ils virent la cabane, la porte grande ouverte. Et sur la droite, un pick-up, l'avant pointant vers un ruisseau, l'une de ses roues libres plantée dans un trou, et l'une de ses roues arrière dans l'air. La portière côté conducteur était aussi ouverte.

— Ralentissez ! Vous vérifiez la cabane, moi, le pick-up !

Magnús sauta de la voiture avant même qu'elle s'arrête, courut vers la camionnette et regarda à l'intérieur. Rien. Il balaya du regard la vallée. À quelques mètres au pied du flanc de la colline, il vit un corps étendu sur la terre.

Il traversa le ruisseau glacé et gravit la pente. C'était Björn. Poignardé à la poitrine. Ça semblait mal engagé, à moins que des secours n'arrivent de toute urgence.

Au moins, il était conscient. Ses yeux s'ouvrirent sur Magnús.

— Qui a fait ça ?

Björn essaya de parler. Magnús baissa la tête pour coller son oreille contre la bouche du pêcheur.

— Ísak.

— Où est Harpa ?

Björn ne pouvait répondre, mais il leva les yeux vers le sommet de la colline.

— Elle est montée par ici ?

Björn hocha la tête d'un petit mouvement du menton.

— Et Ísak la poursuit ?

Nouveau hochement de tête.

— Qui est Ingólfur Arnarson ? tenta Magnús.

Björn ferma les yeux et tourna la tête sur le côté.

Magnús fit signe à Páll qui courait vers le ruisseau.

— Appelez une ambulance ! cria-t-il.

Páll leva la main pour lui montrer qu'il avait entendu et partit à toute vitesse vers sa voiture.

Magnús se tourna et regarda en haut de la colline. Le brouillard se levait, se déplaçant vers la gauche en bas de la vallée. Mais il ne vit ni Ísak ni Harpa. Il ferma les yeux pour écouter. Il entendit de l'eau qui coulait, le cri des corbeaux, la respiration lourde de Björn, et quelque part au loin, le fracas de pierres qui tombaient. Il s'élança vers le haut de la colline.

39

Harpa courait aussi vite qu'elle pouvait, ce qui était loin d'être suffisant. Ses poignets la handicapaient gravement : comme ils étaient attachés, elle ne pouvait pas se servir de ses bras pour garder l'équilibre. Et elle ne portait pas les bonnes chaussures. Celles-ci n'arrêtaient pas de déraper sur les éboulis, projetant des torrents de pierres derrière elle. Elle tombait tout le temps. Encore un peu et elle allait se fouler quelque chose. Elle avait l'impression que son cœur allait exploser.

Le brouillard l'enveloppait. Malgré le sang qui pulsait dans ses oreilles, elle entendait derrière elle les pierres qu'Ísak déplaçait en la rattrapant.

Puis soudain, le brouillard se leva. Au-dessus d'elle, le ciel bleu la regardait. À sa gauche comme à sa droite, rien que des pierres. Derrière et devant elle, s'étalait un épais tapis gris. Elle avait atteint le sommet, sur la crête entre une vallée et l'autre.

Elle s'arrêta un instant. Ísak se rapprochait. Rassemblant une énergie nouvelle, elle descendit en courant vers le nuage. Elle glissa et tomba, se tordant une cheville et s'éraflant le genou. Elle ne put s'empêcher de pousser un petit cri. Le brouillard n'était qu'à quelques mètres devant elle. Elle boita pour y arriver.

Elle sentit un énorme soulagement, une fois que la couverture d'humidité l'encercla de nouveau. Même si la pente ne faisait que descendre, son genou ne la tenait plus.

Malgré le peu de visibilité, elle repéra un amas de rochers à sa gauche. Si elle se contentait de se cacher derrière, Ísak ne la trouverait jamais.

Elle changea de direction et partit vers les rochers.

Soudain, elle entendit le pas régulier d'Ísak. Elle ne le voyait pas mais il semblait si proche qu'elle craignait qu'ils ne se rentrent dedans. Elle décida tout de même de continuer vers les pierres.

Elle se jeta derrière et s'allongea, protégée par deux gros rochers. Mais elle ne parvenait pas à rester totalement silencieuse, elle respirait bruyamment et son cœur battait la chamade.

Quelques secondes plus tard, elle entendit Ísak qui passait à côté d'elle. Elle voyait ses jambes. Il n'était qu'à cinq mètres d'elle quand il s'arrêta pour écouter. Elle s'efforça de retenir sa respiration, mais elle ne réussit que très peu de temps. Ses poumons réclamaient de l'air. Quand elle expira, elle pensait qu'il l'aurait entendue, mais Ísak ne remarqua rien et continua à avancer dans la brume.

Elle se releva et marcha aussi silencieusement que possible le long de la pente, augmentant la distance entre Ísak et elle.

C'est à ce moment-là que l'atmosphère se dégagea, révélant la vallée qui scintillait sous le soleil pâle.

Ísak n'était qu'à cent mètres à sa gauche, légèrement en dessous d'elle. Il s'arrêta et examina la colline vers sa droite. Il se tourna vers elle.

Elle descendit aussi vite que son genou en bouillie le lui permettait.

Magnús plongea dans le nuage. La pente réservait des surprises, des rochers saillants d'un côté, lisses de l'autre, recouverts de terre par endroits, de mousse ou d'herbe à d'autres. De temps en temps il faisait une pause pour entendre les pierres déplacées. Il n'entendait rien.

Le brouillard était assez épais. Si Harpa ne faisait pas de bruit, Ísak ne parviendrait pas à la trouver. En fait, si elle avait toute sa tête, elle se contenterait de rester accroupie et d'attendre.

Pour Magnús, c'était différent. Il représentait une grande cible mouvante et bruyante, dont l'adversaire avait un couteau et n'hésiterait pas à s'en servir. Lui n'était pas armé. Si seulement il avait un pistolet ! Selon le manuel, il devait attendre les renforts.

Ils pouvaient se fourrer le manuel là où il pensait. De toute façon, les renforts non plus ne seraient pas armés.

Il continua.

Son cœur battait à tout rompre. Il se retrouva dans un creux entre deux rochers usés par le vent. Il avait l'impression d'être sur la crête entre les deux vallées.

Il entendit quelqu'un tomber et pousser un petit cri. Cela semblait venir de devant lui, vers la droite, mais plus bas, pas très loin.

Magnús s'orienta dans la direction du cri. Il descendit la colline. Quelques secondes plus tard, il sortit du brouillard. Sous lui s'étendait une nouvelle vallée, plus verte que celle désolée qu'il venait de quitter, avec un chemin en asphalte noir qui la traversait en son centre.

Et à quelques centaines de mètres de lui, Harpa glissait en bas de la colline, Ísak à ses trousses. Elle avait du mal à trouver son équilibre avec les mains attachées devant elle.

Magnús se pressa derrière eux. Consterné, il vit Harpa se diriger vers le sommet d'un affleurement de pierres de près de cinquante mètres de hauteur. À l'évidence, elle n'avait pas vu le précipice.

— Vers la gauche ! hurla-t-il. Allez vers la gauche !

Mais elle ne l'écouta pas. On aurait dit, un instant, qu'elle allait se jeter du haut de la falaise, mais elle s'arrêta juste à temps. Elle se tourna, vit Ísak s'approcher et se glissa dans une fissure.

Elle atterrit sur une étroite saillie et avança maladroitement contre le rebord de pierre, le dos à la falaise, les mains devant elle.

Ísak hésita à la suivre. Il se tourna et vit Magnús qui les rejoignait.

— Attendez, Ísak ! cria ce dernier.

Ísak regarda en bas et se glissa à son tour dans la fissure.

Magnús mit une minute pour arriver à leur niveau. Sous lui, Harpa avait quitté la saillie et Ísak n'était plus qu'à quelques pas d'elle, son couteau tendu dans sa direction. Le sang de Björn perlait encore sur la lame.

— Jetez ce couteau, Ísak ! cria Magnús. Il ne sert plus à rien de tuer Harpa, maintenant.

Ísak hésita. Il l'écoutait.

— Sindri a parlé. Nous savons que vous avez poignardé Björn. Ce que nous dira Harpa désormais n'a plus d'importance. Laissez-la !

Il crut qu'Ísak allait agir de façon rationnelle. Mais il semblait avoir pris sa décision.

— Non ! Reculez ! Reculez ou je la tue !

Il continua à longer prudemment la falaise.

Situation de prise d'otages. Magnús avait un peu progressé. Au moins il n'allait pas la tuer tout de suite.

Mais les situations pareilles étaient très imprévisibles. Magnús avait assisté à quelques prises d'otages à Boston où des gens étaient morts, alors qu'ils n'auraient jamais dû se faire tuer.

Même si Ísak était désespéré, il n'était ni drogué ni cinglé. Et pourtant, on ne savait jamais à quoi s'en tenir dans de tels cas.

Il restait encore quelques mètres à Ísak avant d'atteindre Harpa. Magnús considéra ses options. Ísak et Harpa devaient être à soixante centimètres sous lui. Sous eux, il restait encore entre soixante et quatre-vingt-dix centimètres avant une pente raide d'herbe grasse.

Si Magnús glissait sur la paroi rocheuse, il pourrait entraîner Ísak avec lui dans sa chute jusqu'en bas. Idiot. Magnús se casserait sans doute quelque chose. Probablement le cou. Et Ísak pourrait facilement lui planter son couteau dans le corps.

Alors que s'il atteignait Harpa, tout se résoudrait sans que personne ne soit blessé.

Ou pas.

Ísak se rapprocha encore de Harpa. Elle ne pouvait plus aller nulle part. Elle poussa un hurlement.

Et puis merde ! Magnús sauta.

Magnús glissa sur les fesses tout le long de la pente de pierre quasi verticale. Ísak se tourna et brandit sur lui son couteau. Magnús esquiva. Le couteau s'abattit sur son bras, mais Magnús envoya ses jambes dans celles d'Ísak et les deux dévalèrent la pente jusqu'en bas.

Magnús cogna son dos, sa poitrine et enfin sa tête contre un rocher.

Il plongea dans le noir.

Il ne savait pas combien de temps il était resté inconscient. Pas plus de quelques secondes, parce que quand il ouvrit les yeux, il vit Ísak se ruer vers lui, agrippant son couteau, du sang coulant sur sa joue.

Magnús essaya de se redresser sur un coude, mais sa tête vacillait. Son corps recevait des messages contradictoires, son cerveau troublé n'arrivait pas à se servir de l'adrénaline qui coulait dans son sang.

Ísak arriva à son niveau, oscilla. Deux Ísak.

Magnús tenta de convaincre ses bras et ses jambes d'obéir à son cerveau. Rien à faire.

Ísak leva son couteau. Magnús n'arrivait même pas à pousser un cri.

Soudain il vit une pierre grise s'écraser sur le crâne d'Ísak et l'étudiant s'écroula.

Deux Harpa avancèrent dans le champ de vision de Magnús et lentement se fondirent en une seule.

Finalement il parvint à se relever sur les coudes.

— Merci, dit-il.

— Qu'est-ce que je devrais dire ? lança Harpa en regardant le corps inerte d'Ísak, une pierre de la taille d'une balle de base-ball encore dans les mains.

— S'il bouge, frappez-le de nouveau avec ça, conseilla Magnús.

— Vous croyez que je l'ai tué ?

— J'espère !

La sirène d'une voiture de police gronda au loin, son gyrophare éclairant la vallée.

— Faites-leur signe, vous voulez bien ?

Magnús avait mal à la tête, et son bras le lançait là où le couteau d'Ísak l'avait écorché. Il se tenait appuyé contre la voiture de police qui s'était arrêtée au bord de la route sur le col. Deux officiers de police s'y trouvaient. L'un d'eux examinait Ísak qui était toujours inconscient, l'autre appelait une ambulance à l'hôpital de Stykkishólmur.

— Je l'ai tué, n'est-ce pas ? demanda une nouvelle fois Harpa.

— Pas encore, malheureusement. Il respire encore.

— Après Gabríel Örn, je ne supporterai pas de savoir que j'ai tué quelqu'un d'autre.

— Harpa ?

— Oui.

— Un conseil. À partir de maintenant, ne parlez plus à personne, surtout pas à un policier, de ce qui s'est passé avec Gabríel Örn. Pas sans un avocat à vos côtés.

— Ça n'a pas d'importance. Je m'en fiche.

Elle se pencha en avant pour se frotter le genou.

— Ça fait mal, gémit-elle.

— Croyez-moi. Faites-le pour Markús.

— D'accord. Je pensais que vous vouliez me convaincre de tout avouer...

— Oui, ça c'était avant que vous me sauviez la vie. Ne vous inquiétez pas, on découvrira ce qui s'est passé. Je ne veux pas que vous sabotiez votre défense.

— Merci, dit-elle en souriant. Et merci d'être venu à ma rescousse.

Magnús commençait à recouvrer ses esprits.

— Nous avons beaucoup de questions à vous poser, mais la plus importante : savez-vous s'ils projettent de tuer quelqu'un d'autre ?

— Oui, ils vont tuer une autre personne.

— Vous savez qui ?

— J'ai demandé à Björn, mais il a refusé de me répondre.

— Ingólfur Arnarson ? A-t-il mentionné ce nom ?

— Le premier colon ? Non. Il a avoué qu'il y avait quelqu'un d'autre qui se chargeait de tuer. Mais je ne sais pas qui c'est.

— Aucune idée ? Réfléchissez, Harpa.

— Non. J'ai essayé de le lui faire dire. Sans succès.

— Vous a-t-il dit quand cela devait se produire ?

— Oui. Plus ou moins. Qu'a-t-il dit ? s'interrogea Harpa en fronçant les sourcils. Comment a-t-il formulé ça ? « Cet après-midi peut-être. Peut-être ce soir. Certainement pas plus tard que demain matin. » Quelque chose comme ça. C'est pour ça qu'il est sorti, il devait recevoir un texto du tueur. Il ne captait pas de réseau dans la cabane, alors il est parti vers le col. Vous l'avez trouvé ? Vous l'avez arrêté ?

Magnús se souvint que Harpa ne savait pas ce qui était arrivé à son petit ami. Elle devait l'apprendre, autant que ce soit lui qui lui dise.

— Oui, on l'a trouvé. Il a été poignardé par Ísak.

— Oh, mon Dieu ! s'exclama Harpa, une main sur la bouche. Il va bien ?

— Il était en mauvais état quand je l'ai laissé pour partir à votre secours. Blessure à la poitrine.

— Vous l'avez laissé ?

— Oui. Avec un autre officier de police, il appelait une ambulance.

— Vous savez comment il va ?

Magnús leva un sourcil vers le policier qui avait fini avec la radio.

— Je vais voir, lança l'officier.

Il lâcha la portière de son véhicule pour appeler Páll sur la radio. Magnús songea à dire à Harpa de se reculer, mais à quoi bon ? Elle voudrait savoir.

— Vous êtes avec Björn Helgason ?

— Oui, répondit la voix de Páll.

À son ton, Magnús connaissait déjà la suite.

— Il est mort sur place.

Magnús entendit Harpa étouffer un sanglot. Il prit le micro de la radio des mains du policier.

— Páll, c'est Magnús. Vous avez eu le temps de lui poser des questions ?

— Non, il a perdu connaissance dès que je suis arrivé auprès de lui.

— Bon sang !

Magnús n'avait en tête que la prochaine victime, Ingólfur Arnarson. Il ne lui restait pas longtemps à vivre s'ils ne découvraient pas de qui il s'agissait. Il eut une idée.

— Páll ?

— Oui ?

— Essayez de trouver le téléphone de Björn. Et vérifiez le dernier numéro appelé.

— Ça marche.

Magnús se redressa en attendant que Páll revienne vers lui. Le visage de Harpa avait perdu toutes ses couleurs, mais ses yeux étaient secs.

— Je suis désolé, dit Magnús.

— Ça va. Pour l'instant je ne ressens rien. Mais dans la cabane, tout à l'heure, j'ai compris que ce que Björn faisait était mal. Il a tué des gens. Il a cherché ce qui lui est arrivé.

— Magnús ? appela Páll à la radio.

— Oui ?

— J'ai appuyé sur la touche bis. Ça n'a pas affiché que le numéro, il y avait le nom avec.

— Alors, c'est qui ?

— Einar.

Derrière Magnús, Harpa poussa un cri.

— Non ! Non, non, non, non, non !

La douleur et le désespoir déformaient sa voix.

— Ne le croyez pas, Magnús. Il a fait une erreur.

Mais Magnús savait que Páll ne s'était pas trompé. Et d'après lui, Harpa le savait aussi.

40

A rni retournait à Reykjavík depuis Hafnarfjördur, où il avait interrogé les parents d'Ísak et n'avait rien appris du tout. Ils étaient aussi outrés que la police par les occupations de leur fils. La mère, en particulier, avait senti qu'il se passait quelque chose, mais Ísak n'avait pas voulu en parler.

Árni était presque arrivé au commissariat de Hverfisgata quand son téléphone sonna. C'était Baldur.

— Árni, reviens tout de suite à Seltjarnarnes. On a le nom de l'assassin. C'est le père de Harpa, Einar.

— Je pars sur-le-champ.

— D'accord. Attends les officiers en uniforme pour l'arrêter.

— Je l'arrête sur quel chef d'accusation ?

— Le meurtre d'Óskar Gunnarson. On commence avec ça et on élaborera ensuite.

Árni mit plus de temps qu'il ne l'aurait voulu à fixer son gyrophare sur le toit de sa Skoda banalisée, et se dépêcha de repartir. Le pied au plancher, il fonça dans la circulation de Reykjavík, un rictus de tension sur le visage. Il fit une embardée pour éviter une moto qu'il n'avait pas vue arriver devant lui. Il regarda dans son rétroviseur. Le gars s'était arrêté, mais avait réussi à ne pas tomber.

Il ralentit en approchant du virage de Bakkavör. Et ça tombait bien, car il aperçut Einar qui sortait de son Freelander et rentrait chez lui.

Árni s'arrêta, juste au moment où deux véhicules de police arrivaient sur les lieux, leurs sirènes heureusement éteintes. Árni leur fit signe d'être discrets.

— Le suspect vient de rentrer chez lui ! Venez !

— Attendez un instant ! lança un des officiers qui parlait dans sa radio. Ils veulent qu'on patiente. Ils pensent qu'il est armé, on attend la brigade des Vikings.

Árni retourna dans sa voiture à cinquante mètres de la maison d'Einar. Il avait une vue dégagée sur la porte d'entrée. Pas moyen qu'il leur file entre les doigts. Un troisième véhicule de police arriva et les trois partirent se cacher dans le coin.

Tous attendaient la brigade d'intervention armée, faite de volontaires de la police de Reykjavík. Árni était déçu de ne pas procéder lui-même à l'arrestation, mais ce serait amusant de voir la brigade en action.

Son téléphone sonna.

— Árni ? Reviens tout de suite au poste.

— Mais Einar ?

— Les Vikings peuvent se charger de l'arrêter. Je veux que tu rentres sur-le-champ. Il faut qu'on réfléchisse à qui pourrait être la prochaine victime.

Árni vit ses collègues approcher dans une autre Skoda banalisée. À contrecœur, il démarra sa voiture et retourna au poste.

Ils avaient presque atteint Helgafell quand le téléphone de Magnús retentit.

— Árni a repéré Einar. Il vient de rentrer chez lui.

— Il l'a arrêté ?

— On a fait appel à la brigade d'intervention. Einar doit être armé.

— C'est maintenant que vous vous réveillez ? Ils n'auraient pas été de trop ici, il y a une heure.

— Vous en savez plus sur la prochaine victime ?

Magnús jeta un œil à la femme à ses côtés. Elle regardait par la vitre la petite colline de Helgafell qui se rapprochait d'eux, une main sur la bouche, le visage figé par l'angoisse.

— Harpa ne sait pas. Ísak est toujours inconscient, il n'a pas encore parlé.

Magnús faillit ajouter qu'ils ne pourraient plus jamais rien apprendre de Björn, mais avec Harpa qui entendait sa conversation, il se ravisa.

— Ísak va s'en sortir ?

— On ne peut jamais savoir, avec les blessures à la tête.

— Au moins, on sait où est Einar. Il ne peut rien faire de mal tant qu'il est chez lui. Et on le coincera dès qu'il tentera de sortir de sa maison.

— Si c'est le seul complice, remarqua Magnús.

— Vous croyez qu'il pourrait y en avoir un autre ?

— Je ne sais pas. Il ne faut pas conclure à la hâte que c'est le seul. Prévenez-moi quand vous l'aurez arrêté.

Magnús réfléchit aux différentes possibilités. Était-ce Einar qui avait tiré sur Óskar et sur Lister ou quelqu'un d'autre ?

— Harpa ?

— Oui ?

— Votre père parle-t-il anglais ?

— Pas vraiment. Quelques mots seulement, pourquoi ?

Donc cela voulait bien dire qu'il aurait été incapable de préparer ses crimes à Londres et en Normandie.

— Il était souvent absent, ces dernières semaines ? demanda Magnús aussi délicatement que possible.

Harpa détourna le regard, pour fixer par la fenêtre les petites maisons modernes de la banlieue de Stykkishólmur.

— Oui, répondit-elle, à peine audible. Il est parti à la pêche à la mouche. Deux fois.

— Est-ce que cela lui arrive de chasser aussi parfois ?

Elle hocha la tête, refusant toujours de le regarder dans les yeux.

— Autrefois, il chassait le renne dans les montagnes, quand il était plus jeune et qu'il pouvait se le permettre.

Les rennes avaient été introduits en Islande au XVIIIᵉ siècle et maintenant, on les trouvait en grand nombre un peu partout. Et on les chassait, avec des carabines.

— Garde-t-il une arme à feu à la maison ?

— Je suis sûre qu'il a un permis.

Magnús appela Baldur pour prévenir l'équipe d'intervention d'être prudente.

— Je n'arrive pas à croire que mon père puisse faire ça. Je sais qu'il déteste les banquiers. Il a perdu toutes ses économies à cause d'Ódinsbanki, et il est rancunier. Mais le pire, c'est qu'il l'a fait pour moi.

— Comment ça ?

— Il pense que les banquiers ont détruit ma vie. Gabríel Örn, Óskar. C'est contre moi qu'il aurait dû être furieux pour lui avoir conseillé de placer ses économies dans les parts d'Ódinsbanki, mais c'est eux qu'il accuse de m'avoir trompée.

— Mais c'est vrai, non ?

— Oui, mais je ne lui ai jamais demandé de faire ça ! s'indigna Harpa, de grosses larmes coulant sur ses joues. Björn a dû lui en parler. Papa et Björn. Je savais qu'ils s'appréciaient beaucoup. Ils se donnaient parfois rendez-vous au Kaffivagninn, mais je n'avais aucune idée de quoi ils discutaient. Aucune.

Magnús tenta d'afficher sur son visage un sourire réconfortant. Il était désolé pour elle. Les deux hommes qu'elle aimait le plus au monde étaient en fait des meurtriers. Et rien ne l'y avait préparée.

Elle essaya de répondre à son sourire.

— Vous savez, commença-t-elle en se séchant les joues, d'après ce qu'a dit Björn, je ne suis pas sûre que mon père, enfin, si c'est le tueur, va tirer sur quelqu'un.

— Comment ça ?

— Björn restait vague quant à l'heure de l'exécution. Mais il attendait un message quand tout serait prêt. Qu'est-ce qu'il voulait dire par « prêt » ?

— Je vois ce que vous voulez dire.

Il continua à réfléchir dans le sens de Harpa. Il pouvait y avoir encore un autre complice. Improbable. Ou Einar avait trouvé le lieu idéal pour surveiller sa cible et tirer sur elle au moment opportun. Dans ce cas-là, que faisait-il chez lui ?

Quel genre de menace courait-on quand le meurtrier se prélassait tranquillement chez lui ?

Du poison ? Non. Une bombe ?

Une bombe.

Si une bombe attendait d'exploser quelque part à Reyk-javík, ils étaient vraiment mal barrés. Ils ne savaient pas du tout quel nouveau Viking était visé.

Magnús eut une idée. Il appela Páll, mais ce dernier ne répondit pas. Il devait encore être à la cabane où il ne captait pas. Avec l'aide d'un officier de police, il réussit à mettre la main sur lui grâce à la radio de la police.

— Páll, vous êtes où ?

— Je sécurise le lieu du crime.

Logique. Après tout, la vallée était le lieu du crime.

— Pouvez-vous fouiller la cabane ? Voir si vous trouvez un carnet ou quelque chose.

— Je n'attends pas l'équipe médico-légale ?

— Non, faites-le tout de suite. On sait qui a tué Björn. Il faut qu'on apprenne l'identité du prochain sur la liste.

— D'accord, hésita le policier.

— Tenez-moi au courant de ce que vous découvrez.

La voiture s'arrêta dans le parking devant le commissariat de Stykkishólmur. Magnús laissa descendre tout le monde et attendit l'appel de Páll dans la voiture. Quatre minutes, cinq minutes. Il avait la nausée. La même sensation que lors des matchs de football au lycée. L'après-coup des chocs.

Son portable sonna.

— Bon, je suis allé fouiller la cabane. Aucune note nulle part.

— Rien ? Pas d'ordinateur ?

— Non. Seulement un livre. Je crois qu'il le lisait.

Magnús était déçu.

— D'accord, quel livre ?

— *Gens indépendants* par Halldór Laxness.

— Pas étonnant, lança Magnús, dans un soupir. D'accord, Páll. Je peux vous demander encore quelque chose ? Einar a dû envoyer un texto à Björn, et il ne l'a sans doute pas reçu.

Pouvez-vous prendre son téléphone et remonter le col jusqu'à obtenir un signal ?

— Ça marche.

Gens indépendants. Magnús se souvint de la peinture de Bjartur, dans l'appartement de Sindri. Sindri avait apparemment convaincu Björn de lire lui aussi ce roman. Quel dommage que pareille œuvre d'art serve à justifier des actes barbares !

Magnús l'avait lu quand il avait dix-huit ans. Il ne l'avait sans doute pas apprécié à sa juste valeur, il devrait le relire.

Son portable sonna de nouveau. C'était Árni cette fois.

— Quoi de neuf ? Ils ont Einar ?

— Pas encore. Ils attendent l'équipe d'intervention.

— Combien de temps il leur faut ?

— Je ne sais pas, on m'a rappelé au QG. Tu as retrouvé Björn ?

— Oui, je t'expliquerai plus tard. Je dois y aller maintenant, j'attends un appel.

Il raccrocha.

Páll le rappela sur la radio.

— J'ai son portable. Le message d'Einar ne comportait qu'un seul mot : « Prêt. »

— Merci.

Magnús sortit de la voiture de police, son cerveau tournant à plein régime. Alors Einar était prêt. Mais prêt pour qui ? Qui était la prochaine victime ?

Attends un peu...

Gens indépendants. Un des personnages du roman ne s'appelait-il pas Ingólfur Arnarson ? Mais oui, bien sûr !

Qui c'était déjà ? Le fils du propriétaire terrien pour qui Bjartur avait travaillé ? Quelque chose comme ça. Magnús fit un effort pour s'en souvenir. Le garçon avait été appelé du nom du premier colon d'Islande par sa mère, une nationaliste et une sorte de snob intellectuelle.

Sindri pensait au personnage de Halldór Laxness, pas à l'homme qui s'était installé à Reykjavík, mille ans auparavant.

D'accord, alors de quel nouveau Viking s'agissait-il ? Magnús ne se rappelait pas grand-chose du Ingólfur Arnarson de Halldór Laxness, hormis le fait qu'il était devenu riche.

Il devait trouver rapidement. Qui serait susceptible de savoir ?

Ingileif. C'était l'un de ses romans préférés.

Il prit une profonde inspiration et composa son numéro.

— Bonjour Magnús, répondit-elle très vite, la voix sans contour, pas particulièrement contente de l'entendre.

— Ingólfur Arnarson. Je sais qui c'est. Ou du moins quel personnage. C'est le gars dans *Gens indépendants*. Le fils du propriétaire terrien.

— Oh, oui. Logique, je suppose.

— Je ne me souviens pas bien du livre. Comment savoir quel homme d'affaires il représente ?

— Je ne sais pas s'il en représente un.

— Comment ça ? Bien sûr que si ! Il était très riche, non ? Il ne s'est pas acheté une nouvelle voiture ou quelque chose comme ça ? La première de la région ?

— Oui, il était riche. Mais il faisait partie d'un mouvement coopératiste. C'est là qu'il a gagné son influence. Pas vraiment un capitaliste assoiffé, en fait les marchands étaient plutôt ses rivaux. Il leur a fait perdre leur travail. Ensuite, il est parti à Reykjavík.

Silence au bout de la ligne.

— Ingileif ?

— Oh, mon Dieu ! Je sais qui ils visent.

— Qui ?

— À Reykjavík, Ingólfur Arnarson est devenu directeur de la Banque nationale, puis sénateur. Et ensuite Premier ministre.

— Ólafur Tómasson ! Le Premier ministre jusqu'à la « révolution des casseroles ». L'ancien chef du parti indépendantiste, autrefois directeur de la Banque centrale.

— Exactement ! Mais Magnús...

— Oui ?

— Tu peux attendre une seconde ? Une seconde seulement. Je dois te parler. Je crois que je vais aller à Hambourg. Je suis sur le point d'appeler Salva.

— Désolé, Ingileif, il faudra qu'on en parle plus tard. Je dois te laisser.

L'espace d'un instant, il se demanda s'il avait fait une erreur de l'interrompre comme ça.

Puis il appela Baldur et lui fit part de ses conclusions. La prochaine victime devait être Ólafur Tómasson et une bombe l'attendait sans doute.

— Vous en êtes sûr ?

— Bien évidemment que non. Mais il faut que vous le préveniez de faire attention. Il a des gardes du corps ?

— Il en avait encore il y a deux mois. On a dû les lui retirer, réduction budgétaire.

— Eh bien, vous feriez mieux de les rappeler, lança Magnús, avant de raccrocher.

Il se tenait seul sur le parking. Quartier général de la région, le commissariat de Stykkishólmur se situait dans un bâtiment plus imposant que celui de Grundarfjördur. Un petit bloc de béton qui abritait également le tribunal.

Il hésita avant d'entrer. Il ne pouvait rien faire de plus. Tout reposait sur les épaules de Baldur à présent. Cela risquait de prendre un certain temps pour obtenir les accords, réunir les responsables, prendre les décisions. Peut-être concluraient-ils encore une fois que Magnús se laissait emporter par ses intuitions.

Magnús se souvint que l'ancien Premier ministre habitait dans une des maisons sur la rive de Tjörnin, le lac aux oiseaux, en plein cœur de Reykjavík. Si Árni avait quitté Seltjarnarnes pour se rendre au poste, il devait se trouver là à l'instant même.

Il l'appela.

— Árni, où es-tu, là ?

— Sur Hringbraut, j'arrive au niveau de l'université.

À quelques mètres seulement du lac.

— Bon, écoute-moi attentivement et fais ce que je vais te dire.

— Je t'écoute.

— Tu sais où habite Ólafur Tómasson ?

— Oui.

— D'accord. On pense que c'est la prochaine victime. Probablement avec une bombe. Je veux que tu ailles chez lui et que tu le fasses sortir lui et sa famille. Ne le laisse toucher à aucun paquet et surtout qu'il n'approche pas de sa voiture. Tu me suis ?

— Tu es sûr, Magnús ? C'est quelqu'un d'important.

— Et c'est justement pour cela qu'ils veulent le faire sauter.

— J'y vais tout de suite, assura Árni.

Bon gars, se dit Magnús. Ólafur était célèbre pour son caractère irascible, surtout depuis qu'il avait été contraint de quitter le gouvernement. Et il ne prendrait certainement pas bien de se faire bousculer par un policier maigrelet.

Tant pis.

De nouveau la lumière bleue.

Árni pressa l'accélérateur, vira dans le rond-point devant l'université et en moins d'une minute, il fonçait sur la rive du Tjörnin. Les maisons ici comptaient parmi les plus prestigieuses de Reykjavík, et celle d'Ólafur Tómasson se situait à l'extrémité nord, à côté de la mairie.

En approchant de la maison, il reconnut la grande silhouette dégingandée de l'ex-Premier ministre. Il se tenait à côté de la portière de sa Mercedes, l'ouvrit, entra à l'intérieur.

Árni appuya de toutes ses forces sur son klaxon. Mais cela risquait de ne pas être suffisant pour empêcher Ólafur de tourner la clé dans le contact.

La voiture d'Ólafur était garée dans l'allée devant sa maison, l'avant vers la route et le lac. Árni devait faire quelque chose rapidement pour dissuader Ólafur de démarrer le moteur et le faire sortir.

Une jeune femme blonde tenait une poussette sur le trottoir le long du lac et indiquait du doigt les canards. Sans lâcher le klaxon, il fonça droit sur elle. Il vit plutôt qu'il n'entendit son hurlement. Au dernier moment, il tourna le volant et percuta un arbre. L'airbag s'ouvrit, s'écrasant dans son visage.

Il entendit le cri de la mère et des pas rapides qui venaient vers lui.

Il ouvrit sa portière, s'extirpa de l'airbag et arriva, chancelant sur le trottoir.

— Bon sang, mais qu'est-ce qui vous a pris de conduire si vite ?

Árni se tourna pour voir l'ancien Premier ministre furibond lui hurler dessus.

Il sourit.

41

Ils trouvèrent une bombe sous la voiture d'Ólafur. Árni était allé vérifier lui-même, se glissant sous le châssis. Sans doute un geste d'une imprudence ridicule, mais il devait bien faire quelque chose pour que l'ex-Premier ministre cesse de hurler. L'équipe de démineurs fut appelée sur-le-champ. Plus habitués à s'occuper des mines qui dataient de la Seconde Guerre mondiale, cela leur prit un certain temps pour retrouver leurs deux experts, formés à désamorcer ce type de bombe. L'un était en vacances, et l'autre, dans un sauna sur Laugardalur.

L'expert préféra ne prendre aucun risque et opta pour une explosion contrôlée. Cela fit des ravages dans le jardin de l'ancien Premier ministre et terrorisa la petite voisine d'à côté.

La brigade Viking, quand elle finit enfin par arriver, défonça la porte de la maison des parents de Harpa pour arrêter Einar qui regardait tranquillement le golf à la télé. Une équipe médico-légale retourna son garage pour trouver des signes de la fabrication d'une bombe et en trouva.

Au commissariat de Stykkishólmur, Magnús se préparait à rentrer à Reykjavík. Avant de partir, il apporta une tasse de café dans la salle d'interrogatoire où attendait Harpa. Il s'agissait maintenant de la ramener à Reykjavík pour l'interroger formellement. Des officiers en uniforme allaient la reconduire.

— Merci, lança-t-elle en acceptant le café que Magnús lui tendait.

— Et merci à vous d'avoir arrêté Ísak. Je voulais vous demander, comment êtes-vous arrivée en bas si vite ?

— J'ai sauté, tout comme vous, expliqua Harpa en souriant. Mais je me suis fait moins mal que vous. Comment va Ísak ? Il va s'en tirer ?

— Il est à l'hôpital, aux soins intensifs. Ils le maintiennent inconscient pour éviter que son cerveau ne gonfle, à ce que j'ai compris. Ils ne peuvent pas encore se prononcer, mais il a de bonnes chances de survivre. Malheureusement.

— Vous, vous dites ça, Magnús, mais moi je suis contente. Je ne veux plus avoir la mort de personne sur la conscience.

Magnús voulut de nouveau la mettre en garde, mais il s'arrêta et sirota son café.

— Qu'est-ce qui va se passer maintenant ? demanda Harpa. Je vais aller en prison ?

— Sans doute. Vous pourriez avoir de la chance, avec un bon avocat. On est en Islande, pas au Texas.

— Je ne suis pas sûre de pouvoir supporter tout ça.

— Vous avez traversé une période difficile. Vraiment difficile. La plupart des gens auraient craqué depuis longtemps.

— Je n'en suis pas loin, avoua Harpa en esquissant un timide sourire.

— Je suis sûr que non. Pensez à Markús. N'arrêtez jamais de penser à lui. Tenez le coup, pour lui.

— Oui, d'accord.

Magnús termina sa tasse.

— Malgré tout ce qui s'est passé, il a de la chance de vous avoir pour mère. Si vous n'abandonnez pas, il deviendra un bon petit gars, j'en suis persuadé.

Harpa fit un effort pour ne pas pleurer.

— Merci, prononça-t-elle si bas que Magnús l'entendit à peine.

Le soleil se couchait lentement à l'ouest sur l'océan, caressant les larges épaules des montagnes de Bjarnarhöfn en descendant. Magnús était content de se retrouver seul en roulant vers Reykjavík, savourant les deux heures de pause entre le commissariat de Stykkishólmur et le quartier général.

Son téléphone sonna. Magnús reconnut le numéro et faillit ne pas répondre. Après la troisième sonnerie, il décrocha tout de même.

— Magnús.

— Bonjour Magnús, ici Snorri.

Magnús se tendit sur son siège. Le big boss en personne.

— Bonjour Snorri.

— Je vous appelle pour vous présenter mes excuses. Vous aviez raison sur toute la ligne. Nous aurions dû vous écouter.

— C'était une affaire difficile. Je n'ai jamais apporté de preuves solides.

— Mais vous aviez vu juste. Et c'est pour cela que nous sommes heureux de vous compter parmi nous. Et que nous voudrions que vous restiez.

— Merci. Et, Snorri ?

— Oui ?

— Souvenez-vous : ces types sont des criminels, pas des terroristes.

— Moi, je compte bien m'en souvenir, acquiesça-t-il en riant. Mais il faut maintenant que je convainque tous les autres.

Magnús sourit en raccrochant. Il savoura ce coup de fil. D'autant que les policiers, surtout les plus haut placés, n'aimaient pas s'excuser.

Il restait en Islande. Très bien.

Mais Ingileif ? Elle avait déjà dû appeler Salva. Sa décision était prise. Peut-être aurait-il dû rester à lui parler tout à l'heure, juste une minute, pour lui demander d'attendre, au moins le temps qu'il prévienne les autres pour Ólafur Tómasson.

Mais il ne l'avait pas fait.

Trop tard.

Et si ce n'était pas le cas ? Il ne voulait pas qu'elle s'en aille. Bien évidemment c'était à elle de choisir ce qu'elle voulait faire de sa vie. Bien sûr, l'Allemagne représentait une belle opportunité. Peut-être qu'elle avait vraiment besoin de s'évader de l'Islande. Mais il ne voulait pas qu'elle parte.

Il prit son téléphone, choisit son numéro et attendit.

Elle ne répondit pas. Elle voyait sans doute son numéro s'afficher, mais préférait ne pas décrocher.

Son message s'enclencha. Cela faisait du bien d'entendre sa voix. À lui de laisser un message.

Il raccrocha.

Les montagnes de Bjarnarhöfn approchaient, ainsi que Berserkjahraun. Il ressentit une vague de nausée monter en lui. Saleté de choc.

Il s'arrêta au bord de la route et sortit de sa voiture. Il se redressa pour respirer profondément. L'air frais en Islande est vraiment frais. La brise fit entrer l'oxygène dans ses poumons et lui chatouilla les joues.

Après quelques minutes, il se sentit mieux. En remontant dans la voiture, il remarqua sur le siège passager le compte rendu du médecin légiste pour l'affaire Benedikt Jóhannesson.

Laissant la portière ouverte, il se mit à le parcourir. Il n'imaginait pas trouver quelque chose de nouveau par rapport au reste du dossier, mais savait-on jamais.

En effet.

C'était juste là, sous la rubrique « Cause du décès ». Quelque chose que seul lui pouvait trouver pertinent.

Benedikt avait été poignardé une fois dans le dos et deux fois dans le torse, par un tueur probablement droitier.

Un jour de juillet, onze ans plus tôt, le père de Magnús était allé ouvrir la porte de la maison qu'il louait pour l'été à Duxbury. Il y avait fait entrer quelqu'un. Il s'était retourné. On l'avait poignardé à une reprise dans le dos et à deux reprises dans le torse. Il était mort, le meurtrier était droitier.

Même mode opératoire. Même meurtrier. Aucun doute là-dessus.

Magnús n'en revenait toujours pas que les tueurs utilisent le même *modus operandi*, qu'ils soient de petits voleurs de voitures ou les plus rusés des tueurs en série. Une routine dans leurs actions semblait leur permettre de mieux gérer les situations de stress.

Il imaginait le tueur sonner à la porte de la maison de Duxbury, avec des gants. Il le voyait saluer son père et entrer dans le couloir. Peut-être qu'il avait toujours envisagé d'attendre jusqu'à ce que son père se tourne, tout comme Benedikt l'avait fait dix ans plus tôt. Cela avait marché cette fois-là. Cela marcherait encore.

Magnús ne connaissait qu'un seul homme lié à Benedikt et Ragnar.

Hallgrímur. Le grand-père de Magnús, le beau-père de Ragnar et le copain de jeu de Benedikt. Et l'homme qui vivait dans la ferme de l'autre côté du champ de lave, en face de lui.

Magnús savait que l'enquête n'avait pas inquiété son grand-père. Et pourquoi l'aurait-elle fait, alors que Benedikt avait déménagé à Reykjavík des années plus tôt ?

Il essaya de se souvenir si son grand-père était droitier ou gaucher. Il ne le revoyait pas écrire, mais il se rappelait comment il frappait. Le vieil homme préférait son poing gauche, il en était pratiquement sûr. Mais il restait un autre problème, bien plus important. La douane avait confirmé que Hallgrímur ne s'était pas rendu aux États-Unis l'été 1996. Et il n'avait même pas de passeport.

Alors où se trouvait Hallgrímur le 28 décembre 1996 ?

Cela devait être le deuxième Noël de Magnús à Bjarnarhöfn. La fois où Sibba et son oncle et sa tante étaient venus du Canada. Mais Magnús ne se souvenait pas des moindres gestes de Hallgrímur cet hiver-là.

Le schéma était clair et systématique. Une querelle de famille, qui commençait avec la mort de Jóhannes, le père de Benedikt pendant les années trente, suivi de Gunnar qui plongeait de la falaise dans les années quarante et ensuite le meurtre de Benedikt dans les années quatre-vingt. La mort de Ragnar dans les années quatre-vingt-dix pouvait-elle être liée à cette querelle ? Magnús n'imaginait pas pourquoi. Et pourtant...

Il leva les yeux du rapport et regarda au-delà du champ de lave vers les bâtiments blancs de la ferme, et le point noir que formait l'église.

S'il restait en Islande, que ferait-il de Bjarnarhöfn ? Continuerait-il à l'éviter ? Ou aurait-il le courage de l'affronter ?

La colère le submergea. La tension des jours précédents l'accabla. Ingileif, son grand-père, la chasse aux tueurs d'Óskar Gunnarsson, le coup de poignard sur Björn. Avoir échappé à la mort...

Il prit une décision. Il ne voulait pas y réfléchir : il devait le faire tant que la colère l'aveuglait.

Il appuya sur l'accélérateur et partit en trombe dans le champ de lave, tournant sur la route vers la ferme.

Il passa l'endroit où les deux Berserks étaient enterrés et en un instant, il se retrouva au milieu du domaine de son enfance. Cela aurait dû être un endroit sublime, avec les montagnes majestueuses et les chutes d'eau qui coulaient de leurs flancs, la petite église en bois, le coucher de soleil projetant ses rayons roses sur l'océan.

Mais Magnús sentit un voile épais l'envelopper.

Il ne voulait pas croiser son oncle Kolbeinn. Il se souvenait que Sibba lui avait dit que leur grand-père ne vivait plus dans le bâtiment principal. Par conséquent, Magnús roula jusqu'à l'une des deux maisons plus petites.

Il sortit de la voiture. Par la fenêtre, il vit un homme penché sur un journal dans son salon. Son visage était dans l'ombre, alors qu'il complétait des mots croisés, mais Magnús vit qu'il s'agissait d'un vieil homme. Il tenait son stylo dans la main gauche.

Il sonna à la porte. Ensuite il frappa. Fort.

— Une seconde, une seconde ! gronda la même voix, peut-être un peu plus faible maintenant. Patience, oui ?

Magnús frappa plus fort encore.

Un vieil homme dans une chemise verte ouvrit la porte, le visage buriné par les ans. Les coins de ses lèvres pointaient vers le bas. Ses petits yeux bleus brûlaient de rage.

— Magnús ?

— Eh oui.

— Je ne t'ai pas vu par ici, il y a deux jours ?

— Si.

— Alors, qu'est-ce que tu fais ici ?

— Je suis venu te délivrer un message.

— Et qu'est-ce qui te fait croire que je veux t'écouter ?

Il avait beau être âgé de plus de quatre-vingts ans, son pouvoir n'avait pas faibli. Magnús luttait pour contrôler la situation et la conversation. Il se sentait rétrécir, redevenir le fier gamin de douze ans terrorisé.

— Je ne sais pas comment mon père est mort. Et je ne sais pas comment Benedikt Jóhannesson est mort. Mais ce que je sais, c'est que tu as quelque chose à voir avec ces deux meurtres. Et je finirai par découvrir quoi.

— C'est ton message ?

— Non, mon message, c'est ne meurs pas avant que je découvre la vérité. Parce que tu vas payer, vieil homme. Je vais m'assurer que tu payes.

Le visage de Hallgrímur vira au rouge écarlate et il toussa violemment.

— Tu te prends pour qui ?

Magnús ne l'écoutait pas. Il tourna les talons, sauta dans son Range Rover et fit demi-tour pour retourner à Reykjavík.

Il reviendrait.

Note de l'auteur

Les Islandais aiment dire que les gens qui ont ruiné leur pays ne dépassent pas les trente. Óskar Gunnarsson est destiné à incarner l'un d'eux, mais personne en particulier.

De même, les personnages dans le roman qui occupent des positions politiques importantes tels que le Premier ministre d'Islande ou le chancelier de l'Échiquier en Angleterre durant la crise ne représentent pas les personnes qui ont occupé ces postes en réalité. Toute similarité entre les autres personnages et des gens qui ont vraiment vécu ou vivent encore est purement fortuite.

Je voudrais remercier un certain nombre de personnes pour leur aide. Nic Cheetham et Pétur Már Ólafsson, mes éditeurs anglais et islandais, Oliver Munson, mon agent, Richenda Todd, Tom Bernard, Karl Steinar Valsson, Anna Margrét Gudjónsdóttir, Sigrún Lilja Gudbjarsdóttir, Ármann Thorvaldsson, Alda Sigmundsdóttir et Lara Gillies. C'est un vrai défi, très stimulant, d'écrire sur un pays qui n'est pas le sien. S'il existe des erreurs, elles sont toutes de mon fait.

Enfin, j'aimerais remercier ma femme, Barbara, et mes enfants pour leur patience, leur soutien et leurs encouragements.

Carmelo Sardo
Les Nuits de Favonio

Anna Shevchenko
Héritage

Anne-Solange Tardy
La Double Vie de Pénélope B.
Very Important Pénélope B.

AB Winter
La Grande Mascarade
L'Ode à la joie
La Croisade des enfants

CET OUVRAGE
A ÉTÉ ACHEVÉ D'IMPRIMER
SUR ROTO-PAGE
PAR L'IMPRIMERIE FLOCH
À MAYENNE EN OCTOBRE 2011

N° d'impr. : 80573.
D.L. : octobre 2011.
(Imprimé en France)

RID